collection **guides marabout**

261

S0-AWH-309

Des mêmes auteurs :
15 tests pour connaître les autres (GM 15)

Michel et Françoise Gauquelin

20 tests pour se connaître

marabout

Cet ouvrage a paru précédemment
dans la collection marabout service (MS 236).

Ce volume a été rédigé
par Michel et Françoise Gauquelin
avec
Jacques-Laurent Arnaud,
Monique Maynadier,
Alain Sarton,
avec un test de
H.-J. Eysenck.

Les illustrations sont de Nicolas Troxler.

C. E. P. L.

à l'attention du lecteur

Ce livre réunit vingt tests psychologiques et des commentaires sur leurs interprétations.

Chaque test se compose de deux parties : *un questionnaire* d'une quarantaine de questions, offrant un choix de réponses possibles ;

les résultats, avec leur cotation, suivis d'un commentaire adapté à chaque cas.

Des notes placées en bas de page donnent des références bibliographiques.

Le lecteur trouvera

Sommaire

Introduction

Beaucoup de livres se sont donné pour but d'expliquer la nature de l'homme. A la question « Qui suis-je ? », ils répondent : voici ce que doit être un homme, voici comment il devrait agir dans telle ou telle situation.

Cette réponse reste éminemment abstraite. Car aucun individu n'est en tout point conforme à l'homme normal idéal, pas plus d'ailleurs qu'aux cas typiques extrêmes dont on trouve des descriptions pour expliquer diverses tendances de la nature humaine. En chaque description psychologique nous pouvons retrouver un peu ou beaucoup de notre propre personnalité. Mais jamais l'ensemble de toutes ses composantes.

Nous recelons un nombre infini de caractéristiques, plus ou moins avouées, plus ou moins dissimulées. Il est important d'en prendre conscience : nos aptitudes caractérielles et intellectuelles sont toujours plus riches que nous ne le pensons nous-même. C'est bien à tort que depuis l'enfance des personnes de notre entourage cherchent à réduire notre personnalité à quelques composantes limitées. On aime à dire : « Un tel est doux et Un tel est violent... celui-ci est intelligent et celui-là est sot... » On cherche à nous enfermer dans une personnalité donnée, par souci de simplification. Mais le jugement ainsi porté est fondé le plus souvent sur une observation extrêmement superficielle. Non, Un tel n'est pas toujours doux. Dans certaines situations il peut se révéler tout à fait agressif. Et le contraire arrive forcément à tel autre qui un jour s'est montré si violent... Le jugement à l'emporte-pièce des personnes qui nous entourent ne peut nous permettre de nous connaître dans l'extrême diversité de nos possibilités caractérielles.

Comment faire alors pour en prendre conscience ? Les jugements entendus si souvent sur nous-même ne nous forgent-ils pas une cuirasse de préjugés dont il est bien difficile de se libérer ? Un enfant auquel on répète qu'il est méchant a tendance à le devenir. Ne sommes-nous pas ainsi, ne nous laissons-nous pas enserrer, bien au-delà de l'enfance, dans un costume qui n'est pas à notre taille ?

Le présent ouvrage est une tentative pour permettre à chacun de redéfinir pour soi-même sa propre personnalité. Des questions, aussi nombreuses et variées que possible, vous sont posées, dans vingt questionnaires qui explorent différents aspects du caractère. Pour vous faciliter la réponse et, ultérieurement, la cotation du genre de réponse donnée, un certain nombre de réponses types sont proposées après chaque question. Vous devez choisir l'une de ces réponses en cochant d'une croix le petit carré qui la précède. Parfois, ce choix vous sera facile ; parfois, il le sera moins. Décidez-vous alors, parmi les réponses proposées, pour celle qui vous déplaît le moins. Si vraiment vous ne pouvez vous décider, passez à la question suivante sans répondre. Votre total de réponses sera moins élevé, mais valable tout de même.

Ne laissez cependant pas les scrupules trop appauvrir le nombre de vos réponses. Comme disait une de nos amies à sa fille, candidate au baccalauréat : « Si tu veux réussir ton examen, concentre-toi, réfléchis bien... et puis mets n'importe quoi ! » Cette recette à l'emporte-pièce peut prêter à sourire. Mais elle renferme un fond de vérité utile. Après s'être bien concentré pour comprendre le sens d'une question telle que l'a conçue le rédacteur, il faut laisser parler l'inspiration du moment. Cette inspiration peut varier, bien sûr, en fonction de l'ambiance momentanée. Pour tenir compte de ce facteur, chaque questionnaire est conçu de façon à poser plusieurs fois les questions fondamentales, sous des aspects divers. Une réponse isolée a donc peu d'importance. Ce qu'elle peut comporter d'aléatoire est compensé par la grande variété d'autres réponses qui la soutiennent, la recoupent, ou l'annulent parfois. Ne soyez donc pas inquiet pour d'éventuelles contradictions, ou pour des approximations qui ne correspondent pas exactement à ce que vous voudriez dire. Elles s'insèrent dans un ensemble qui, peu à peu, se structure en un tout cohérent.

Peut-on se connaître soi-même ?

A cette très vieille question, Karen Horney, psychanalyste américaine, n'hésite pas à répondre : « Il est encourageant de s'apercevoir qu'on a toujours reconnu cette tâche comme possible, malgré sa difficulté[1]. » Bien entendu, certaines composantes de notre personnalité sont cachées. Même à nous-même nous ne voudrions pas les avouer.

Mais la technique des questionnaires ne vise à éclairer que la personnalité consciente. Il faut d'autres techniques pour atteindre la personnalité inconsciente[2]. A condition que le sujet interrogé soit sincère, le questionnaire est une technique utile et qui a fait ses preuves. Et pourquoi, ici, ne seriez-vous pas sincère ? Vous travaillerez pour vous-même uniquement, et n'avez pas à craindre l'opinion indiscrète de tiers malveillants.

Avant d'être publiés ici, la majeure partie des vingt tests que nous vous présentons ont paru dans la revue *Psychologie*. Ils ont été eux-mêmes testés, revus et corrigés en fonction des réponses de nombreux lecteurs. En outre, ils ont subi un examen final[3] sur un groupe de cinquante sujets des deux sexes, de tous âges et de toutes conditions. Les tests sont sortis de ces épreuves dépouillés de toute obscurité inutile, décantés, clarifiés, et, nous l'espérons, satisfaisants pour tous.

Il n'en reste pas moins que chercher à s'examiner, à se juger soi-même avec objectivité est une tâche difficile. Selon son caractère, chacun se heurte à certains obstacles qui peuvent diminuer l'efficacité des questionnaires. Peut-être la description de ces obstacles vous aidera-t-elle à les éviter.

L'impatience

Pour permettre un bon jugement sur ce que vous êtes, chaque approche de l'un des aspects de votre personnalité doit être nuancée. C'est pourquoi, chaque questionnaire présenté ici est long. Le grand nombre de réponses exigées peut lasser votre patience. La hâte de tirer des applications pratiques peut vous inciter à parcourir le livre sans passer par les différents stades de

1. K. Horney : *l'Auto-analyse* (Paris, Gonthier, 1953), p. 14.
2. Un panorama en est donné dans l'ouvrage de M. Gauquelin : *Connaître les autres* (Marabout Service, 1972.)
3. Exposé à la fin de l'ouvrage avec les corrélations statistiques qui s'en dégagent.

son utilisation.

Ne cédez pas à l'impatience devant l'abondance du matériel qui vous est offert. Utilisez-le fraction par fraction sans vous poser trop de questions. Le moment de la synthèse viendra en son temps. Mais, bien entendu, rien ne vous empêche, pour donner plus d'intérêt à votre tâche, d'aborder les vingt questionnaires selon l'ordre qui vous plaît le mieux.

L'intellectualisation

Parfois l'intelligence entre en scène prématurément, comme si elle craignait qu'il ne se passe quelque chose en vous auquel elle n'aurait pas sa part. La rationalisation *a priori* peut vous rendre sceptique à l'égard des questions posées au point de vous empêcher d'y répondre avec spontanéité.

Ne cédez pas à votre inquiétude, même si vous doutez de vos capacités de vous connaître mieux à travers les tests. Qui ne risque rien n'a rien. Laissez-vous guider par un esprit de jeu, de récréation, plutôt que par des réflexions savantes sur les visées exactes ou la portée de chaque question posée. Cela rendra vos réponses plus naturelles.

La sensibilité narcissique

La légende de Narcisse raconte que le berger grec, épris de sa propre image, mourut noyé dans les eaux qui la reflétaient. En chacun de nous aussi se loge le désir de contempler amoureusement une image idéale de nous-même que nous voudrions voir reflétée par les tests. Les questionnaires de cet ouvrage vont-ils vous révéler une image caractérielle de vous-même aussi belle que vous la souhaitez ? Vont-ils satisfaire votre penchant narcissique ? Nous le regrettons, mais cela est infiniment peu probable. Il est vraisemblable au contraire que vous vous trouverez confronté souvent avec de petits travers que vous désiriez peut-être ignorer. Ne vaut-il pas mieux les regarder en face avec bonne humeur, que de les dissimuler par de fallacieux petits mensonges répétés. Dites-vous que ces faux-semblants ne font illusion qu'à vous-même, et reconnaissez que pour vos proches, pour votre entourage en général, vous n'êtes pas toujours un ange, mais parfois aussi un peu diable. Cela donne du piment à la vie et de l'accent à votre personnalité. Ne craignez donc pas d'examiner avec lucidité vos travers, au lieu de vous complaire dans une idéalisation narcissique de votre personnalité.

Ainsi le chemin de la connaissance de soi exige beaucoup de franchise, de spontanéité, de persévérance dans l'effort pour s'analyser. Attaquez les vingt questionnaires de cet ouvrage sans trop penser à la défense. C'est à la fin, lors de la synthèse générale, qu'il sera temps de l'organiser. Pour le faire, vous disposerez à ce moment-là de tous les matériaux assemblés au cours de la passionnante étude de vous-même qui vous attend dans les pages qui suivent.

1

Etes-vous en accord avec vous-même?

Etre en accord avec soi-même, ce n'est pas simplement étudier, être marié, avoir des enfants, exercer une profession et passer ses week-ends à la campagne. C'est aussi, et surtout, se sentir bien dans sa peau et s'être réalisé pleinement dans la vie en composant harmonieusement entre ses désirs profonds, parfois inconscients, et les contraintes de la réalité quotidienne. C'est tout un réseau de sentiments et d'idées, de craintes et d'espoirs, qui font que la vie vous paraît savoureuse ou, au contraire, vous semble s'écouler avec la sensation que le temps passe et ne se rattrape jamais.

Vivez-vous en accord avec vous-même ? En somme, êtes-vous heureux ?

Pour vous aider à le savoir, nous vous proposons un petit examen de conscience. Les questions en apparence les plus insignifiantes n'y sont pas forcément les moins chargées de signification.

Chaque question comporte trois réponses possibles. Mettez une croix dans la case a, b ou c placée devant la réponse qui s'accorde le mieux avec votre façon de penser. Choisissez votre réponse rapidement en suivant votre premier mouvement. Les choix les plus spontanés sont en général les plus éclairants sur votre accord avec vous-même.

1 Avez-vous le regret, en amour, de n'avoir pas plus souvent succombé à la tentation ?

☐ **a** souvent
☒ **b** parfois
☐ **c** jamais

2 Lorsque vous désirez fortement quelque chose, votre désir disparaît-il dès que vous possédez la chose convoitée ?

☐ **a** non
☒ **b** quelquefois
☐ **c** oui, en règle générale

3 A l'époque de l'adolescence, des conflits affectifs vous ont-ils opposé à vos parents ?

☐ **a** oui, et de façon sérieuse et durable
☒ **b** non, pas de heurts sérieux
☐ **c** quelques heurts passagers

4 Quelle est, selon vous, la remarque la plus pertinente ?

☐ **a** la fortune sourit aux audacieux
☐ **b** la fortune est aveugle
☒ **c** on peut composer avec la fortune

5 Si, dans vos rêves, apparaissent des animaux, comment se présentent-ils en général à vous ?

☒ **a** ils sont amicaux et familiers
☐ **b** ils sont bizarres et menaçants
☐ **c** je ne rêve pas d'animaux

6 Très franchement, l'envie est-elle chez vous un sentiment puissant ?

☒ **a** non
☐ **b** je me le demande
☐ **c** oui

7 Souffrez-vous parfois d'oublis tenaces et inexplicables de souvenirs pourtant importants pour vous ?

☐ **a** régulièrement
☒ **b** jamais
☐ **c** quand je suis fatigué

8 Avez-vous éprouvé le désir de vous faire psychanalyser ?

☒ **a** je veux rester tel que je suis
☐ **b** oui, à titre de curiosité
☐ **c** il m'arrive d'éprouver ce désir

9 Que pensez-vous de la fidélité conjugale ?

☐ **a** c'est un mythe abstrait
☒ **b** la fidélité nourrit l'amour
☐ **c** c'est affaire de tempérament

10 Le poste que vous occupez convient-il à vos capacités ?

☐ **a** oui, tout à fait
☒ **b** il leur est inférieur
☐ **c** il leur est supérieur

11 Avez-vous éprouvé la tentation de vous retirer loin de tout ?

☒ **a** j'y pense parfois, mais je chasse cette tentation

☐ **b** jamais

☐ **c** l'idée de me retirer un jour me permet de tenir

12 « Il ne nous arrive que ce qui nous ressemble. » Cette pensée vous paraît-elle :

☐ **a** profondément vraie

☐ **b** quelquefois vraie

☒ **c** fausse

13 Au moment de sombrer dans le sommeil, quel tour prennent en général vos pensées ?

☐ **a** angoissant

☒ **b** euphorique

☒ **c** variable

14 Quelle est la tonalité affective de vos premiers souvenirs d'enfance ?

☐ **a** neutre

☐ **b** la colère

☒ **c** la joie

15 Appréciez-vous votre quartier ?

☐ **a** je l'aime beaucoup

☒ **b** je m'y suis habitué peu à peu

☐ **c** je ne songe qu'à vivre ailleurs

16 « Une vie réussie est un rêve d'enfant réalisé dans l'âge mûr. » Cette affirmation vous paraît-elle :

☐ **a** réalisable avec la volonté

☒ **b** difficile à réaliser

☐ **c** impossible à réaliser

17 Sans un passe-temps favori, la vie serait bien terne. Est-ce votre opinion ?

☐ **a** la vie est belle de toute façon

☒ **b** je n'ai pas d'opinion

☐ **c** c'est très vrai

18 Pensez-vous que les personnes très petites ou très grandes en ont souffert au point que leur comportement a été marqué par beaucoup d'agressivité ?

☐ **a** j'en suis persuadé

☐ **b** je pense le contraire

☒ **c** cela ne doit guère jouer sur leur comportement

19 Vous considérez-vous en général, au point de vue intellectuel, comme :

☐ **a** favorisé par votre vivacité

☒ **b** vous situant dans la moyenne

☐ **c** desservi par une certaine lenteur

20 C'est très bien de parler de planning familial, mais le désir ne se raisonne pas. Selon vous :

☐ **a** c'est, hélas ! vrai

☐ **b** c'est heureusement faux

☒ **c** cela dépend des tempéraments

21 Dans certaines situations, une angoisse vous étreint-elle soudain sans que vous puissiez vous raisonner ?

☐ **a** jamais à ce point

☒ **b** c'est rare
☐ **c** c'est fréquemment le cas

---

22 Vous arrive-t-il, en société, de vous conduire exactement à l'inverse de vos intérêts, comme guidé par une volonté qui vous est étrangère ?

☐ **a** oui
☒ **b** je ne comprends pas cette question
☐ **c** je ressens parfois un peu cette impression   *C*

---

23 Pensez-vous qu'en amour le sentiment marche de pair avec la satisfaction sexuelle ?

☐ **a** chez moi, c'est le contraire
☒ **b** cela me paraît essentiel   *B*
☐ **c** je ne sais pas

---

24 Des rêves lancinants, toujours les mêmes, ont-ils peuplé vos nuits pendant longtemps ?

☐ **a** je ne rêve jamais
☐ **b** c'est exactement mon cas   *B*
☒ **c** peut-être, je ne m'en souviens plus exactement

---

25 Avez-vous souvent le sentiment que le bonheur est en vous ?

☐ **a** cette question n'a pas de sens
☒ **b** cela m'est arrivé une fois ou deux
☐ **c** oui, souvent   *B*

---

26 Peut-on épouser une femme (un homme) que l'on n'aime pas ?

☐ **a** oui, l'estime est plus durable que l'amour   *B*
☐ **b** c'est une grave erreur
☒ **c** c'est une question de circonstances

---

27 Pensez-vous que votre apparence physique vous ait souvent desservi ?

☐ **a** elle m'a souvent desservi
☒ **b** elle m'a souvent servi
☐ **c** je n'ai pas d'opinion   *C*

---

28 Avez-vous facilement mal au cœur dans un moyen de transport ?

☐ **a** presque toujours
☐ **b** jamais   *B*
☒ **c** seulement si les conditions sont très mauvaises

---

29 Dans le travail quotidien, l'ennui est le plus grand des maux

☒ **a** c'est vrai   *A*
☐ **b** c'est faux
☐ **c** parfois, mais pas toujours

---

30 Etes-vous satisfait de votre salaire ?

☐ **a** j'en suis satisfait
☐ **b** je suis exploité   *C*
☒ **c** cela pourrait être meilleur

---

31 Le matin au réveil, le soir en vous couchant, êtes-vous content de vivre ?

☒ **a** oui, en général   *A*
☐ **b** seulement le matin ou seulement le soir (selon le tempérament)

☐ **c** je me sens généralement déprimé à ces moments-là

32 Acceptez-vous sans répugnance l'idée que la vie sexuelle comporte certains raffinements pour lui donner plus de variété ?

☐ **a** j'accepte cette idée avec une certaine répugnance
☑ **b** sans répugnance
☐ **c** je la refuse absolument

33 Enfant, avez-vous souffert de terreurs nocturnes et vous arrive-t-il encore aujourd'hui de ne pas aimer vous trouver dans le noir ?

☑ **a** jamais
☐ **b** oui, autrefois, mais plus maintenant
☐ **c** oui, encore maintenant

34 De petits défauts physiques (calvitie, boutons sur le visage, nez proéminent, etc.) sont-ils capables d'empoisonner une vie ?

☐ **a** non, c'est ridicule
☑ **b** c'est hélas ! vrai
☐ **c** mieux vaut ne pas y penser

35 Avez-vous tendance à nourrir de tenaces rancunes ?

☐ **a** je ne suis pas rancunier
☑ **b** j'essaie de les surmonter en les oubliant
☐ **c** la vengeance est un plat qui se mange froid

36 On dit : « Chaque âge a ses plaisirs. » A votre avis, est-ce :

☐ **a** vrai
☐ **b** faux
☑ **c** lié aux circonstances de la vie

37 Eprouvez-vous le sentiment que les contraintes sociales vous « mangent » le meilleur de votre temps ?

☑ **a** non, je sais les éviter au maximum
☐ **b** oui
☐ **c** je m'en accommode facilement

38 Etes-vous très sensible aux différences de température ?

☑ **a** elles ne m'éprouvent guère
☐ **b** oui
☐ **c** j'y suis sensible quand je suis fatigué ou malade

39 Avez-vous la réputation de celui auquel tout réussit ?

☐ **a** oui, je crois
☐ **b** non, je passe à juste titre pour être malchanceux
☑ **c** je suis dans la moyenne

40 Vos activités de distraction ou votre « hobby » vous occupent-ils ?

☑ **a** raisonnablement
☐ **b** un peu trop à mon avis
☐ **c** le travail est mon passe-temps préféré

41 Votre timidité avec l'autre sexe est-elle grande ?

☐ **a** oui, elle est excessive
☐ **b** je la surmonte de mon mieux

☒ **c** je n'ai pas de problèmes de ce côté

---

42 « Quand on veut, on peut » : que pensez-vous de ce proverbe ?

☐ **a** la réalité est différente
☐ **b** il me paraît exact
☒ **c** parfois, peut-être

---

43 Etes-vous sujet à de petites habitudes obsessionnelles, telles que : attaquer l'escalier toujours du même pied, ne toucher à certains objets que dans un certain ordre, se ronger les ongles, et autres tics ou manies sans gravité ?

☒ **a** jamais
☐ **b** oui, j'en ai plusieurs
☐ **c** une ou deux au maximum, et pas constamment

---

44 Que pensez-vous de la psychanalyse ?

☐ **a** c'est une mode qui passera
☐ **b** c'est un instrument merveilleux pour se connaître vraiment
☒ **c** je ne la connais pas assez pour avoir une opinion

---

45 Si une occasion favorable se présente à vous :

☐ **a** j'ai le chic pour la laisser passer
☐ **b** je la saisis au bond
☒ **c** je sais parfois en profiter

---

46 Avez-vous plusieurs fois, au cours de votre vie, pensé être atteint d'une maladie grave, voire incurable ?

☐ **a** plusieurs fois
☒ **b** j'ai parfois de ces craintes, mais je les repousse
☐ **c** jamais

---

47 Plus on a d'enfants, plus on est heureux

☐ **a** c'est vrai
☐ **b** c'est faux
☒ **c** il y a une limite à ne pas dépasser

---

48 Avez-vous, ne serait-ce qu'une fois, pensé avoir recours à un chirurgien esthétique ?

☐ **a** j'y pense souvent
☐ **b** exceptionnellement
☒ **c** « mon portrait jusqu'ici ne m'a rien reproché »

---

49 Souffrez-vous de troubles tels que douleurs stomacales, migraines tenaces, somnolences irrépressibles ?

☐ **a** presque constamment
☒ **b** jamais
☐ **c** cela arrive, mais exceptionnellement

---

50 Il est difficile de faire correspondre ses aspirations avec les dures nécessités de la vie

☐ **a** oui, et je reconnais que je n'y suis pas parvenu
☐ **b** je crois, pourtant, y être parvenu
☒ **c** j'essaie d'y parvenir dans la mesure du possible

---

51 Le dimanche vous paraît-il le jour le plus triste de la semaine ?

☐ **a** non, c'est le jour où au contraire je revis

☒ **b** pour moi, c'est un jour comme les autres

☐ **c** oui, je m'ennuie le dimanche

52 Etes-vous satisfait de vos relations sexuelles ?

☐ **a** très satisfait

☒ **b** assez satisfait

☐ **c** insatisfait

53 Dit-on de vous que vous êtes « complexé », que vous avez des problèmes ?

☐ **a** je crois que oui

☒ **b** je crois que non

☐ **c** cela dépend des personnes qui parlent de moi

54 Etes-vous capable de vous débarrasser d'habitudes qui peuvent se révéler nuisibles à votre santé (café, tabac, alcool, sucreries, etc.) ?

☐ **a** surtout pas, ce sont mes seuls plaisirs

☒ **b** si je le décide, j'y arrive

☐ **c** j'ai essayé, mais n'y parviens pas

55 Vous réveillez-vous en sursaut, la nuit, en ayant le sentiment que la vie passe et que vos projets les plus chers ne se réalisent pas ?

☐ **a** fréquemment

☐ **b** rarement

☒ **c** je ne me réveille pas la nuit

56 Quoi qu'on dise, il est assez facile de réussir la vie à deux

☐ **a** ce n'est pas mon avis

☐ **b** c'est vrai

☒ **c** ce n'est pas sans mal

57 A peine avez-vous pris une décision importante, vous la regrettez en jugeant qu'après tout ce n'est peut-être pas la bonne

☒ **a** il est bien rare que j'aie cette impression

☐ **b** cela m'arrive parfois

☐ **c** cela m'arrive souvent

58 Comment vous sentez-vous si vous devez passer une soirée seul ?

☒ **a** j'aime cela de temps à autre

☐ **b** je me sens triste et désemparé

☐ **c** je me sens bien : j'aime être seul

59 Mettez-vous toute votre énergie dans la réalisation d'un objectif éloigné ?

☒ **a** cela ne m'intéresserait pas

☐ **b** cela m'est arrivé une ou deux fois

☐ **c** oui, mon objectif est éloigné, mais j'aime le poursuivre

60 Avez-vous le sentiment que beaucoup d'invitations sont inutiles ?

☐ **a** oui, mais je ne sais pas refuser

☐ **b** sans doute, mais il faut être sociable

☒ **c** c'est rare, j'aime beaucoup voir mes amis

Résultats

Dans les colonnes du tableau ci-dessous, entourez d'un cercle la lettre a, b ou c qui correspond à votre réponse à chacune des différentes questions.

Question	I	II	III	Question	I	II	III
1	c	b	a	32	b	a	c
2	a	b	c	33	a	b	c
3	b	c	a	34	a	c	b
4	a	c	b	35	b	a	c
5	a	c	b	36	a	c	b
6	b	a	c	37	c	a	b
7	b	c	a	38	a	c	b
8	b	a	c	39	a	c	b
9	b	c	a	40	c	a	b
10	a	b	c	41	c	b	a
11	a	b	c	42	b	c	a
12	b	a	c	43	a	c	b
13	b	c	a	44	c	b	a
14	c	a	b	45	b	c	a
15	a	b	c	46	c	b	a
16	a	c	b	47	a	c	b
17	a	b	c	48	c	b	a
18	c	b	a	49	b	c	a
19	a	b	c	50	b	c	a
20	b	c	a	51	b	a	c
21	b	a	c	52	a	b	c
22	c	b	a	53	b	c	a
23	b	c	a	54	b	c	a
24	c	a	b	55	c	b	a
25	c	b	a	56	b	c	a
26	a	c	b	57	a	b	c
27	b	c	a	58	a	c	b
28	b	c	a	59	c	b	a
29	b	c	a	60	c	b	a
30	a	c	b	Total	28	27	5
31	a	b	c				

28   19   13

Chaque colonne représente un degré d'accord différent avec soi-même :

La colonne de gauche I : indique les points où vous vivez en bonne intelligence avec vous-même.

La colonne centrale II : correspond aux domaines où l'accord est mitigé, difficile, mais possible.

La colonne de droite III : indique les désaccords plus ou moins fondamentaux entre ce que vous voudriez être et votre comportement réel.

Mais être en accord avec soi-même, vous le constaterez en dépouillant vos résultats, c'est avant tout un état d'âme, au sens où C.G. Jung employait ce mot : c'est un équilibre de la psyché, de toute la personnalité consciente ou inconsciente, de la vie publique ou cachée, des sentiments exprimés comme des désirs informulés.

C'est pourquoi la réponse « équilibrée » n'est pas toujours celle qui a pu vous paraître la « bonne réponse ». Par exemple, à la question 6 : « Très franchement l'envie est-elle chez vous un sentiment puissant ? » c'est celui qui répond « je me le demande » qui est en accord avec lui-même, non celui qui, un peu légèrement sans doute, répond « non » aussitôt. De même, à la question 24, répondre « je ne rêve jamais » est peut-être l'indice d'un moins bon accord intérieur avec soi-même que la réponse plus nuancée « peut-être, je ne m'en souviens plus exactement ». Les physiologistes ont en effet montré que l'on rêve toujours, et une négation tranchante peut indiquer au fond de vous-même un refus ou un inconfort secret.

Faites ainsi un petit examen de conscience général ; puis collationnez vos réponses, de façon à vous situer dans une des quatre tendances principales suivantes :

La colonne de gauche domine ; vous semblez vivre en accord avec vous-même, non seulement sur le plan conscient, mais aussi inconscient. Chez vous, peu d'oublis inexplicables, de rêves bizarres et tenaces, de petites obsessions ; peu de regrets du passé, d'envies et d'impatience du futur, que ce soit dans votre vie professionnelle ou sentimentale. La communication est bonne entre vos désirs et leurs réalisations.

La colonne du centre domine : si l'accord avec vous-même n'est pas parfait, il semble cependant se situer dans la moyenne. Cela veut dire que les conflits entre vos désirs et la réalité restent raisonnables et normaux. Mais peut-être recouvrent-ils un inconscient qui se cherche, et une personnalité (le moi) dont la puissance laisse un peu à désirer. L'accord avec vous-même serait sans doute meilleur si vous approfondissiez davantage certains problèmes, si vous acceptiez plus souvent d'affronter les difficultés qui se présentent.

La colonne de droite domine : vous êtes, c'est certain, un insatisfait dans votre travail, votre famille. Vous êtes en contradiction avec votre moi profond. Votre sens de la vie paraît perturbé. Votre insatisfaction se manifeste aussi par l'irruption, dans votre conscience, d'images, de sentiments, de pensées, qui proviennent de couches profondes de votre psyché. Peut-être ce questionnaire, en vous faisant sentir la distance qui sépare ce que vous voudriez être de ce que vous êtes actuellement, vous aidera-t-il à établir un bilan qui vous fera abandonner certaines illusions, de façon à améliorer votre accord avec votre personnalité réelle.

Aucune colonne ne domine vraiment : votre accord avec vous-même est statistiquement moyen, comme lorsque les réponses de la colonne du centre dominent. Mais c'est un accord plus difficile à équilibrer. Il y a des domaines où vous vivez en bonne intelligence avec vos tendances réelles, d'autres où vous êtes au contraire profondément insatisfait. Il pourra vous être utile de reprendre le questionnaire et d'étudier de plus près dans quels domaines des failles vous empêchent de devenir ce que C.G. Jung appelle « un homme plein », c'est-à-dire une personnalité dont aucune parcelle ne reste en friche, appauvrie ou inexploitée.

Caractère, sentiments, famille, profession, vie sociale : tous les domaines sont susceptibles d'être améliorés si on les affronte avec plus de lucidité et d'esprit d'initiative.

Connaissez-vous les autres ?

Pour réussir dans la vie, que ce soit en affaires, en amour, en amitié, chaque être doit nécessairement passer par « les autres ». Sans « eux », nous ne sommes rien. Relation d'un jour, attachement de toute une vie, l'« autre » possède sa volonté propre qui s'harmonise ou se heurte avec la nôtre.

Celui qui sait comment connaître les autres, si énigmatiques et ambigus soient-ils, possède un avantage évident sur celui qui ne le sait pas. Ne pas se rendre compte à qui on a affaire, c'est un peu naviguer sans boussole parmi nos semblables, mésestimer ou surestimer à tort, commettre des impairs, prendre des décisions à contretemps.

Pour satisfaire ce besoin urgent que nous avons de connaître le tempérament, les états d'âme, les intentions de nos semblables, nous possédons deux armes : la première s'appelle l'intuition, le sens psychologique ; la seconde est la connaissance scientifique que l'on peut avoir des individus par leur visage, leur morphologie, la structure de leur corps, leur écriture...

Dans ce test, nous tenterons, sans avoir la prétention de faire le tour du problème, de vous permettre d'estimer quel est chez vous le degré d'efficacité de ces deux armes de la connaissance des autres : l'intuition et, surtout, votre degré de compétence caractérologique.

Pour répondre, il vous suffira :
— dans certains cas, de cocher la lettre a ou b correspondant à votre réponse ;
— dans d'autres cas, d'apparier les numéros d'une série de questions avec les lettres d'une autre série de questions ;
— enfin, dans d'autres cas très précis, nous vous indiquerons la façon de répondre dans le libellé même de la question.

Poignée de main

En France, les étrangers le savent bien, on se serre la main en toutes circonstances. Mais il y a autant de poignées de main différentes qu'il y a d'individus. Voici quelques types de poignée de main :

1 Sèche et rapide, avec le regard qui plonge dans vos yeux
2 Enveloppante, durable, en vous secouant la main à plusieurs reprises
3 Molle et fugitive, avec le visage qui se détourne
4 Poignée de main apparemment normale, mais la main de votre interlocuteur est moite

Tentez d'apparier ces quatre types de poignée de main avec les attitudes et tempéraments psychologiques des personnes qui les donnent :

a Personne émotive et nerveuse 4
b Attitude « commerciale » 2
c Tempérament « militaire », 1
dynamique
d Attitude de refus 3

Réponse

Acte manqué

Dans un de ses ouvrages, *Psychopathologie de la vie quotidienne,* Freud cite l'exemple de ce personnage politique qui, ou-

vrant une séance importante à la Chambre, s'écria : « Je déclare la séance close », alors qu'il aurait dû dire, bien entendu : « Je déclare la séance ouverte. » Quel est, selon vous, l'interprétation la plus plausible de ce lapsus ?

☐ **a** Simple erreur due à la fatigue ou à l'émotion
☑ **b** Le personnage n'attendait rien de bon de cette séance qu'il aurait déjà voulu voir se terminer avant même qu'elle soit commencée

Visages

Voici quatre visages fort différents les uns des autres (ils représentent une quintessence des travaux du Dr L. Corman sur la morphopsychologie) :

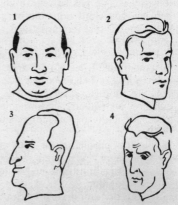

Voici maintenant quatre interprétations possibles du caractère d'après ces visages. C'est à vous de les apparier :

a Dynamique mais impulsif

b Méditatif et quelque peu inhibé

c Réfléchi et cependant agissant

d Sociable mais sans profondeur de pensée ni discrimination

Réponse

Accident

Des travaux qui ont été faits sur la psychologie du conducteur ont permis de remarquer qu'une personne qui a déjà été victime d'un accident de voiture court statistiquement plus de risques d'en avoir plus tard un second qu'une personne qui n'en a encore jamais eu :

☐ **a** Oui, les études spécialisées démontrent qu'il a un comportement caractériel prédisposant aux accidents

☒ **b** Non, tout cela est dû au hasard et les accidents peuvent arriver en même nombre à tout le monde

Manie

Observez cette jeune femme bien habillée qui marche devant vous dans la rue : elle prend bien soin de ne jamais descendre ni monter du trottoir du pied gauche. Quelle est selon vous l'interprétation la plus vraisemblable ?

☒ **a** Simple attitude de jeu un peu puérile

☐ **b** Geste parasite qui cache une anxiété réelle ou tout au moins une appréhension passagère

Introvertis-Extravertis

L'une des plus célèbres classifications des caractères est celle de C. G. Jung en introvertis et extravertis. Voici dix traits de caractères. Etes-vous capable de choisir sans vous tromper les cinq qui appartiennent au type extraverti et les cinq qui appartiennent au type introverti ? (Mettez une croix dans la case qui correspond à votre réponse.)

1 Facilement bouleversé par un événement
☒ introverti ☐ extraverti

2 Sensible au bruit
☒ introverti ☐ extraverti

3 Préfère vivre des exploits que d'en lire le récit
☐ introverti ☒ extraverti

4 Tolérant envers les autres
☐ introverti ☒ extraverti

5 Indifférent si les choses vont mal
☒ introverti ☐ extraverti

6 Accepte mal les ordres et la discipline
☒ introverti ☐ extraverti

7 Préfère changer le monde que s'y adapter
☒ introverti ☐ extraverti

8 Possède de nombreux amis
☐ introverti ☒ extraverti

9 Ne mâche pas ses mots
☐ introverti ☒ extraverti

10 Préfère les distractions athlétiques
☐ introverti ☒ extraverti

Port de la barbe

Un psychologue a dit qu'on ne portait pas la barbe sans raison spéciale et que, dans l'ensemble, cela était un indice d'adaptation difficile à la vie en société. Que pensez-vous de cette affirmation, étant bien entendu que, de toute façon, il ne s'agit là que d'un indice à recouper avec d'autres ?

☐ **a** Opinion vraisemblable
☑ **b** Opinion peu vraisemblable

Intelligence

Peut-on, à votre avis, se faire une première opinion sur l'intelligence d'un individu, en se fondant sur une certaine qualité de son regard et sur l'apparente harmonie de son front ?

☐ **a** En général, oui
☑ **b** Cela n'a aucun rapport avec l'intelligence

Astrologie

Pensez-vous que le fait de connaître le signe astrologique de naissance d'une personne (c'est-à-dire le jour de l'année où elle est née) fournit des indications valables sur son caractère ?

☑ **a** oui
☐ **b** non

Structure du corps

D'après les travaux du psychologue américain Sheldon, il y a un rapport entre la structure du corps et le caractère. Voici les physiques bien différenciés de trois personnages :

1 Musclé,
mâchoire carrée,
ventre plat,
épaules larges,
poitrine bombée

2 Mince,
plutôt grand,
mains maigres,
teint blanchâtre,
poitrine
assez creuse

3 Plutôt gras,
du ventre,
tronc relativement
plus long
que les jambes,
teint fleuri

Voici maintenant trois courtes descriptions caractérielles que vous devrez apparier avec les portraits morphologiques précédents :

☐ **a** Amour du confort physique ; amabilité sans grande discrimination ; bon sommeil en général ; besoin de se confier en cas de désarroi

☐ **b** Amour de l'aventure ; besoin d'exercice ; courage physique ; manières directes pouvant aller jusqu'au goût du tapage

☐ **c** Goût marqué pour l'intimité ; sentimentalement se-

cret ; souvent anxieux et in-
somniaque ; grande tension
mentale ; de la concentration

Réponse

___

Caractère et profession

D'après les travaux de certains
psychologues, il y a un caractère
dominant en chaque personne qui
exerce avec succès une profession
particulière (cela n'est valable
que sur le plan statistique, bien
entendu). Voici cinq professions :

1 Journaliste
2 Sportif
3 Acteur
4 Savant
5 Artiste

Voici maintenant cinq mots
clés :

a Action
b Adaptation
c Contemplation
d Persévérance
e Désir de paraître

Veuillez apparier les cinq professions avec les cinq mots clés,
en n'utilisant qu'un seul mot par
profession.

Réponse

___

Apparence

Vous sentez-vous capable de déceler du premier coup d'œil
chez une femme si ses cheveux
sont décolorés ou si elle porte
une perruque ?

☑ a oui
☐ b non

___

Main

On a dit, à juste titre, qu'elle
était en quelque sorte le pro-
longement de la pensée humaine. C'est la main qui tient
l'outil, le crayon, l'archet. Sans
entrer dans les détails d'un caractère, la forme générale de
la main est un précieux indice
pour se faire une idée sur nos
prochains. Voici deux types de
mains très différentes :

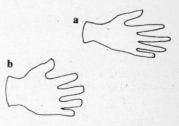

Laquelle de ces deux mains appartient selon vous à l'homme
le plus adroit et le plus intéressé par le bricolage ?

☐ a Main longue, aristocrati-
que, aux doigts fuselés
☐ b Main courte, carrée, trapue

___

Arbre

Un psychologue, Charles Koch, a proposé un test assez simple qui permet selon lui de discerner chez les autres certaines tendances fondamentales. Il s'agit du test de l'arbre. On a donné à trois personnes la consigne du test suivant : « Dessinez un arbre, n'importe lequel, sauf un sapin. » Les trois dessins d'arbre obtenus ont été très différents les uns des autres :

b Individu prisonnier de ses complexes et dont la personnalité est appauvrie par l'inhibition
c Ambition intellectuelle, mais qui reste trop souvent sans réalisation. L'individu manque de savoir-faire, de puissance, de sens du concret

Veuillez apparier les trois dessins d'arbres avec les trois interprétations psychologiques qui vous ont été proposées

Réponse

2A / 3B / 1C

Voici trois interprétations psychologiques très librement inspirées de Koch :

a Personnalité gaie, optimiste, ayant bien les pieds sur terre ; plus intéressée par le concret que par les spéculations intellectuelles ou métaphysiques.

Voiture

Voici un individu au volant de sa voiture. Que croyez-vous ?

☐ **a** Que son comportement au volant nous donne des indications précieuses sur son comportement en général dans la vie. Qu'en quelque sorte « on conduit comme on vit »
☐ **b** Que son comportement au volant ne peut pas nous renseigner sur sa façon d'être en général, car l'homme le plus « père tranquille » peut se révéler dangereux si on lui met un volant entre les mains

Attitudes

Voici dix attitudes différentes que peut prendre un interlocuteur vis-à-vis de vous. Cinq d'entre elles indiquent en général la timidité ou l'émotion (a), cinq autres sont l'indication que votre vis-à-vis, même s'il reste apparemment courtois, s'impatiente (b).

A vous de déterminer, en cochant la case correspondant à votre réponse, quels sont les cinq comportements timides et émus, et les cinq comportements dus à l'impatience.

1 Tapote légèrement la table avec ses doigts
☐ timidité ☑ impatience

2 Se lève brusquement et se rassoit de même
☐ timidité ☑ impatience

3 Avale sa salive avec difficulté
☑ timidité ☐ impatience

4 Pose ses mains sur ses genoux et non pas sur la table ou sur le dossier de sa chaise
☑ timidité ☐ impatience

5 Allume cigarette sur cigarette
☐ timidité ☑ impatience

6 Le registre de sa voix, tout à coup, monte légèrement
☐ timidité ☑ impatience

7 Emet de faibles mais perceptibles borborygmes stomacaux
☑ timidité ☐ impatience

8 Agite plus vivement les mains qu'à l'accoutumée
☑ timidité ☐ impatience

9 Manifeste des rougeurs ou pâleurs passagères du visage pendant l'entretien
☑ timidité ☐ impatience

10 Ne regarde pas en face, mais fixe son regard sur un objet situé dans la pièce
☑ timidité ☐ impatience

Mensonge

Dans une conversation, avez-vous l'impression de vous rendre compte en général lorsque votre interlocuteur dissimule la vérité ?

☑ **a** En général, oui
☐ **b** Très rarement

Graphologie

Voici un exercice de graphologie qui est relativement difficile. Il s'agit de deux écritures. L'une appartient à Victor Hugo, l'autre à une femme d'intelligence médiocre.

1 Premier spécimen d'écriture

2 Deuxième spécimen d'écriture

Appariez écriture et personnage :

a Victor Hugo
b Femme médiocre

Réponse

A1 B2

Couleur des yeux

Peut-on, selon vous, attribuer un caractère différent à des individus en se fondant sur la couleur de leurs yeux ?

☐ **a** oui
☐ **b** non

B

Calvitie

On dit parfois que les hommes chauves sont plus virils que la moyenne (« les eunuques ne sont jamais chauves »). Que pensez-vous de cette opinion ?

☐ **a** Les hommes chauves sont en général plus virils
☐ **b** Il y a chez les chauves des individus très virils et peu virils, en même proportion que dans la population des « chevelus ».

B

Homme et animal

On compare parfois les visages humains avec des faciès d'animaux (mufle léonin, cou de cygne, etc.). Avez-vous constaté une certaine ressemblance entre le caractère des personnes et celui que l'on suppose appartenir à l'animal correspondant ?

☐ **a** Parfois, oui

A

☐ **b** Trop rarement pour que je puisse penser à une relation valable

Sens psychologique

Sans fausse modestie, mais aussi sans complaisance, estimez-vous posséder un bon jugement ou un mauvais jugement sur les hommes ?

☐ **a** Je ne crois pas avoir un sens psychologique très développé
☐ **b** Les faits démontrent que je me trompe rarement

Gestes

Nous avons silhouetté trois personnes assises sur une chaise, attendant d'être introduites dans le bureau d'un personnage haut placé, pour un entretien important.

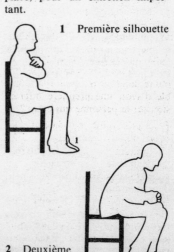

1 Première silhouette

2 Deuxième silhouette

3 Troisième silhouette

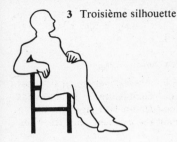

☐ **a** oui
☐ **b** non

___

Ecriture

Les graphologues pensent qu'il est possible de connaître l'essentiel du caractère d'une personne en analysant son écriture suivant certaines règles. Voici cinq spécimens d'écriture :

1 Grande et montante

2 Penchée en arrière, vers la gauche

3 Très petite

4 Irrégulière

5 Moyenne et très régulière

Nous vous proposons maintenant cinq interprétations psychologiques possibles, que nous vous demandons d'apparier avec les cinq écritures précédentes :

a Nerveux et particulièrement émotif

D'après l'attitude des trois personnages, pouvez-vous, d'un rapide coup d'œil et sans réfléchir, dire :

a Celui qui est le plus mal à l'aise ?
☐ 1 - ☐ 2 - ☐ 3
b Celui qui est le plus sûr de lui ?
☐ 1 - ☐ 2 - ☐ 3
c Celui qui reste le plus décontracté ?
☐ 1 - ☐ 2 - ☐ 3

___

Manière de frapper à la porte

A la façon dont on frappe à la porte de votre bureau et dont on ouvre cette porte, êtes-vous capable d'avoir une première impression sur la personne qui entre ?

☐ **a** J'en suis parfois capable
☐ **b** Je n'ai jamais fait d'observation de cet ordre

___

Gras et maigres

Dans les romans de Charles Dickens, les personnages paraissant sympathiques sont toujours gras ; les maigres semblent antipathiques. A votre avis, cela repose-t-il sur des faits prouvés ?

b Dynamique, expansif, heureux

c Hésitant, secret, voire dissimulé, peu sociable

d Simplicité, sagesse, mais sans fantaisie

e Modeste, timide, concentré

Réponse

B1 /A4/C3/
D2   E5

Résultats

Mettez une croix chaque fois que vous aurez donné une bonne réponse.

Poignée de main
- ☐ 1 - c
- ☐ 2 - b
- ☐ 3 - d
- ☐ 4 - a

Acte manqué
- ☐ b

Visages
- ☐ 1 - d
- ☐ 2 - c
- ☐ 3 - a
- ☐ 4 - b

Accident
- ☐ a

Manie
- ☐ b

Introvertis-Extravertis
- ☐ 1 Introverti
- ☐ 2 Introverti
- ☐ 3 Extraverti
- ☐ 4 Extraverti
- ☐ 5 Extraverti
- ☐ 6 Introverti
- ☐ 7 Introverti
- ☐ 8 Extraverti
- ☐ 9 Introverti
- ☐ 10 Extraverti

Port de la barbe
- ☐ a

Intelligence
- ☐ a

Astrologie
- ☐ b

Structure du corps
- ☐ 1 - b
- ☐ 2 - a
- ☐ 3 - e

Caractère et profession
- ☐ 1 - b
- ☐ 2 - a
- ☐ 3 - c
- ☐ 4 - d
- ☐ 5 - e

Apparence
- ☐ a - oui

Main
- ☐ b

Arbre
- ☐ 1 - b
- ☐ 2 - a
- ☐ 3 - c

Voiture
- ☐ a

Attitudes
- ☐ 1 - impatience
- ☐ 2 - impatience
- ☐ 3 - timidité
- ☐ 4 - timidité
- ☐ 5 - impatience
- ☐ 6 - impatience
- ☐ 7 - timidité
- ☐ 8 - impatience
- ☐ 9 - timidité
- ☐ 10 - timidité

Mensonge
- ☐ a

Graphologie
- ☐ a Victor Hugo
- ☐ b Femme médiocre

Couleur des yeux
- ☐ b

Calvitie
- ☐ b

Homme et animal	Gras et maigres
☐ b	☐ a - oui
Sens psychologique	**Ecriture**
☐ b	☐ 1 - b
Gestes	☐ 2 - c
☐ a - 2	☐ 3 - e
☐ b - 1	☐ 4 - a
☐ c - 3	☐ 5 - d
Manière de frapper à la porte	
☐ a	

Additionnez maintenant le nombre de croix correspondant au nombre de réponses auxquelles vous avez bien répondu.

Nombre de bonnes réponses :

Ce qui importe surtout pour vous, c'est de savoir si, pour l'ensemble des 65 questions, vous avez eu l'intuition ou les connaissances psychologiques nécessaires à la conduite de la vie, ou si elles ont paru vous faire défaut. Le nombre de vos bonnes réponses permet d'établir un petit bilan. Cela n'a bien entendu rien de rigide.

Premier cas : vous avez entre 50 et 65 réponses justes. Vous possédez dans ce cas un sens psychologique très satisfaisant et vous avez déjà dû en tirer bénéfice au cours de votre existence. Mais dites-vous que vos dons naturels ne doivent pas vous faire oublier combien la nature humaine est chose relative, et que s'il y a un domaine où l'exception confirme la règle, c'est bien celui de la connaissance de nos semblables.

Second cas : vous avez entre 30 et 50 réponses justes. Votre connaissance des autres est moyenne, un peu hésitante et non exempte d'erreurs, à côté d'intuitions justes. Soyez prudent dans vos jugements.

Troisième cas : vous totalisez moins de 30 réponses justes. Vous n'avez pas bien réussi ce test. Dites-vous que votre intuition ne suffit pas ; votre intérêt est de vous documenter auprès des auteurs caractérologues qui ont apporté des bases déjà intéressantes à cette science difficile qu'est la connaissance de ces étranges créatures, à la fois si proches et si éloignées de nous, que sont « les autres ».

Quel est votre coefficient de masculinité-féminité?

« Hommes et femmes, tout le monde est d'accord, sont différents, écrit Henry C. Smith. Nous nous accordons à trouver des différences physiques dans la dimension de leur poitrine, l'abondance de leur chevelure et la profondeur de leur voix. Ils diffèrent par leur contribution physiologique aux phénomènes de la reproduction. Ils diffèrent par le rôle social qu'ils jouent. Nous pensons aussi, en général, qu'ils se distinguent par leurs traits de caractère et la structure de leur personnalité[1]. » C'est ce dernier point qui, ici, nous intéresse.

Sans doute, lorsqu'on parle d'une personne au caractère « très viril », on se réfère à l'homme ; de même, cette personnalité « bien féminine » appartient de préférence à la femme. La réalité est plus subtile : les différences caractérielles entre l'homme et la femme ne s'appliquent jamais à tous les hommes ni à toutes les femmes. Les caractères typiquement masculins ou féminins sont, en fait, rares. Dans la personnalité de tout homme, si « viril » soit-il, quelques traits de caractère féminin sommeillent, et réciproquement. C'est normal, souhaitable même. Sans doute faut-il que la proportion de féminité chez un homme reste modérée, sans quoi il se verra traité de « femmelette » ; la femme à la personnalité trop virile passera peut-être pour une « virago ».

La rencontre avec « l'image de l'âme », que Jung nomme "anima" chez l'homme et "animus" chez la femme, est, selon l'auteur, une étape importante pour vraiment se connaître. « La figure archétypique de l'image de l'âme » représente toujours une partie de la psyché qui renferme les caractères du sexe opposé, soit complémentaire, de l'individu ; elle montre, d'une part, notre

1. *Personality Development* (MacGraw Hill 1968), p. 455.

position personnelle à cet égard et, d'autre part, le dépôt de l'expérience humaine concernant le sexe opposé. Cette image est celle que nous portons en nous de l'autre sexe en tant qu'individu particulier et unique, mais aussi en tant que notre appartenance à l'espèce Homme. « Tout homme porte son Eve en lui », dit le folklore[2]. Et l'inverse est également vrai.

Notre test a pour but de vous faire prendre conscience de votre degré d'appartenance caractérielle à ces deux entités psychologiques. Certains lecteurs pourraient s'étonner du sens assez évident de chaque question particulière. Masculinité, féminité ne sont pas des réalités qu'il est aisé de dissimuler sous des masques de fantaisie ! Cette spécificité, malgré tout, n'est qu'apparente, et le décompte total des 50 questions auxquelles vous allez répondre vous révélera, avec assez d'exactitude, l'importance dans votre psyché de cette « image de l'âme » dont parle Jung.

Mettez une croix devant la lettre a ou b, pour chaque réponse qui s'accorde le mieux avec votre façon de penser.

2. Jolan Jacobi : *La Psychologie de C.G. Jung* (Delachaux et Niestlé, 1950), p. 125-126.

1 Beaucoup de gens consultent des voyantes, car ce qu'elles prédisent arrive généralement

☐ **a** oui
☒ **b** non

B

2 Je rougis dans certaines circonstances

☐ **a** oui
☒ **b** non

B

3 J'aime les chambres qui sont décorées avec des fleurs

☐ **a** oui
☒ **b** non

B

4 J'aime porter les cheveux courts

☒ **a** oui
☐ **b** non

A

5 Beaucoup d'hommes n'aiment pas, au fond, laisser conduire leur femme quand ils sont eux-mêmes dans la voiture

☒ **a** oui
☐ **b** non

B

6 Je lis régulièrement un périodique consacré à la vulgarisation scientifique

☐ **a** oui
☒ **b** non

B

7 Des deux, je préfère :

☒ **a** la musique de Mozart
☐ **b** la musique de Wagner

B

8 Je suis plus doué :

☒ **a** pour les sports d'adresse
☐ **b** pour les sports de force

A

9 J'apprécie que l'on m'écrive sur du papier de couleur

☐ **a** oui
☒ **b** non

B

10 De ces deux animaux domestiques, je préfère :

☐ **a** le chat
☒ **b** le chien

A

11 J'aime changer de vêtements presque tous les jours

☐ **a** oui
☒ **b** non

A

12 La façon de donner vaut mieux que ce que l'on donne

☐ **a** oui
☒ **b** non

A

13 Il est passionnant de suivre les progrès du développement intellectuel d'un enfant

☒ **a** oui
☐ **b** non

A

14 Je souhaiterais pouvoir assister souvent à des conférences sur l'art contemporain

☐ **a** oui
☒ **b** non

A

15 La vie serait intolérable sans indulgence réciproque

☒ **a** oui
☐ **b** non

A

16 Le port des lunettes n'est pas très esthétique. Il est compréhensible que l'on s'efforce de ne pas les porter systématiquement

☐ **a** oui
☒ **b** non

17 J'écris volontiers de longues lettres à mes amis

☐ **a** oui
☒ **b** non

18 Je supporte d'être sous les ordres d'une personne de sexe opposé si elle est qualifiée dans mon métier

☒ **a** oui
☐ **b** non

19 La plupart des accidents sont dus à :

☒ **a** la vitesse excessive
☐ **b** la prudence exagérée

20 Quel est le cadeau qui fait le plus plaisir, en général ?

☒ **a** une boîte de chocolats
☐ **b** un briquet

21 J'hésite longtemps avant de choisir un objet que je désire offrir

☒ **a** oui
☐ **b** non

22 Dans notre société moderne, la cuisine n'est plus le privilège exclusif de la femme

☒ **a** oui
☐ **b** non

23 Il y a quelque exagération à pleurer en assistant à un spectacle, si émouvant soit-il

☒ **a** oui
☐ **b** non

24 Il est souhaitable de surveiller attentivement sa silhouette

☒ **a** oui
☐ **b** non

25 Je lis régulièrement des périodiques sur l'art et la décoration

☒ **a** oui
☐ **b** non

26 Une forme de civilisation peut se caractériser par :

☐ **a** le degré d'émancipation de la femme
☒ **b** le niveau technique

27 Cela m'amuse de consulter mon horoscope dans le journal

☐ **a** oui
☒ **b** non

28 L'amabilité fait passer beaucoup de choses

☒ **a** oui
☐ **b** non

29 Eprouvez-vous du plaisir ou de la répugnance à sentir que vous affrontez un danger ?

☐ **a** du plaisir
☒ **b** de la répugnance

30 Si vous en avez la possibilité, que choisissez-vous dans votre vie professionnelle ?

☒ **a** l'indépendance
☐ **b** la sécurité

31 D'instinct, remarquez-vous les détails vestimentaires des personnes que vous rencontrez ?

☒ **a** oui
☐ **b** non

32 De ces deux qualités, quelle est à votre avis la plus précieuse pour soi-même ?

☐ **a** l'autorité
☒ **b** la tendresse

33 Vous observez un objet : à quoi attachez-vous dès l'abord de l'importance ?

☒ **a** à l'usage que l'on peut en faire
☐ **b** à la sensation que sa vue, son toucher, vous procure

34 Qu'est-ce qui vous semble le plus utile (ou agréable) à collectionner ?

☐ **a** les timbres
☒ **b** les bibelots

35 Etes-vous très facilement impressionné par un film ou une émission dramatiques ?

☒ **a** oui
☐ **b** non

36 Vous surprenez-vous souvent en train de vous regarder dans la glace, sans qu'il y ait pour cela une nécessité apparente ?

☐ **a** oui
☒ **b** non

37 Que pensez-vous du sport de compétition ?

☒ **a** c'est une distraction utile
☐ **b** c'est inutile

38 Si vous en avez l'occasion, de quoi préférez-vous parler avec des amis ?

☐ **a** de poésie moderne
☒ **b** de rallye automobile

39 Il est arrivé au moins une fois à tout le monde de se mettre vraiment en colère dans un affrontement avec une autre personne. Dans ce cas, vous sentiez-vous prêt à donner :

☐ **a** un coup de poing ?
☒ **b** une gifle ?

40 La vue du sang vous impressionne-t-elle ?

☐ **a** beaucoup
☒ **b** pas beaucoup

41 Préférez-vous lire

☒ **a** un essai ?
☐ **b** un roman ?

42 Souffrez-vous beaucoup si vous devez vivre quotidiennement dans une pièce qui n'a pas de rideaux à la fenêtre ?

☐ **a** oui
☒ **b** je n'y fais pas attention

43 Si vous vous analysez très sincèrement, pensez-vous que :

☐ **a** vous êtes plus vaniteux qu'orgueilleux ?
☒ **b** vous êtes plus orgueilleux que vaniteux ?

44 Plus ou moins consciemment, vos achats sont guidés en général par la considération :

☒ **a** de leur utilité ?
☐ **b** de l'apparence qu'ils possèdent ?

45 S'il vous arrive de succomber à la gourmandise, quel est plutôt votre « point faible » ?

☐ **a** les amuse-gueule
☒ **b** les fromages

ATTENTION !
pour les hommes seulement

46 Si vous deviez choisir entre ces deux existences célèbres, laquelle préféreriez-vous ?

☐ **a** la vie de Noureev, danseur célèbre
☒ **b** la vie de Jim Clark, champion automobile

47 Je crois que, durant mon enfance et mon adolescence, je suis resté trop dépendant de

ma mère (ou des femmes qui m'ont élevé)

☐ **a** oui
☒ **b** non

48 Il m'est arrivé de rêver que j'étais une femme

☐ **a** oui
☒ **b** jamais

49 Quand j'étais jeune, mes camarades m'ont souvent traité de « poule mouillée »

☐ **a** oui
☒ **b** non

50 Toutes choses égales par ailleurs, épouseriez-vous de préférence la femme chez qui domine :

☒ **a** le goût de l'élégance ?
☐ **b** la fibre maternelle ?

ATTENTION !
pour les femmes seulement

46 Si vous deviez choisir entre ces deux existences célèbres, laquelle préféreriez-vous ?

☐ **a** la vie de Colette, romancière
☐ **b** la vie de Marie Curie, physicienne

47 Lorsque je compare mon père avec d'autres hommes, je m'aperçois que très peu d'entre eux sont aussi intelligents que lui

☐ **a** oui
☐ **b** non

β

48 Il m'est arrivé de rêver que j'étais un homme

☐ **a** oui
☐ **b** non

β

49 Quand j'étais jeune, on disait de moi : « C'est un garçon manqué »

☐ **a** oui
☐ **b** non

β

50 Toutes choses égales par ailleurs, épouseriez-vous de préférence l'homme chez qui domine

☐ **a** la force tranquille ?
☐ **b** la sensibilité ?

β

Résultats

Dans les deux colonnes du tableau ci-dessous : masculinité-féminité, entourez d'un cercle la lettre (a ou b) qui, pour chaque question, correspond à votre réponse.

Question	Masculinité I	Féminité II	Question	Masculinité I	Féminité II
1	b	a	27	b	a
2	b	a	28	b	a
3	b	a	29	a	b
4	a	b	30	a	b
5	a	b	31	b	a
6	a	b	32	a	b
7	b	a	33	a	b
8	b	a	34	a	b
9	b	a	35	b	a
10	b	a	36	b	a
11	b	a	37	a	b
12	b	a	38	b	a
13	b	a	39	a	b
14	b	a	40	b	a
15	b	a	41	a	b
16	b	a	42	b	a
17	b	a	43	b	a
18	b	a	44	a	b
19	b	a	45	b	a
20	b	a	46	b	a
21	b	a	47	b	a
22	b	a	48	b	a
23	b	a	49	b	a
24	b	a	50	a	b
25	b	a	Total	30	20
26	b	a			

10 + 16   26

L'addition du nombre de cercles dans les colonnes Masculinité ou Féminité vous donne votre cote caractérielle masculinité-féminité dans ce questionnaire, soit :

Total masculinité   [24]

Total féminité   [26]

Bien entendu, le pourcentage de vos réponses n'a pas la même signification selon que vous êtes un homme ou une femme.

Vous êtes un homme :

Votre degré de masculinité se situe entre 25 et 40 : votre caractère est bien en harmonie avec le physique dont la nature vous a doté. Vous êtes plutôt calme, pratique, suffisamment courageux. En un mot vous êtes bien dans votre peau. Mais sans excès. Vous gardez assez d'éléments féminins. Votre personnalité y gagne en finesse, en sensibilité, en compréhension.

Votre degré de masculinité dépasse 40 points : sans doute en êtes-vous particulièrement satisfait. Vous êtes très viril, très heureux d'être homme. Mais votre entourage doit parfois regretter qu'il n'y ait pas dans votre comportement quelques « faiblesses », diriez-vous. En réalité, plus de douceur, moins d'impulsivité bonifieraient une personnalité un peu monolithique.

Votre degré de masculinité est assez nettement en dessous de 25 points : plus votre cote de masculinité est faible et plus on doit conclure que vous avez une âme féminine dans votre corps d'homme. Dans la mesure du possible, efforcez-vous de faire taire ce désir de protection, cette prudence et cette sensibilité qui vous caractérisent. Il est souhaitable que vous développiez votre sens pratique, votre esprit d'indépendance et de décision.

Vous êtes une femme :

Votre degré de féminité se situe entre 25 et 40 points : votre caractère correspond à votre physique. Vous ne manquez ni de finesse ni de réserve. Vous avez du sens artistique et l'esprit conservateur. Mais tout cela sans excès. Et le fait d'être une femme ne fait pas de vous une « mijaurée », une « bavarde », ni surtout une personne qui se laisse guider par les hommes et les événements.

Votre degré de féminité se situe au-delà de 40 points : « l'exquise » sensibilité dont vous faites preuve cache mal aux yeux de votre entourage votre manque de sens pratique, votre difficulté à prendre seule des décisions et votre coquetterie qui, pour être charmante, n'en est pas moins exagérée.

Votre cote de féminité est nettement inférieure à 25 points : si agréable que vous soyez physiquement, vous avez un tempérament d'homme dans un corps de femme. Cela complique votre vie. Vos aspirations, vos réactions sont masculines, ce qui effraie les hommes. Votre abattage, vos reparties directes les choquent. Tant pis pour eux, rétorquez-vous. Sans doute, mais efforcez-vous, dans votre propre intérêt, de donner le change d'une certaine docilité « diplomatique ».

4

Etes-vous adapté
au monde moderne?

L'adaptation est l'action par laquelle un être s'ajuste au milieu dans lequel il vit en conciliant ses propres tendances et les contraintes qui lui sont imposées par ce milieu.

Le monde moderne est l'exemple même de milieu contraignant auquel nul ne peut échapper.

Etes-vous vraiment adapté à la vie moderne ? Le questionnaire suivant, qui se veut avant tout un guide de réflexion, vous aidera peut-être à prendre conscience de votre attitude profonde vis-à-vis de la question : « J'accepte (ou non) mon époque. »

Nous vous demandons de répondre rapidement par oui ou par non aux questions posées (cochez le carré correspondant). Dans ce genre d'examen de conscience, c'est le premier mouvement qui est le bon ; nous voulons dire, qui indique réellement votre position profonde.

1 Le rythme de la vie moderne est assez inhumain

☒ oui
☐ non

2 Je n'ai guère envie de prendre l'avion

☐ oui
☒ non

3 Tous les soirs je suis le programme de la télévision

☒ oui
☐ non

4 J'achète à crédit chaque fois que c'est possible

☐ oui
☒ non

5 Je pense que les tissus synthétiques et les tissus traditionnels ont chacun leurs avantages, et je m'habille avec les uns et les autres

☒ oui
☐ non

6 Le mari doit décider seul des dépenses importantes

☐ oui
☒ non

7 Je règle mes paiements par chèques

☒ oui
☒ non

8 J'ai pris deux assurances en plus des assurances obligatoires

☐ oui
☒ non

9 le self-service est le seul restaurant où le service est rationnel

☐ oui
☒ non

10 J'ai contracté plus de deux assurances en plus des assurances obligatoires

☐ oui
☒ non

11 Pour les paiements, la Carte bleue (de banque) est le moyen le plus commode

☒ oui
☐ non

12 Je préfère les tissus synthétiques et les choisis aussi souvent que possible

☐ oui
☒ non

13 Le mari et la femme doivent décider en commun de tout ce qui concerne les dépenses importantes du ménage

☒ oui
☐ non

14 L'avion sera utilisé bientôt même sur les petits trajets

☐ oui
☒ non

15 L'automobile n'est rien d'autre qu'un moyen de transport commode

☒ oui
☐ non

16 Je souhaite que la vie aille de plus en plus vite

☐ oui
☒ non

17 Je ne veux pas de la télévision chez moi

☐ oui
☒ non

18 Je ne supporte pas les tissus synthétiques et je m'habille de préférence avec des tissus traditionnels

☒ oui
☐ non

19 Il est préférable que le mari et la femme disposent chacun d'un budget séparé

☐ oui
☒ non

20 Je préfère payer comptant tous mes achats

☒ oui
☐ non

21 J'ai horreur de manger dans un self-service

☒ oui
☐ non

22 Il faut bien s'adapter au rythme de notre siècle

☐ oui
☒ non

23 L'avion n'est vraiment utile que pour les longs voyages

☒ oui
☐ non

24 Je ne peux pas me passer de voiture

☐ oui
☒ non

25 Je regarde la télévision deux fois par semaine

☐ oui
☒ non

26 J'utilise l'achat à crédit pour les investissements importants seulement

☐ oui
☒ non

27 Je préfère payer en espèces

☒ oui
☐ non

28 Je me contente des assurances obligatoires

☒ oui
☐ non

29 Je mange dans un self-service quand je suis pressé par le temps

☐ oui
☒ non

30 L'automobile est un jouet trop dangereux, je préfère le train

☐ oui
☒ non

31 Je préfère prendre l'avis de plusieurs spécialistes quand quelque chose ne va pas

☒ oui
☐ non

32 Il faut laisser à l'enfant beaucoup de liberté pour que son caractère se développe harmonieusement

☐ oui
☒ non

33 Les pilules anticonceptionnelles sont contraires à la morale, et, plus grave encore, à la physiologie

☐ oui
☒ non

34 Pouvez-vous citer immédiatement au minimum trois slogans de marques d'essence ?

☒ oui
☐ non

35 La vie urbaine intoxique le corps et l'esprit ; il faut aller vivre à la campagne

☒ oui
☐ non

36 L'utilisation des conditionnements en carton ou en matière plastique va se développer de plus en plus car ils représentent la meilleure solution du problème

☒ oui
☐ non

37 Le développement technique actuel tue la vie de l'esprit

☒ oui
☐ non

38 En toutes choses les enfants ont besoin d'être soumis à une stricte discipline

☒ oui
☐ non

39 Je ne me trouve vraiment bien qu'en ville

☐ oui
☒ non

40 Malgré vos efforts, seuls deux slogans de marques d'essence vous viennent à l'esprit

☐ oui
☒ non

41 Les pilules anticonceptionnelles doivent être considérées comme un médicament utile, dont on doit user avec prudence

☐ oui
☒ non

42 Le progrès technique a sensiblement amélioré le niveau de vie général, mais il faut

se méfier de son emprise dé-
formante

- ☒ oui
- ☐ non

---

43 Le voyage sur la Lune est
une prouesse qui coûte bien
cher et qui ne nous a pas
appris grand-chose qu'on ne
savait déjà

- ☒ oui
- ☐ non

---

44 Les pilules anticonceptionnelles devraient être en vente
libre pour que toutes les
femmes puissent s'en servir

- ☒ oui
- ☐ non

---

45 J'ai plus confiance en notre
médecin de famille que dans
l'avis des spécialistes

- ☒ oui
- ☐ non

---

46 Vivre en ville est agréable à
condition de passer les week-
ends à la campagne

- ☐ oui
- ☒ non

---

47 Notre bonheur futur réside
dans des améliorations techniques de plus en plus nombreuses

- ☐ oui
- ☒ non

---

48 En éducation, les parents ne

doivent imposer que quelques
bons principes

- ☐ oui
- ☒ non

---

49 L'aller et retour Terre-Lune
est une aventure exaltante à
laquelle j'ai tenu à participer en suivant l'émission en
direct, à 4 heures du matin, à
la télévision

- ☐ oui
- ☒ non

---

50 La greffe du cœur, c'est
beaucoup de bruit pour peu
de chose en vérité

- ☐ oui
- ☒ non

---

51 Je ne crois guère à la médecine moderne

- ☐ oui
- ☒ non

---

52 Savez-vous par cœur trois
slogans de marques d'es-
sence ?

- ☒ oui
- ☐ non

---

53 J'ai suivi avec curiosité la
retransmission des premiers
pas de l'homme sur la Lune
à la télévision

- ☐ oui
- ☒ non

---

54 Le professeur Barnard, avec
la première greffe du cœur, a

ouvert un nouveau chapitre de la médecine

☒ oui
☐ non

55 Le développement de l'astronautique est plus important que la découverte des manuscrits de la mer Morte

☒ oui
☐ non

56 Je suis heureux de vivre au XXᵉ siècle

☒ oui
☐ non

57 Pour les aliments, les conditionnements en carton ou en matière plastique sont parfois commodes

☒ oui
☐ non

58 A mon avis, l'âge d'or est à découvrir dans les siècles futurs qui bénéficieront des progrès de la civilisation

☒ oui
☐ non

59 Pour l'homme, la découverte de la grotte de Lascaux est, à la réflexion, plus importante que le succès de l'automobile.

☐ oui
☒ non

60 Les conditionnements en carton ou en matière plastique

dénaturent le goût des aliments

☐ oui
☒ non

61 L'organisation de l'aide aux pays en voie de développement est le premier devoir des grandes nations

☐ oui
☒ non

62 Si j'avais le choix, j'aimerais vivre dans les temps passés où le rythme de vie était plus calme

☒ oui
☐ non

63 Je suis en principe pour les transplantations cardiaques, mais cela me paraît prématuré aujourd'hui

☐ oui
☒ non

Peinture
Préférez-vous posséder un tableau de :

	oui	non
64 Vasarely	☐	☒
65 Cézanne	☒	☐
66 Rembrandt	☒	☐

Musique
Préférez-vous écouter la musique de :

	oui	non
67 Berlioz	☒	☐
68 Xénakis	☒	☐
69 Bach	☐	☒

Littérature
Préférez-vous lire un ouvrage de :

	oui	non
70 Le Clézio	☐	☒
71 Marcel Proust	☐	☒
72 Honoré de Balzac	☒	☐

Spectacle
Préférez-vous assister à un spectacle de ballets :

	oui	non
73 de Béjart	☐	☒
74 classiques	☐	☒
75 de Roland Petit	☒	☐

Voyages
Cochez le nom des pays étrangers où vous avez séjourné (ou que vous avez fermement l'intention de visiter dès que vous en aurez la possibilité)

☒ Suisse	☐ Portugal
☐ Grèce	☐ Etats-Unis
☐ Angleterre	☐ Mexique
☐ Allemagne	☐ Japon
☐ Autriche	☐ U.R.S.S.
☐ Yougoslavie	☐ Chine
☐ Italie	☐ Autres pays
☒ Espagne	

Réponses	oui	non
76 moins de 3 croix	☒	☐
77 de 3 à 5 croix	☐	☐
78 plus de 5 croix	☐	☐

Confort ménager
Cochez les appareils électriques dont vous disposez (ou voudriez disposer, toutes considérations pécuniaires mises à part)

☒ Chauffage électrique
☒ Aspirateur

☒ Réfrigérateur
☒ Machine à laver le linge
☐ Machine à laver la vaisselle
☒ Grille-toast
☒ Moulin à café ☒ non *Evelyne*
☐ Percolateur ×
☒ Mixer
☐ Ouvre-boîte ×
☐ Couteau électrique ☒
☐ Brosse à dents électrique ☒
☐ Vibro-masseur ☒
☐ Rasoir (pour les hommes) ou fer à friser (pour les femmes)
☐ Couverture chauffante ☒
☐ Chancelière chauffante
☒ Séchoir
☐ Autres appareils électriques

Réponses	oui	non
79 moins de 4 croix	☐	☐
80 de 4 à 6 croix	☐	☐
81 plus de 6 croix	☒	☐

Information
Cochez les mots suivants dont vous connaissez le sens exact

☐ Prospective	☒ Provos
☐ Brain storming	☐ Living theater
☒ Marketing	☐ Hit parade
☒ Mass media	☐ Pop'art
☒ Charter	☒ Posters
☐ Gimmick	☐ Structuralisme
☒ Informatique	☐ Schizophrénie
☐ Black Power	☒ Complexe
☒ Check up	d'Œdipe
☐ Feed back	☐ Coefficient de
☒ Motion de censure	corrélation

Réponses	oui	non
82 moins de 6 croix	☐	☐
83 de 6 à 14 croix	☒	☐
84 plus de 15 croix	☐	☐

Cochez le nom des personnes suivantes lorsque vous savez dans quel domaine elles se sont illustrées

☒ Boris Vian   ☐ Yves Klein
☐ McLuhan   ☒ Barnard
☒ Lévi-Strauss   ☒ Merckx
☒ Masters   ☒ Youri
et Johnson   Gagarine
☒ Moshe Dayan   ☐ Mary Quant
☐ Stokely   ☐ Edward
Carmichael   Albee

Réponses   oui   non
85 moins de 5 croix ☐   ☐

	oui	non
86 de 5 à 9 croix	☒	☐
87 plus de 9 croix	☐	☐

Cochez les sigles dont vous connaissez le sens

☒ LSD   ☒ CNRS   ☒ SICOB
☒ SECAM   ☒ IBM   ☒ HLM
☒ LEM   ☒ NASA   ☒ ZUP
☒ QI   ☐ VIP   ☒ PSU

Réponses   oui   non
88 moins de 5 croix   ☐   ☐
89 de 5 à 9 croix   ☐   ☐
90 plus de 9 croix   ☒   ☐

Résultats

Toutes les fois que vous avez répondu oui *à une question, mettez une croix dans le carré placé à droite du numéro de cette question.*

I	II	III	I	II	III
1 ☒	5 ☐	3 ☐	43 ☐	52 ☐	44 ☐
2 ☐	7 ☐	4 ☐	50 ☐	53 ☐	47 ☐
6 ☐	8 ☐	9 ☐	51 ☐	56 ☐	49 ☐
17 ☐	13 ☐	10 ☐	59 ☐	57 ☐	54 ☐
18 ☐	15 ☐	11 ☐	60 ☐	61 ☐	55 ☐
20 ☐	22 ☐	12 ☐	62 ☐	63 ☐	58 ☐
21 ☐	23 ☐	14 ☐	66 ☐	65 ☐	64 ☐
27 ☐	25 ☐	16 ☐	69 ☐	67 ☐	68 ☐
28 ☐	26 ☐	19 ☐	72 ☐	71 ☐	70 ☐
30 ☐	29 ☐	24 ☐	74 ☐	75 ☐	73 ☐
33 ☐	41 ☐	31 ☐	76 ☐	77 ☐	78 ☐
35 ☐	42 ☐	32 ☐	79 ☐	80 ☐	81 ☐
37 ☐	45 ☐	34 ☐	82 ☐	83 ☐	84 ☐
38 ☐	46 ☐	36 ☐	85 ☐	86 ☐	87 ☐
40 ☐	48 ☐	39 ☐	88 ☐	89 ☐	90 ☐

sous
total

Total colonnes I

Total colonnes II

Total colonnes III

Chaque colonne représente une attitude psychologique différente vis-à-vis de la vie moderne ou, si vous préférez, trois degrés d'adaptation.

Colonne I : difficulté ou refus, conscient ou inconscient, devant la vie moderne.

Colonne II : adaptation à la vie moderne qui s'accompagne de choix et de discernement.

Colonne III : superadaptation de celui qui vit comme en symbiose avec son époque.

La colonne qui domine dans vos réponses indique la tendance dominante. Cette tendance est, bien entendu, d'autant plus marquée que le nombre de croix dans la colonne est plus grand.

Lorsque la colonne I domine : il est certain que vous éprouvez des difficultés d'adaptation à la vie moderne. Les grandes tendances de notre siècle, la vitesse, la technique, le confort, la mécanisation, etc., ne conviennent pas à votre tempérament. Vous rêvez d'un coin tranquille, d'une vie plus simple et plus calme, d'une époque révolue. Vous tournez le dos à ce qui est vraiment d'actualité. Cela doit vous poser des problèmes dans votre existence professionnelle et familiale. Efforcez-vous de lutter contre cette tendance afin de ne pas devenir l'Alceste de votre siècle.

Lorsque la colonne II domine : vous composez harmonieusement entre les inconvénients et les avantages de notre époque que vous acceptez, mais vous faites preuve de discernement et de choix. Vous utilisez les progrès de la technique mais ne professez les idées modernes que dans la mesure où elles vous paraissent raisonnables. Sans illusions pour les exagérations et les snobismes de la vie moderne, vous les supportez sans les prendre à votre compte. Vous êtes un peu le Philinte de votre siècle.

Lorsque la colonne III domine : vous baignez dans la vie moderne comme un poisson dans l'eau. Vous êtes très au courant de l'actualité et dans votre enthousiasme vous avez tendance à faire vôtres toutes les nouveautés de votre époque.

Votre adaptation à la vie moderne est sans doute excellente, mais c'est une hyper-adaptation qui se produit au détriment de la richesse intérieure et de la personnalité profonde. La véritable adaptation, celle qui est fructueuse, s'accompagne d'un effort qui chez vous est quasi inexistant. Luttez contre cette tendance afin de ne pas devenir le Trissotin de votre époque.

Si aucune des colonnes ne domine nettement : c'est, dans l'ensemble, une autre forme valable d'adaptation à la vie moderne. Vous acceptez certaines tendances de votre siècle et vous en rejetez d'autres. Cela démontre chez vous un tempérament tout d'une pièce. Essayez de réduire les contradictions que votre attitude comporte immanquablement et faites-vous une idée plus nuancée des différentes tendances de la vie moderne qui, sans doute, ne méritent pas l'excès d'honneur ou d'indignité que vous leur attribuez. Peut-être, arrivé au terme de ce petit examen de conscience, aurez-vous une idée plus juste sur votre degré d'adaptation à la vie moderne.

Etes-vous introverti ou extraverti?

Le caractère de chaque homme est unique, sans doute, parmi des millions d'individus. Mais le caractère de ces individus se ressemblant toutefois plus ou moins, les psychologues ont tenté de les classer en différentes catégories. La distinction établie par C.G. Jung en « introvertis » et en « extravertis » est peut-être la caractérologie la plus connue. Elle est presque passée dans le langage courant, qui d'ailleurs déforme parfois la pensée du maître de Zurich.

« Introvertis », « extravertis » : deux manières d'être et de sentir qui s'opposent sans jamais s'influencer, deux visions différentes d'un même monde, plutôt. Mais de quel côté êtes-vous ? Peut-être croyez-vous en avoir déjà une certaine idée ? Peut-être cette idée n'est-elle pas toujours très exacte ? Le questionnaire qui va suivre vous aidera à vous situer plus précisément le long d'une échelle qui va de l'introversion totale à l'extraversion pure.

Chaque question comporte deux réponses possibles. Cochez la lettre a ou b placée devant la réponse qui s'accorde le mieux avec votre façon d'être. Si, parfois, vous hésitez, efforcez-vous de répondre quand même en suivant la plus forte pente de votre inclination. (Volontairement, nous ne définissons pas à l'avance l'exacte signification des deux termes introversion et extraversion ; cela risquerait d'influencer vos réponses au questionnaire.)

1 Que préférez-vous ?
  □ a les faits
  □ b les théories

2 Le thermomètre indique un rafraîchissement de la température :
  □ a aussitôt, vous mettez un pardessus
  □ b après réflexion, vous préférez vous endurcir et n'endossez pas de manteau

3 Parlant de vous, ceux qui vous connaissent disent en général :
  □ a « c'est une nature fermée, difficilement pénétrable, voire ombrageuse »
  □ b « c'est un caractère ouvert, sociable, d'abord facile »

4 Attachez-vous beaucoup d'importance à la présentation vestimentaire ?
  □ a non, l'habit ne fait pas le moine
  □ b oui, les apparences extérieures ont plus d'importance qu'on ne le dit

5 A quoi trouvez-vous le plus de beauté ?
  □ a à la tour penchée de Pise
  □ b au cloître d'un monastère roman

6 Au cours d'une conversation, votre interlocuteur vous critique un peu durement :

  □ a votre riposte fuse, vive et prompte comme la flèche
  □ b ce n'est qu'en vous retrouvant seul que la réponse idéale à lui opposer vous vient à l'esprit

7 Si vous faites un petit bilan, à quoi avez-vous dépensé le plus d'argent ?
  □ a à l'achat de bons livres
  □ b en sorties au théâtre ou au cinéma

8 Si les circonstances s'y étaient prêtées, auriez-vous choisi de devenir :
  □ a un chercheur de laboratoire ?
  □ b un acteur de théâtre ?

9 Si vos moyens vous le permettaient, qu'achèteriez-vous de préférence ?
  □ a un Rubens
  □ b un Durer

10 « La philosophie n'est intéressante que si elle débouche sur des applications concrètes et ne reste pas un exercice abstrait de l'esprit. »
  □ a vrai
  □ b faux

11 En amitié, recherchez-vous de préférence :
  □ a les personnes efficientes ?
  □ b les camarades qui ont des goûts presque austères ?

12 Avec quelle opinion vous sentez-vous le plus en accord ?

☐ **a** il est nécessaire de posséder un « jardin secret » pour fuir les laideurs du monde
☐ **b** le monde, c'est la vie ; il vaut la peine d'être vécu tel qu'il est

13 En cas de désaccord sérieux avec le gouvernement, considérez-vous comme nécessaires les manifestations de rue ?

☐ **a** oui
☐ **b** non, on ne modifie pas ainsi l'opinion du public

14 Les rêves ou les rêveries sont-ils une part importante de votre vie ?

☐ **a** je le crois, oui
☐ **b** rêves et songes ne sont que mensonges

15 Avec lequel de ces deux poètes vous sentez-vous le plus d'affinité ?

☐ **a** Victor Hugo
☐ **b** Mallarmé

16 Parmi ces deux activités distrayantes, laquelle vous attire le plus ?

☐ **a** les échecs
☐ **b** le bridge

17 Préférez-vous :

☐ **a** visiter régulièrement les galeries d'art ?

☐ **b** vous procurer des ouvrages de reproductions que vous regardez chez vous ?

18 Au sujet des langues étrangères vivantes :

☐ **a** vous éprouvez pour elles une véritable passion
☐ **b** vous ne les étudiez que par nécessité professionnelle

19 Au cours de votre vie sentimentale, pensez-vous avoir une tendance à succomber au charme d'une personne parce qu'elle parle bien ou est bien habillée ?

☐ **a** oui, je suis incorrigible sur ce point
☐ **b** non, bien au contraire

20 « Les financiers, les techniciens ne sont pas intéressants, seuls les artistes, les poètes représentent les vraies valeurs de l'humanité »

☐ **a** vrai
☐ **b** faux

21 Eprouvez-vous plus de plaisir à lire un ouvrage de :

☐ **a** André Malraux
☐ **b** Marcel Proust

22 Si vous rêvez, le plus souvent,

☐ **a** vos rêves sont courts, abstraits, plutôt statiques, en noir et blanc
☐ **b** vos rêves sont longs, pleins de personnages, mouvementés, en couleur

23 Franchement, jusqu'à présent, à quoi avez-vous passé la majorité de vos heures de temps libre ?

☐ **a** en conversations, réunions, banquets avec des amis
☐ **b** à lire, ou à écouter de la musique

24 De ces deux personnages historiques, lequel auriez-vous préféré être :

☐ **a** Danton
☐ **b** Robespierre

25 La vie serait trop quotidienne si l'on ne partait pas de temps en temps en voyage à la recherche de pays nouveaux.

☐ **a** vrai
☐ **b** le monde est un peu partout le même, c'est l'imagination qui fait tout

26 Toutes choses égales par ailleurs, que préféreriez-vous être ?

☐ **a** chef de publicité d'une importante société
☐ **b** directeur d'une grande bibliothèque

27 Passez-vous pour une personne possédant du charme auprès de l'autre sexe ?

☐ **a** je le crois, tout au moins me l'a-t-on souvent dit
☐ **b** on ne me l'a jamais dit

28 Il n'y a vraiment d'intéressant que ce qui est utile :

☐ **a** vrai
☐ **b** faux

29 Eprouvez-vous un intérêt profond pour les philosophies orientales ?

☐ **a** oui
☐ **b** non

30 Dans quel genre de situation vous sentez-vous le plus à l'aise :

☐ **a** dans les situations concrètes ?
☐ **b** dans les situations qui nécessitent une mûre réflexion ?

31 Si vous aménagez un nouvel appartement, quelle est votre tendance dominante ?

☐ **a** faire abattre les cloisons entre les pièces
☐ **b** au contraire, ajouter des portes partout où cela est possible

32 Toutes considérations de dogmes mises à part, vous sentez-vous plus près du caractère de :

☐ **a** Savonarole ?
☐ **b** César Borgia ?

33 On vient vous proposer quelque chose d'important à entreprendre :

☐ **a** votre premier mouvement sera d'accepter
☐ **b** a priori vous vous méfiez

34 A condition d'être méritée, la Légion d'honneur vous paraît-elle une récompense digne d'être portée ?

☐ **a** je le crois sincèrement
☐ **b** je suis contre les décorations

35 Sans fausse modestie, pensez-vous avoir la parole facile, le geste ample et aisé ?

☐ **a** en général, oui
☐ **b** je souffre d'un manque d'aisance et n'ai pas la langue bien pendue

36 Quelle est la plus importante de ces deux qualités ?

☐ **a** la profondeur de pensée
☐ **b** la tolérance

37 On a longtemps opposé en musique Wagner et Debussy. Où va votre préférence ?

☐ **a** Wagner
☐ **b** Debussy

38 Vous lisez un livre d'aventures

☐ **a** éprouvez-vous le désir violent de voir en personne les paysages qui y sont décrits ?
☐ **b** ou bien avez-vous le sentiment qu'il vaut mieux faire ce voyage en pensée pour ne pas être déçu ?

39 Si vous avez le choix, où cherchez-vous à vous asseoir ?

☐ **a** dans un fauteuil profond et moelleux

☐ **b** vous détestez cela, et vous lui préférez au contraire une chaise assez peu rembourrée

40 En cas de désarroi :

☐ **a** vous avez besoin des autres
☐ **b** vous avez besoin de solitude

41 La compétition commerciale et son corollaire, la publicité, sont des nécessités de l'époque moderne :

☐ **a** oui
☐ **b** non, c'est une légende inventée par ceux qui veulent gagner de l'argent

42 « La meilleure université est une bibliothèque. »

☐ **a** tout à fait exact
☐ **b** insuffisant, il y manque le contact humain

43 En règle générale :

☐ **a** vous jouissez d'un sommeil profond
☐ **b** votre sommeil est léger, vous êtes hypersensible au bruit

44 Sans être intempérant, vous éprouvez parfois le désir d'un repas arrosé en bonne compagnie :

☐ **a** oui, cela est parfois nécessaire
☐ **b** de toute façon, je n'ai aucune résistance à l'alcool

45 Recherchez-vous la compagnie des gens qui ont réussi en politique ?

☐ **a** oui
☐ **b** je fuis cette compagnie au contraire

46 Quelle action d'éclat vous paraît le plus digne d'admiration :

☐ **a** découvrir l'existence de l'inconscient comme Freud ?
☐ **b** découvrir l'Amérique comme Christophe Colomb ?

47 Enfant, préfériez-vous jouer seul ou recherchiez-vous toujours la compagnie de vos camarades ?

☐ **a** je jouais seul
☐ **b** je recherchais des camarades

48 Avez-vous caressé le projet d'écrire un jour un livre de réflexions philosophiques, ou tout au moins trouvez-vous ce projet digne d'intérêt ?

☐ **a** c'est un sot projet
☐ **b** chaque être humain devrait essayer de noter ses réflexions

49 Quoi qu'on dise, c'est toujours des techniciens que viennent, en science, les progrès décisifs.

☐ **a** oui
☐ **b** non

50 Il y a peu de choses aussi importantes, dans la vie, que l'argent :

☐ **a** vrai
☐ **b** faux

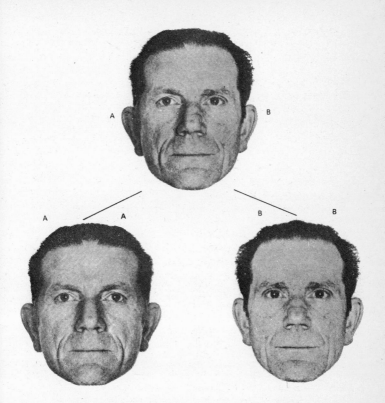

Chaque visage reflète les deux aspects de la personnalité

La complexité de notre personnalité se reflète dans notre visage : il comporte des asymétries révélatrices. Ainsi la photographie de notre illustration a été divisée en deux parties égales A et B : puis nous avons assemblé deux parties A et deux parties B qui forment deux visages légèrement différents.

On remarque que A, tout en ayant un cadre du visage plus large, présente une certaine tristesse d'expression (tendance à l'introversion) qui ne se voyait pas sur l'original.

La figure B, malgré un cadre du visage plus resserré, montre une expression plus avenante (tendance à l'extraversion). Le caractère de ce personnage doit réserver plus d'une surprise à ceux qui ont affaire à lui.

Résultats

Dans les deux colonnes du tableau ci-dessous : « extraverti ou introverti », entourez d'un cercle la lettre (a ou b) qui, pour chaque question, correspond à votre réponse.

Question	Votre réponse I	II	Question	Votre réponse I	II
1	a	b	27	a	b
2	a	b	28	a	b
3	b	a	29	b	a
4	b	a	30	a	b
5	a	b	31	a	b
6	a	b	32	b	a
7	b	a	33	a	b
8	b	a	34	a	b
9	a	b	35	a	b
10	a	b	36	b	a
11	a	b	37	a	b
12	b	a	38	a	b
13	a	b	39	a	b
14	b	a	40	a	b
15	a	b	41	a	b
16	b	a	42	b	a
17	a	b	43	a	b
18	a	b	44	a	b
19	a	b	45	a	b
20	b	a	46	b	a
21	a	b	47	b	a
22	b	a	48	a	b
23	a	b	49	a	b
24	a	b	50	a	b
25	a	b	Total		
26	a	b			

L'addition du nombre de cercles des colonnes I et II vous donne votre cote extraversion/introversion dans ce questionnaire. Soit :

I Extraverti Nombre de réponses : 27

II Introverti Nombre de réponses : 23

Cette cote va vous permettre de vous placer par rapport à l'ensemble des individus. Vous savez sans doute que les résultats d'un grand nombre de personnes se répartissent, en général, selon une loi statistique que, pour cette raison, on nomme « la courbe normale ». Tant que vous restez près de la moyenne, vous n'êtes pas très typique ; si vous vous éloignez de la moyenne, vous êtes franchement extraverti ou introverti. Vous allez donc pouvoir savoir dans quelle tranche vous vous situez par rapport à la normale.

Regardez la figure A qui se rapporte à l'extraversion. Si vous avez 25 réponses « extraverti », vous êtes juste sur la moyenne. C'est-à-dire que vous n'êtes ni spécialement extraverti ni spécialement introverti. On dit parfois que vous êtes ambivalent, ou encore ambiéqual.

Votre cote en extraversion augmente si le nombre de réponses dans cette colonne augmente. A partir de 35 réponses « extraverti », on peut dire de vous que vous êtes un véritable extraverti (en effet, d'après la loi normale, seulement un tiers environ de la population aura une extraversion plus marquée que vous). Mais si vous ne possédez que 15 réponses (ou moins) dans cette colonne, on peut dire que votre cote extraversion est vraiment faible.

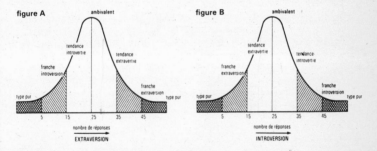

Regardez la figure B qui se rapporte à l'introversion. Elle est évidemment un corollaire de la première et le même raisonnement s'y applique.

Mettez une croix aux emplacements de la courbe correspondant à votre résultat. Vous savez donc maintenant, d'après notre questionnaire — qui, rappelons-le, est avant tout une prise de conscience et non un véritable test — où vous paraissez vous situer sur l'échelle : introversion/extraversion.

Maintenant, qu'est-ce qu'un INTROVERTI ? C'est un être replié sur lui-même, qui éprouve certaines difficultés à s'adapter au réel. Les réactions de l'introverti commencent toujours par le retrait, le repli stratégique. Pour l'introverti, c'est le moi intérieur qui est l'essentiel, il n'aime guère les effets extérieurs, les réalisations à grand tapage. Il a pour lui le discernement, la profondeur de pensée, la réflexion ; contre lui, le manque de contact, une trop grande abstraction, une fuite devant le concret, qui peuvent paralyser son action.

Maintenant, qu'est-ce qu'un EXTRAVERTI ? C'est une personne pour qui le monde extérieur est l'essentiel. Elle sait d'ailleurs s'y adapter sans difficulté. Elle trouve son épanouissement dans la société et recherche avant tout les réalisations concrètes. Sa pensée est action et elle n'a que faire des spéculations abstraites. Elle paraît donc mieux adaptée à la vie que l'introverti. En réalité, sa personnalité est plus fluctuante, sa pensée moins mûrie, son sens critique moins personnel ; en outre, d'après Jung, son inconscient serait moins riche.

Ces quelques touches psychologiques sont bien entendu insuffisantes, et nous vous proposons de vous reporter aux nombreux ouvrages spécialisés qui ont paru sur la question[1].

Il ne saurait y avoir de jugement de valeur entre introverti et extraverti. Ils sont différents, c'est tout. Mais il est toujours bon de savoir dans quel sens penche la balance de nos tendances. Nous espérons que notre questionnaire vous aura renseigné à ce sujet et que vous avez maintenant une meilleure idée du plateau de la balance qui est chez vous le plus lourd : « Introversion » ou « Extraversion », et de combien. A vous d'en tirer les conséquences pour vous accepter en tant qu'extraverti ou en tant qu'introverti.

1. Notamment l'article « Les tempéraments et les caractères », dans *le dictionnaire de la Psychologie moderne* (Verviers, éd. Gérard & Cᵒ, 1969) ou, bien entendu, *les Types psychologiques* de C.G. Jung (paru chez Georg & Cie, Genève, 1950).

Etes-vous un leader ?

Leader est un mot anglais très utilisé dans le langage quotidien comme dans le langage spécialisé de la science psychologique. Littéralement, le leader désigne celui qui guide (son synonyme allemand, « Führer », a pris une tonalité assez inquiétante depuis Hitler). En règle générale, le leader est un individu exerçant une autorité sur d'autres personnes, un chef influençant les autres en poursuivant un but qu'il a lui-même défini. Sans doute y a-t-il autant de portraits de leaders que de leaders eux-mêmes, et leur psychologie diffère sensiblement selon qu'il s'agit d'un directeur d'entreprise, d'un chef politique, d'un général d'armée ou du capitaine d'une modeste équipe de football. Toutefois, il y a un « noyau » caractériel qui semble se retrouver chez tous ceux qui ont l'étoffe de leader.

Le questionnaire qui va suivre a pour but de vous faire prendre conscience de votre nature :

— Possédez-vous cet ensemble de qualités qui font les chefs ?

— Devez-vous vous résigner à n'être qu'un « follower » (selon l'expression anglaise) c'est-à-dire une personne qui suit le leader ?

— Votre tempérament fait-il de vous, selon les circonstances, un guide ou un être qui se laisse guider ?

Chaque question comporte deux réponses possibles. Mettez une croix devant la lettre a ou b, pour chaque question qui s'accorde le mieux avec la ligne générale de votre façon d'être ou de penser. Répondez avec spontanéité et franchise.

1 Dans un groupe de travail, êtes-vous souvent le centre d'intérêt ?

☒ a oui
☐ b non

2 Dans le domaine de l'autorité, pensez-vous que la plupart de vos amis vous sont supérieurs ?

☐ a oui
☒ b non

3 Vous êtes dans une réunion de participants de même niveau que vous : éprouvez-vous de la réticence à dire sans ambages ce que vous pensez, même quand cela est nécessaire ?

☐ a oui
☐ b non

4 Etant enfant, aviez-vous tendance à diriger les jeux de vos petits camarades ?

☐ a oui
☐ b non

5 Ressentez-vous une grande satisfaction intellectuelle à persuader une personne, d'abord opposante, d'agir comme vous l'entendez ?

☐ a oui
☐ b non

6 Avez-vous la réputation d'une personne indécise ?

☐ a oui
☐ b non

7 « Quoi qu'on dise, tout ce qui se fait d'efficace dans le monde est l'œuvre d'une très petite minorité d'hommes supérieurs. »

☐ a vrai
☐ b faux

8 Ressentez-vous profondément le besoin d'avoir un conseiller qui puisse vous guider dans vos activités professionelles ?

☐ a oui
☐ b non

9 Il arrive à tout le monde de perdre plus ou moins son sang-froid, dans son travail, mais

☐ a vos colères sont-elles mauvaises conseillères ?
☐ b vos mouvements d'humeur restent-ils toujours contrôlés ?

10 Savoir que vous êtes un personnage craint par votre entourage vous procure :

☐ a une grande satisfaction ?
☐ b une gêne certaine ?

11 En toutes circonstances (séance de travail, réunion d'amis), cherchez-vous à occuper, autour d'une table, la place stratégiquement la meilleure afin de parvenir plus facilement à vous imposer ?

☐ a oui
☐ b non

12 S'accorde-t-on généralement à trouver que, pour une raison ou pour une autre, votre apparence physique « en impose » ?

☐ **a** oui
☐ **b** non

13 Pensez-vous être un rêveur ?

☐ **a** oui
☐ **b** non

14 Etes-vous facilement découragé si les personnes de votre entourage ne sont pas de votre avis ?

☐ **a** oui
☐ **b** non

15 De votre propre initiative, vous est-il arrivé d'organiser des groupements, de vous occuper d'organisations ?

☐ **a** oui
☐ **b** non

16 Une entreprise dont vous vous occupez n'a pas le rendement prévu :

☐ **a** vous tentez d'en rejeter la responsabilité sur un tiers
☐ **b** vous savez endosser toute la responsabilité de la décision qui avait été prise

17 Laquelle de ces deux opinions se rapproche de la vôtre ?

☐ **a** un vrai chef doit mettre la main à la pâte, même pour les petits détails

☐ **b** un vrai chef est celui qui sait déléguer certains de ses pouvoirs à ses collaborateurs

18 A qui préférez-vous avoir affaire dans le travail (à tout prendre) ?

☐ **a** à des personnes aimables, mais nonchalantes
☐ **b** à des personnes autoritaires

19 Toute discussion un peu vive vous met mal à l'aise, aussi l'évitez-vous

☐ **a** oui
☐ **b** non

20 Lorsque vous étiez adolescent, vous êtes-vous heurté systématiquement à l'autorité de votre père (ou, plus tard, à celle de vos professeurs) ?

☐ **a** oui
☐ **b** non

21 Dans une discussion professionnelle, possédez-vous l'art de retourner à votre avantage une personne qui vous était hostile ?

☐ **a** oui
☐ **b** non

22 Avec des amis, au cours d'une excursion en forêt, le chemin a été perdu. Le soir tombe. Il faut prendre une décision :

☐ **a** vous demandez à la personne la plus compétente de la prendre (éventuellement, ce sera vous)

☐ **b** vous vous reposez sur les autres

A

23 Il vaut mieux être le premier dans son village que le second à Rome. Si vous aviez le choix, que préféreriez-vous être :

☐ **a** le premier dans votre village ?
☐ **b** le second à Rome ?

A

24 Etes-vous en général regardé comme une personne ayant beaucoup d'ascendant sur les autres ?

☐ **a** oui
☐ **b** non

A

25 Des expériences antérieures malheureuses vous ont décidé à ne plus jamais prendre d'initiatives personnelles importantes.

☐ **a** oui
☐ **b** non

B

26 Selon vous, le vrai leader d'un groupe est :

☐ **a** celui qui est le plus compétent
☐ **b** celui qui a le plus de force de caractère

A

27 Dans votre activité professionnelle, savez-vous, en général, juger les hommes avec exactitude ?

☐ **a** oui
☐ **b** non

A

28 Savez-vous faire respecter la discipline autour de vous ?

☐ **a** oui
☐ **b** non

A

29 A votre avis, de ces deux climats de travail, lequel est en général le plus satisfaisant pour la bonne marche d'une entreprise ?

☐ **a** climat « laisser-faire »
☐ **b** climat « autoritaire »

B

30 Lequel de ces deux monarques fut, à votre avis, le plus bénéfique pour la France ?

☐ **a** Louis XIV
☐ **b** Louis XV

A

31 Avez-vous souvent l'impression que les autres abusent de vous ?

☐ **a** oui
☐ **b** non

A

32 Lequel, des deux portraits qui suivent, se rapproche le plus de votre façon d'être ?

☐ **a** voix bien timbrée, repartie vive, gestes expressifs, regard perçant
☐ **b** voix voilée, repartie lente, gestes réservés, regard rêveur

33 Dans une séance de travail, vous seul avez un opinion opposée à l'ensemble des autres participants, mais vous avez le sentiment profond d'avoir raison :

☐ **a** vous retirez-vous dans votre « tour d'ivoire » ?

☐ **b** luttez-vous jusqu'à l'extrême limite de vos possibilités pour imposer votre point de vue ?

34 Etes-vous ce qu'on appelle un « bourreau de travail » (pour vous-même et pour les autres) ?

☐ **a** oui, je crois que l'on me nomme parfois ainsi
☐ **b** non

35 Si vous avez des responsabilités importantes, vous sentez-vous angoissé au point de perdre vos moyens ?

☐ **a** oui
☐ **b** non

36 Dans le domaine professionnel, que préféreriez-vous ?

☐ **a** travailler sous les ordres d'un supérieur de valeur
☐ **b** travailler à votre compte

37 « Pour qu'un mariage marche bien, il faut en vérité que les décisions importantes soient prises par l'un des deux époux. »

☐ **a** vrai
☐ **b** faux

38 Vous est-il arrivé d'acheter quelque chose, que vous ne désiriez pas vraiment, à un vendeur habile ?

☐ **a** oui
☐ **b** non

39 Sans fausse modestie, possédez-vous un sens de l'organisation supérieur à la moyenne ?

☐ **a** oui, je crois
☐ **b** non

40 Quelle est votre attitude devant les difficultés ?

☐ **a** vous êtes facilement découragé
☐ **b** vous êtes stimulé par les difficultés

41 Avez-vous le courage de faire des reproches vifs à un collaborateur qui le mérite ?

☐ **a** oui
☐ **b** non

42 Dit-on de vous que votre système nerveux résiste efficacement à la tension d'une vie toujours sur la brèche ?

☐ **a** oui
☐ **b** non

43 En politique, laquelle des deux oppositions à un régime vous semble le plus en rapport avec votre tempérament ?

☐ **a** la résistance par la non-violence (à l'exemple de Gandhi)
☐ **b** l'agitation révolutionnaire

44 Si cela est nécessaire, savez-vous couper la parole à un interlocuteur trop bavard (ou trop efficace) ?

☐ **a** oui
☐ **b** non

45 Partagez-vous l'opinion contenue dans ce proverbe : « Pour vivre heureux, vivons cachés » ?

☐ **a** oui
☐ **b** non

46 Sans tomber dans l'exagération, bien entendu, avez-vous le sentiment qu'avec ses possibilités tout homme devrait accomplir sur terre une sorte de mission ?

☐ **a** oui
☐ **b** non

47 Toutes considérations de dons et d'aptitudes mises à part, que préféreriez-vous être ?

☐ **a** un peintre connu

☐ **b** un directeur d'une importante société

48 Avec laquelle de ces deux musiques vous sentez-vous le plus d'affinités ?

☐ **a** celle de Wagner
☐ **b** celle de Mozart

49 Ressentez-vous une grande émotion en face de personnages importants ?

☐ **a** oui
☐ **b** non

50 Avez-vous souvent, dans votre travail, le sentiment irritant que vous avez rencontré une volonté plus forte que la vôtre ?

☐ **a** oui
☐ **b** non

Résultats

Dans les colonnes du tableau ci-dessous, cherchez, pour chaque question, si vous avez répondu a ou b et entourez votre réponse d'un cercle.

Question	Votre réponse I	II		Question	Votre réponse I	II
1	a	b		27	a	b
2	b	a		28	a	b
3	b	a		29	b	a
4	a	b		30	a	b
5	a	b		31	b	a
6	b	a		32	a	b
7	a	b		33	b	a
8	b	a		34	a	b
9	b	a		35	b	a
10	a	b		36	b	a
11	a	b		37	a	b
12	a	b		38	b	a
13	b	a		39	a	b
14	b	a		40	b	a
15	a	b		41	a	b
16	b	a		42	a	b
17	b	a		43	b	a
18	b	a		44	a	b
19	b	a		45	b	a
20	a	b		46	a	b
21	a	b		47	b	a
22	a	b		48	a	b
23	a	b		49	b	a
24	a	b		50	b	a
25	b	a		Total		
26	b	a				

Dans l'échelle « ascendant-soumission », où vous situez-vous ? A présent, récapitulez vos réponses en notant combien de cercles se trouvent dans chacune des deux colonnes. On peut désigner chacune des deux colonnes par les termes introduits par le psychologue R. Cattell :

I Ascendance   29
II Soumission   21

A la suite de très importants travaux statistiques sur les facteurs de la personnalité, Cattell, sous les termes Ascendant-Soumission, a décrit une bipolarité psychique importante (c'est le facteur E de Cattell[1]). Grâce à vos réponses, vous êtes en mesure d'estimer à quel endroit de l'échelle Ascendant-Soumission vous vous situez (voir le schéma ci-dessous).

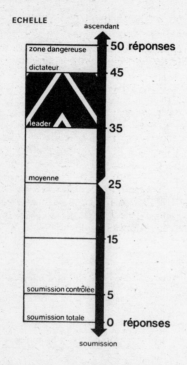

Cochez votre position sur cette échelle d'après le nombre de vos réponses de la colonne de gauche (I) page 75 .

Regardez la colonne de gauche (I) : comptez le nombre de cercles qui s'y trouvent entourant vos réponses. La colonne de droite est évidemment le corollaire de celle de gauche.

1. Le test 16 P.F. (*Personality factors*) de Cattell permet d'estimer le facteur E « ascendant-soumission ». Notre test n'est qu'une illustration de ce facteur. On peut lire, à ce sujet, Raymond B. Cattell : *Scientific Analysis of Personality*, édité par Penguin Books Ltd Harmondsworth, Middlesex, 1965.

Si vous avez plus de 25 réponses dans la colonne de gauche : votre tempérament tend vers le pôle « Ascendant », et, à partir de 35 réponses dans cette colonne, vous éprouvez un fort désir et avez de réelles capacités de devenir un leader : vous possédez des qualités, tels le sens des responsabilités, l'ambition, le sang-froid, l'audace, la confiance, le désir d'imposer sa volonté aux autres, etc., autant de traits qui font les vrais leaders. Cependant, au-delà de 45 réponses, votre sens de l'autorité tourne nettement à la dictature. Mettez un frein à votre comportement.

Si vous avez moins de 25 réponses dans la colonne de gauche : votre tempérament ne vous pousse guère vers le maniement des hommes. Mais, à partir de 15 réponses seulement (ou moins) dans cette colonne, votre comportement tend nettement vers la « Soumission » : vous êtes aimable, anxieux, facilement troublé, dépendant, les responsabilités vous paralysent. En un mot, vous n'avez pas l'étoffe d'un leader. Rassurez-vous en pensant que les leaders ont aussi leurs problèmes psychologiques et qu'il y a d'autres façons d'épanouir sa personnalité et de réussir sa vie. Mais, après tout, peut-être n'éprouvez-vous aucun regret, préférant votre tranquillité, et cultivez-vous en sage la formule « Pour vivre heureux, vivons cachés ».

7

Etes-vous anxieux ?

Si vous êtes normal(e), à la question « êtes-vous anxieux ? », la réponse est oui : en chacun de nous existe en effet un fond d'anxiété « latente » inhérent à la condition humaine, prêt à remonter en surface à l'occasion d'événements extérieurs traumatisants ou de dérèglements internes, physiques ou psychiques, variés.

C'est en fait l'absence de *toute* anxiété qui est anormale et qui se trouve être le corollaire de certaines maladies mentales telles que les désordres psychotiques graves. Il existe ainsi chez tout être humain une « angoisse normale », et ce n'est qu'au-delà d'un certain seuil que l'angoisse devenue pathologique demande à être reconnue et traitée. Pour vous aider à la reconnaître, nous vous proposons ici un petit examen de conscience ; une réponse isolée à un seul test est bien sûr sans signification, mais une série de concordances positives, sur de petits faits en apparence anodins, peut silhouetter le profil d'un anxieux qui s'ignore.

Chaque question comporte trois réponses possibles : mettez une croix devant les lettres a, b ou c, placées en regard de la réponse qui s'accorde le mieux avec votre conduite. Choisissez votre réponse rapidement, en suivant toujours votre premier mouvement.

1 Si vous recevez un télégramme que vous n'attendez aucunement,

☐ **a** vous précipitez-vous pour en prendre connaissance ?

☐ **b** le laissez-vous facilement un moment sans l'ouvrir ?

☐ **c** vous sentez-vous paralysé(e) et incapable de le décacheter ?

2 Dans un ascenseur qui s'arrête brusquement,

☐ **a** lisez-vous les recommandations d'usage et effectuez-vous les manœuvres prescrites ?

☐ **b** appelez-vous au secours ?

☐ **c** êtes-vous incapable de faire un mouvement ?

3 Au cinéma, demandez-vous à l'ouvreuse de vous placer

☐ **a** près de la sortie ?

☐ **b** à l'extrémité d'une rangée ?

☐ **c** n'importe où pourvu que vous voyez bien ?

4 Enfant, avez-vous été

☐ **a** celui ou celle qui dirigeait les autres ?

☐ **b** assez bien accepté(e) par vos camarades ?

☐ **c** « souffre-douleur » ?

5 Pensez-vous à la mort ?

☐ **a** jamais
☐ **b** de temps en temps
☐ **c** tous les jours

6 Vous endormez-vous

☐ **a** lentement et comme à regret (toujours) après une lecture ?

☐ **b** d'un seul coup sitôt la lumière éteinte ?

☐ **c** avec, presque toujours, l'aide de somnifères ?

7 Rêvez-vous la nuit ?

☐ **a** oui, généralement de façon agréable

☐ **b** je fais des cauchemars fréquents, mais sans souvenir le matin

☐ **c** j'ai parfois des cauchemars qui entraînent des réveils en sursaut

8 Au réveil, vous sentez-vous

☐ **a** réveillé(e) d'un coup, en « pleine forme » ?

☐ **b** en forme ou fatigué(e), selon les jours ?

☐ **c** toujours fatigué(e) et abattu(e) ?

9 Si quelque chose d'anormal vous fait craindre un ennui de santé

☐ **a** vous précipitez-vous tout de suite chez votre médecin ?

☐ **b** attendez-vous de voir si les choses s'arrangent ?

☐ **c** vous refusez-vous à tout examen de peur d'une mauvaise nouvelle ?

10 Enfant, aviez-vous peur de rester dans le noir, et insistiez-vous pour qu'on laisse une veilleuse ? Aujourd'hui encore, l'obscurité vous met-elle mal à l'aise ?

☐ **a** jamais
☐ **b** quand j'étais enfant, plus maintenant
☐ **c** oui, encore maintenant

---

11 A la lecture d'un magazine ou en suivant une « télévision » où il est question de cancer, pensez-vous :

☐ **a** cela ne me concerne pas
☐ **b** je vais en parler à mon médecin
☐ **c** c'est sûrement mon cas, j'ai tels et tels symptômes, je le sens

---

12 Si l'on parle devant vous de psychanalyse, pensez-vous :

☐ **a** cela pourrait être un enrichissement pour ma personnalité ?
☐ **b** c'est sans objet pour moi ?
☐ **c** je ne voudrais à aucun prix être psychanalysé(e) ?

---

13 Fumez-vous ?

☐ **a** je ne fume pas ou j'ai cessé de fumer
☐ **b** je fume moins de 10 cigarettes par jour
☐ **c** je fume environ 1 paquet (ou plus)

---

14 A l'annonce d'une mauvaise nouvelle, vous sentez-vous souvent :

☐ **a** triste, peiné (e) ?
☐ **b** le cœur battant, hors d'haleine ?
☐ **c** la gorge et l'estomac noués, les jambes coupées ?

---

15 Vous arrive-t-il de vous sentir brusquement mal à l'aise en traversant une rue ?

☐ **a** très souvent
☐ **b** jamais
☐ **c** de temps en temps

---

16 Souffrez-vous d'une ou de plusieurs maladies et malaises tels que :

asthme, « boule à la gorge », estomac noué,
difficultés pour respirer, diarrhée, nausées,
vertiges,
envie fréquente d'uriner, ulcère d'estomac ?

☐ **a** oui, de façon habituelle
☐ **b** plus ou moins, dans certaines circonstances
☐ **c** non

---

17 Vous arrive-t-il d'être tendu(e) et mal à l'aise, sans raison manifeste ?

☐ **a** jamais
☐ **b** de temps à autre
☐ **c** toujours

---

18 Vous inquiétez-vous facilement pour des choses sans importance ?

☐ **a** non
☐ **b** très rarement
☐ **c** oui

---

19 Etes-vous d'une activité fébrile et éprouvez-vous des difficultés à vous décontracter ?

☐ **a** non

☐ **b** je suis souvent contracté(e)
☐ **c** je suis agité(e) et contracté(e)

---

20 Vous sentez-vous gauche et indifférent(e), intimidé(e) en présence de personnes que vous ne connaissez pas ?

☐ **a** cela dépend des personnes
☐ **b** non
☐ **c** presque toujours

---

21 Avez-vous souvent des sueurs froides ?

☐ **a** non
☐ **b** assez souvent
☐ **c** très rarement

---

22 Dans votre jeunesse, rougissiez-vous facilement ?

☐ **a** non
☐ **b** dans certaines circonstances
☐ **c** oui

---

23 Avez-vous facilement des palpitations quand vous êtes ému(e) ?

☐ **a** non
☐ **b** dans certaines circonstances
☐ **c** oui, à la moindre émotion

---

24 Avez-vous parfois la sensation de ne pas disposer de suffisamment d'air pour pouvoir respirer ?

☐ **a** je manque très souvent d'air
☐ **b** quelquefois
☐ **c** non

---

25 Souffrez-vous de maux de tête ?

☐ **a** jamais ou très rarement
☐ **b** j'ai quelquefois mal à la tête, mais cela ne dure pas
☐ **c** plusieurs fois par semaine, j'ai l'impression d'avoir un « casque »

---

26 Contrôlez-vous plusieurs fois que vous avez exécuté correctement une occupation de routine ?

☐ **a** très souvent
☐ **b** non
☐ **c** oui, si elle a une certaine importance

---

27 Ressentez-vous la peur du vide ?

☐ **a** non
☐ **b** selon le vide, s'il est menaçant
☐ **c** oui, j'ai très peur du vide

---

28 Craignez-vous de traverser une place déserte ?

☐ **a** non
☐ **b** oui, s'il fait nuit
☐ **c** oui

---

29 Craignez-vous de rougir, de bégayer ou de trembler mal à propos ?

☐ **a** non
☐ **b** dans certaines circonstances particulièrement impressionnantes
☐ **c** oui

---

30 Avez-vous des difficultés à vous rappeler certaines choses ?

☐ **a** non

☐ **b** quelquefois, certains souvenirs anciens

☐ **c** très souvent, en particulier des souvenirs déplaisants, datant de mon enfance

31 Ressentez-vous une incapacité à chasser certaines pensées ?

☐ **a** non

☐ **b** oui, dans les périodes de fatigue

☐ **c** j'ai des idées fixes qui m'assaillent et qui m'angoissent

32 Ressentez-vous des douleurs au cœur et à la poitrine ?

☐ **a** rarement

☐ **b** en cas de fatigue et d'émotions

☐ **c** à tous moments

33 Ressentez-vous une impression de faiblesse dans certaines parties du corps ?

☐ **a** oui, en cas d'émotion : jambes coupées

☐ **b** non

☐ **c** oui, fatigue qui se déplace dans les membres, impression de paralysie

34 Pensez-vous que des erreurs ou fautes personnelles sont peut-être à l'origine de vos problèmes actuels ?

☐ **a** non

☐ **b** peut-être des erreurs

☐ **c** ce sont les fautes que j'ai commises qui m'ont conduit(e) là où je suis

35 Ressentez-vous souvent le désir d'être seul(e) ?

☐ **a** je ne peux supporter la solitude

☐ **b** quelquefois

☐ **c** parfois j'ai envie d'être seul(e) ; parfois, au contraire, il me faut de la compagnie

36 Vous arrive-t-il de pleurer ?

☐ **a** non, hormis le cas d'un chagrin exceptionnel

☐ **b** si je pleure, c'est pour des raisons précises, mais cela me soulage

☐ **c** j'ai très souvent des crises de larmes sans qu'il y ait de raison bien précise

37 Avez-vous tendance à vous vexer et à vous offenser ?

☐ **a** je m'emporte facilement

☐ **b** seulement si je suis traité(e) de façon blessante

☐ **c** les gens ont tendance à m'humilier, à me tenir pour une quantité négligeable

38 Avez-vous de l'intérêt et du plaisir dans votre vie sexuelle ?

☐ **a** selon que je suis bien portant(e) ou fatigué(e)

☐ **b** oui

☐ **c** j'ai d'autres préoccupations

39 Etes-vous « du soir » ou « du matin » ?

☐ **a** je suis « du soir »

☐ **b** je suis « du matin »

☐ **c** je ne me sens jamais bien

40 Consultez-vous fréquemment un dictionnaire médical ?

☐ **a** à l'occasion
☐ **b** non
☐ **c** je ne pourrais pas me passer de mon dictionnaire médical

41 Lisez-vous régulièrement des périodiques de vulgarisation médicale ?

☐ **a** chez mon coiffeur, cela m'intéresse
☐ **b** non
☐ **c** je suis abonné(e) à des revues

42 En dehors d'une maladie chronique, nécessitant un traitement, utilisez-vous de façon habituelle des médicaments pour la digestion, pour vos nerfs, pour dormir, pour être plus dynamique… ?

☐ **a** assez souvent, pour dormir
☐ **b** jamais sans avis médical
☐ **c** je dois prendre en permanence des médicaments

43 Un film dramatique à la télévision ou au cinéma entraîne-t-il chez vous une émotion durable ?

☐ **a** je considère que cela n'est qu'un spectacle
☐ **b** je suis impressionné(e) par les films violents
☐ **c** après tout spectacle un peu mouvementé, j'ai les jambes coupées, je ne peux trouver le sommeil, j'ai besoin de prendre un calmant car je suis très agité(e)

44 Y repensez-vous par la suite, évitez-vous ces spectacles ou avez-vous tendance au contraire à les rechercher ?

☐ **a** non, je n'y repense pas
☐ **b** je suis longtemps marqué(e) et secoué(e) par de tels spectacles, mais, d'un autre côté, je les recherche
☐ **c** je m'arrange pour les éviter le plus souvent

45 Etes-vous joueur de hasard ?

☐ **a** si je ne me contrôlais pas, je jouerais ma chemise…
☐ **b** non
☐ **c** oui, j'aime les jeux de hasard

46 Avez-vous tendance à agir par impulsions ?

☐ **a** pas particulièrement
☐ **b** c'est vrai, je suis impulsif(ve)
☐ **c** non, je suis hésitant(e), je n'arrive pas à me décider

47 Etes-vous changeant(e), avez vous tendance à être l'objet de sentiments vifs, mais passagers ?

☐ **a** je n'arrive pas à conserver longtemps mon intérêt pour un même objet, je ne peux me fixer nulle part
☐ **b** j'aime changer, tout m'intéresse
☐ **c** non

48 Etes-vous très sensible pour tout ce qui vous touche, mais, en toute franchise, peu touché(e) par ce qui ne vous concerne pas directement ?

☐ **a** il me semble que je ne suis ni l'un(e) ni l'autre

☐ **b** je suis hypersensible à tous les événements : problèmes personnels, deuils de mon entourage, grandes catastrophes

☐ **c** je suis hypersensible pour tout ce qui arrive aux autres (j'imagine toujours que cela va m'arriver personnellement)

49 Si vous allez consulter un médecin, rédigez-vous une liste de vos malaises sur un « petit papier » pour ne pas en oublier ?

☐ **a** dans la salle d'attente, je me répète simplement ce que j'ai à dire

☐ **b** non

☐ **c** j'emporte toujours une liste de mes malaises, et ensuite j'écris souvent à mon médecin, car j'en oublie...

50 Si vous prenez le train, arrivez-vous longtemps avant le départ, ou vous renseignez vous auprès du chef de gare, de vos voisins, pour savoir si vous n'avez pas fait d'erreur de destination ou d'horaire ?

☐ **a** non

☐ **b** je me renseigne toujours avant le départ

☐ **c** je suis inquiet(e) si je n'arrive pas dans le train vingt minutes au moins avant le départ

51 Etes-vous superstitieux(se) ?

☐ **a** pour certaines choses (vendredi 13, ouvrir un parapluie dans une maison, par exemple), je préfère ne pas prendre de risques

☐ **b** non

☐ **c** j'évite de lire mon horoscope, je préfère ne pas savoir, afin de ne pas être influencé(e)

52 Vos parents sont-ils ou étaient-ils nerveux, colériques, avez-vous des souvenirs (d'enfance) d'importantes et fréquentes disputes entre vos parents ?

☐ **a** non

☐ **b** il y a des nerveux dans la famille, mais ces disputes ne sont pas graves

☐ **c** j'ai eu une enfance très malheureuse

53 Avez-vous été et êtes-vous toujours, à l'heure actuelle, très attaché(e) à votre mère ?

☐ **a** j'aime mon père et ma mère sans préférence

☐ **b** j'aime beaucoup ma mère

☐ **c** ma mère est tout pour moi, nous ne saurions nous séparer sans raison majeure

54 Vos parents ont-ils divorcé alors que vous étiez enfant ? Cela vous a-t-il marqué(e) ?

☐ **a** oui, je préfère ne jamais en parler

☐ **b** non, mes parents n'ont pas divorcé

☐ **c** oui, et cela m'a marqué(e) plus ou moins

---

55 Connaissez-vous et surveillez-vous votre poids ?

☐ **a** non, pas particulièrement

☐ **b** j'ai constamment le sentiment de maigrir, je m'affaiblis...

☐ **c** mon poids varie avec les saisons

---

56 Avez-vous l'impression d'être utile et que l'on a besoin de vous ?

☐ **a** je crois être utile

☐ **b** ma vie est trop remplie, je n'arrive pas à tout faire

☐ **c** il vaudrait mieux pour les autres que je sois mort(e)...

Cochez *tout de suite,* sans réfléchir, la lettre a, b ou c correspondant à celui des trois mots le mieux évoqué par le terme en majuscules situé à gauche

---

57 FEU
☐ **a** bois
☐ **b** enfer
☐ **c** incendie

---

58 NOIR
☐ **a** nuit
☐ **b** jazz
☐ **c** tunnel

---

59 VIDE
☐ **a** plein
☐ **b** vertige
☐ **c** faim

---

60 MORT
☐ **a** mère
☐ **b** fin
☐ **c** peur

Résultats

Dans les colonnes du tableau ci-dessous, entourez d'un cercle la lettre a, b ou c qui correspond à votre réponse à chacune des différentes questions.

Question	Votre réponse			Question	Votre réponse		
	I	II	III		I	II	III
1	b	a	c	32	b	a	c
2	a	b	c	33	b	a	c
3	c	b	a	34	a	b	c
4	a	b	c	35	b	c	a
5	a	b	c	36	a	b	c
6	b	a	c	37	b	a	c
7	a	c	b	38	b	a	c
8	a	b	c	39	b	a	c
9	b	a	c	40	b	a	c
10	a	b	c	41	b	a	c
11	a	b	c	42	b	a	c
12	b	a	c	43	a	b	c
13	a	b	c	44	c	b	a
14	a	b	c	45	b	c	a
15	b	c	a	46	a	b	c
16	c	b	a	47	c	b	a
17	a	b	c	48	a	b	c
18	a	b	c	49	b	a	c
19	a	b	c	50	a	b	c
20	b	a	c	51	b	a	c
21	a	c	b	52	a	b	c
22	a	b	c	53	a	b	c
23	a	b	c	54	b	c	a
24	c	b	a	55	a	c	b
25	a	b	c	56	a	b	c
26	b	c	a	57	a	c	b
27	a	b	c	58	b	a	c
28	a	b	c	59	a	c	b
29	b	a	c	60	b	a	c
30	a	b	c	Total			
31	a	b	c				

Chacune de ces colonnes représente un degré dans l'émotivité : la colonne I à gauche, traduit un sang-froid peu commun, qui peut confiner à une certaine apathie ; la colonne centrale II, une émotivité et une angoisse latente, à « fleur de peau » ; la colonne III à droite, indique un dérèglement émotionnel qui se manifeste, selon les moments, par des bouffées anxieuses, des réactions de fuite, et témoigne d'un terrain affectif perturbé.

Les choses ne sont cependant pas aussi simples : une personnalité n'est pas tout d'une pièce, elle doit être faite d'ombres et de lumières. On peut être angoissé(e) dans certaines circonstances, et parfaitement maître de soi, détendu(e) dans d'autres.

Un équilibre total, monolithique, peut à l'inverse être inquiétant.

C'est ainsi que la bonne réponse n'est pas toujours celle que vous croyez ; par exemple, à la question 26 : « Contrôlez-vous plusieurs fois que vous avez exécuté correctement une occupation de routine ? », la réponse « équilibrée », c'est : « oui, si elle a une certaine importance ». La réponse b, négative, tendrait à indiquer une certaine légèreté.

Etudions vos résultats d'ensemble :

La colonne de gauche domine : avec cependant quelques variantes, quelques « pointes » poussées vers la colonne du centre : vous vivez plus dans le présent et l'avenir que dans le passé. Vous êtes remarquablement maître de vous, en harmonie avec vous-même et avec les autres, avec un fond héréditaire bien équilibré, une vie heureuse, peu ou pas de problèmes. Profitez-en et faites-en profiter votre entourage qui cherchera tout naturellement appui et sécurité auprès de vous.

La colonne du centre domine : vous avez certaines tendances anxieuses, mais il n'y a rien de très profond cependant, rien qui ne dépasse notablement les normes de vos contemporains ; vous êtes « vulnérable » aux émotions. Entraînez-vous à un meilleur contrôle émotionnel, rendez-vous plus « disponible », soyez plus volontiers optimiste, philosophe. Ne soyez pas déçu(e). Plutôt que de vous « contrarier » devant les difficultés, les contretemps, l'imprévu de l'existence, dites-vous que « tout finit par s'arranger », car cela est vrai. Essayez de fortifier votre personnalité en prévision de « coups durs ». Menez une vie saine, faites du sport, éduquez votre volonté, ayez une vie sexuelle suffisante, recherchez la compagnie, les échanges.

La colonne de droite domine : vous êtes un anxieux profond (vous ne le saviez peut-être pas). Il faut absolument soigner cette angoisse, ce qui ne veut pas dire vous « droguer », mais apprendre à mieux vous connaître, et déjà ce petit questionnaire pourra vous y aider : en vous obligeant à un face à face avec vous-même, en vous forçant à vous « analyser » sans indulgence, sans excès de sévérité non plus. Ce sera là un premier pas pour acquérir un meilleur contrôle nerveux. Consultez un médecin qui s'intéresse aux problèmes psychosomatiques — c'est peut-être le cas de votre médecin traitant habituel. Parlez-lui de vos problèmes, essayez de trouver avec lui quelle peut être la cause actuelle ou ancienne de votre anxiété, quels traumatismes oubliés, quelles expériences manquées ont pu vous ébranler sur le plan affectif. Demandez-lui conseil sur l'opportunité de séances de relaxation, de « training autogène », de yoga, méthodes qui ont chacune leurs indications particulières et qui visent à donner à ceux qui les pratiquent une meilleure conscience et, partant, un meilleur contrôle de leur corps. Réservez du temps pour une pratique régulière d'exercices physiques (footing, golf, natation).

Si des médicaments sont nécessaires, votre médecin saura vous les prescrire, mais n'en prenez en aucun cas de vous-même. S'il estime devoir demander l'avis d'un de ses confrères, psychiatre ou psychanalyste, à votre sujet, ne vous affolez pas, vous n'êtes pas un malade mental, mais un « nerveux ». Suivez les conseils de votre médecin, « ne faites pas l'autruche », car vous êtes un candidat type aux « maladies psychosomatiques ».

Parmi ces maladies psychosomatiques figurent l'ulcère de l'estomac, des maladies intestinales comme les colopathies, plus souvent appelées colites, des douleurs dans la région cardiaque, fausse angine de poitrine…

Tous ces troubles sont d'abord « fonctionnels », c'est-à-dire qu'il y a seulement une perturbation du fonctionnement des organes, souvent réversible, mais à la longue, les troubles risquent de « s'organiser », c'est-à-dire de léser ces organes si votre hygiène de vie n'est pas sérieusement révisée.

Aucune colonne ne domine franchement : vous êtes une de ces « personnalités multiples », aux nombreuses contradictions internes : parfaitement équilibré(e) dans certains domaines, parfois trop, vous êtes, dans d'autres circonstances, un peu, voire extrêmement, perturbé(e).

Reprenez de près votre questionnaire pour identifier de façon précise les points par où vous péchez, et qui méritent qu'on y apporte les ajustements nécessaires.

Pour terminer, revoyez de près vos réponses aux questions 1, 2, 9, 14, 42, 44. Elles vous aideront à vous classer par rapport aux tendances de votre système neurovégétatif, c'est-à-dire ce système nerveux autonome, qui, à la différence du système nerveux central proprement dit, échappe au contrôle de notre volonté. Il comporte deux mécanismes ou systèmes opposés qui tendent à s'équilibrer : ce sont le sympathique et le parasympathique.

Pour les questions 1, 2, 9, 14, 42, 44, si vous figurez dans la colonne du centre : vous êtes de tendance sympathicotonique, c'est-à-dire que c'est le système sympathique qui domine en vous. C'est le cas le plus fréquent.

Si vous vous rangez dans la colonne de droite : vous êtes un(e) vagotonique, c'est-à-dire que c'est le système parasympathique, également appelé « vague », qui domine en vous.

Si vous êtes à cheval sur ces deux colonnes : vous êtes, et c'est assez fréquent, un(e) amphotonique, c'est-à-dire que, chez vous, les deux tendances s'équilibrent[1].

---

1. Ce test a été établi par le Dr Jacques L. Arnaud à partir d'un questionnaire de H. Lidvall et C. Ojonsson, traduit du suédois par le Dr M. Robin.

Quelle est la part de la bête en vous?

« L'homme n'est ni ange ni bête », disait Pascal, qui ajoutait : « Qui veut faire l'ange fait la bête. » Voilà le problème bien posé. Religions, philosophies, littératures ont, de tout temps, mis l'accent sur cette situation dramatique de la nature humaine. Comme Janus, l'homme est à double face. L'une se tourne vers le haut et voisine avec les dieux. L'autre regarde vers le bas : c'est « le cochon qui sommeille ». L'éternelle histoire du Dr Jekyll et Mr. Hyde se joue quotidiennement chez chacun d'entre nous. Les moralistes des siècles passés conseillaient en général de faire taire en nous la bête afin d'être plus près de Dieu. « Le corps n'est qu'orgueilleuse pourriture », affirmait saint Augustin. Jusqu'à ce qu'un certain Freud montrât que l'on ne pouvait impunément désirer anéantir la bête et qu'il était bien préférable de composer avec elle.

Buffon disait : « L'homme est un animal raisonnable. » L'homme est animal avec ses instincts ancestraux, ses habitudes, ses irréflexions et ses colères. Mais où commence vraiment la raison ? Quelle est la part de la bête en vous ?

Cochez la lettre a, b ou c devant la réponse qui s'accorde le mieux avec la ligne générale de votre façon d'être ou de penser. Répondez avec spontanéité et franchise.

1 Un groupe sans leader n'est qu'un agglomérat de personnes, une masse informe et sans initiatives. Si vous vous trouvez au sein d'un groupe de personnes,

☐ **a** appréciez-vous qu'il possède un leader ?
☐ **b** ne le supportez-vous que difficilement ?
☐ **c** le quittez-vous aussitôt ?

2 Il arrive à tous de rire ou de pleurer. A vous, cela vous arrive-t-il ?

☐ **a** fréquemment
☐ **b** quelquefois
☐ **c** pour ainsi dire jamais

3 Savez-vous vous mettre à l'unisson d'une bande de copains ?

☐ **a** oui, généralement je m'y sens tout de suite à l'aise
☐ **b** cela m'est très difficile

4 Aimez-vous ce genre d'amour : « Rien d'intellectuel, aucune ivresse de la pensée ne se mêle à l'ivresse sensuelle que provoquent en nous ces êtres charmants et nuls ? »

☐ **a** non, ce n'est pas à ce genre d'amour que je m'adonne
☐ **b** cela peut m'arriver de temps à autre
☐ **c** oui, c'est ainsi que je préfère l'amour

5 Vous sentez-vous plus actif, plus dynamique pour travailler :

☐ **a** entouré de vos semblables
☐ **b** dans l'isolement
☐ **c** selon le type de travail, parfois seul, parfois entouré

6 Certaines situations excitent la colère. Lorsque vous vous trouvez dans cet état de crise, l'émotion vous rend-elle inconscient des paroles proférées ?

☐ **a** en général non
☐ **b** assez souvent
☐ **c** oui, presque toujours

7 Vous est-il arrivé, sous le coup de la colère, de frapper votre interlocuteur ?

☐ **a** oui, assez souvent. C'est ainsi que l'on se fait craindre et respecter
☐ **b** oui, une fois ou deux
☐ **c** non, jamais

8 Etes-vous pour ou contre les pilules anticonceptionnelles ?

☐ **a** pour
☐ **b** contre
☐ **c** sans opinion

9 Estimez-vous que tout le bonheur d'une femme, c'est d'être entourée de beaucoup d'enfants ?

☐ **a** oui
☐ **b** non

10 Estimez-vous qu'un enfant doit être nourri au sein pour bien se développer ?

☐ **a** oui
☐ **b** non

11 Jean-Louis Barrault a écrit : « L'effort, en soi, procure directement de la joie. » Cette opinion vous paraît-elle

☐ **a** exacte ?
☐ **b** tout à fait exagérée ?

12 Vous êtes déprimé, vous avez l'impression que tout va de mal en pis dans votre vie. Cherchez-vous alors un réconfort auprès de personnes amies ?

☐ **a** non, je ne veux pas de pitié
☐ **b** oui, la solitude m'écraserait, la compagnie des autres m'aide à me reprendre

13 « Je tiens à mon lit plus qu'à tout. Il est le sanctuaire de la vie. On lui livre sa chair fatiguée pour qu'il la ranime et la repose. » Que pensez-vous de cette opinion d'un des personnages de Maupassant ?

☐ **a** je la partage, assurément
☐ **b** pas du tout d'accord

14 Vous êtes sorti le soir pour prendre l'air. Un accident survient. La foule des personnes qui vous entourent prend parti pour l'un ou l'autre des deux responsables de cet accident. Discussion qui tourne à l'aigre. Vous vous trouvez pris dans la bagarre. Quelle serait votre réaction la plus naturelle ?

☐ **a** vous restez imperturbablement maître de vous et cherchez par de bonnes paroles à ramener le calme dans les esprits
☐ **b** vous vous sentez très mal à votre aise et cherchez à vous esquiver le plus discrètement et le plus vite possible
☐ **c** vous prenez parti dans la discussion et ne craignez pas de soutenir votre opinion par des ripostes offensives comme les personnes qui vous entourent

15 Y a-t-il des moments où vous pourriez reconnaître un peu de votre façon d'être dans cette description de l'esprit des femmes par un homme de lettres : « Elles sont les jouets de leur sensibilité à surprises, les esclaves étourdies des événements, des milieux, des émotions, des rencontres et de tous les effleurements dont tressaillent leur âme et leur chair[1] ? »

☐ **a** certainement pas
☐ **b** peut-être, parfois
☐ **c** oui, souvent

1. G. de Maupassant : *Contes et Nouvelles,* « Allouma », p. 1327 (Paris, Albin Michel, 1962.)

16 Vous êtes invité chez des amis ; on passe à table. Vous avez faim. Avez-vous beaucoup de mal à résister à saisir un morceau de pain et à le grignoter aux yeux de tous ?

☐ **a** aucun mal
☐ **b** beaucoup de mal

17 Vous est-il arrivé de passer toute une nuit blanche uniquement parce qu'une personne de l'autre sexe avait ému vos sens ?

☐ **a** oui, cela m'est arrivé
☐ **b** non, jamais
☐ **c** il m'est arrivé d'avoir de grandes difficultés à m'endormir à cause de cela, mais jamais de passer toute une nuit blanche

18 Etes-vous d'accord avec cet aphorisme : « La lumière gaie tient l'esprit clair et contente à peu de frais » ?

☐ **a** oui, je suis très sensible à l'ambiance lumineuse qui m'entoure
☐ **b** pourvu que mes yeux aient leur ration de lumière pour poursuivre le travail entrepris, je me sens bien dans n'importe quelle ambiance

19 Etes-vous sensible aux odeurs ?

☐ **a** oui, très
☐ **b** non, pas tellement

20 Comment procédez-vous généralement quand vous vous trouvez devant un mécanisme compliqué à faire fonctionner ?

☐ **a** je commence par réfléchir en l'examinant
☐ **b** j'ai une très bonne sensibilité tactile, et je commence par manipuler le mécanisme au hasard en me fiant à l'intuition mécanique de mes doigts

21 Aimez-vous la chasse ?

☐ **a** beaucoup ; j'adore débusquer un gibier
☐ **b** assez, mais c'est plus pour moi une occasion de faire de belles promenades ; poursuivre le gibier m'est assez indifférent
☐ **c** pas du tout ; j'ai horreur qu'on massacre inutilement les animaux

22 « Cette minute avait suffi pour que le sommeil tombât sur elle, un sommeil irrésistible et brusque, presque foudroyant, comme tout ce qui s'empare des sens[2]. » Connaissez-vous ce sommeil-là ?

☐ **a** oui, je m'endors souvent ainsi
☐ **b** je m'endors rarement aussi vite
☐ **c** jamais ; il s'écoule toujours un très long temps avant que je trouve le sommeil

2. G. de Maupassant : ouvrage cité, p. 1315.

23 « Cette infranchissable et secrète barrière que la nature incompréhensible a verrouillée entre les races, je la sentais soudain[3]. » Connaissez-vous ce sentiment profond de racisme ?

☐ **a** non, je ne suis pas raciste
☐ **b** oui, c'est un sentiment trop naturel pour que je ne l'aie pas éprouvé

24 Avez-vous toujours un grand désir de progresser, de vous surpasser vous-même dans tout ce que vous faites ?

☐ **a** non, c'est un sentiment que j'ai eu surtout dans ma jeunesse, mais qui ne me préoccupe plus guère actuellement
☐ **b** oui, toujours

25 « Les absents ont toujours tort. » Que pensez-vous de ce dicton ?

☐ **a** il est, hélas ! généralement juste
☐ **b** je le trouve injuste

26 Vous avez égaré quelque chose d'important. Quelle est votre première réaction pour le retrouver ?

☐ **a** bien vite fouiller partout, même si cela bouleverse les choses en place
☐ **b** d'abord ne toucher à rien, mais chercher à se remémorer où l'on a bien pu le mettre

27 L'homme se livre aux perversions sexuelles parce que la civilisation l'a trop éloigné de l'état de nature. Partagez-vous cette opinion ?

☐ **a** oui, les perversions sexuelles se rencontrent essentiellement chez l'homme
☐ **b** non, elles correspondent au contraire au côté bestial en nous

28 La fidélité à un seul partenaire sexuel est exigée par le mariage chrétien et par de nombreux codes civils. Qu'en pensez-vous ?

☐ **a** elle me paraît supportable et, en fait, bien adaptée à la nature profonde de l'homme
☐ **b** cela me paraît une exigence difficile à satisfaire ; il faut un grand empire sur soi-même pour y parvenir

29 Dans le fameux rapport Kinsey sur le comportement sexuel de l'homme, une statistique indique comme fréquence des rapports conjugaux à 30 ans : 2,5 en moyenne par semaine. Quel est votre avis sur cette estimation ?

☐ **a** chiffre plutôt exagéré
☐ **b** chiffre plutôt sous-estimé

30 Aimeriez-vous disposer d'une belle voiture pour avoir des aventures galantes ?

☐ **a** oui, c'est un attrait essentiel à notre époque

3. G. de Maupassant : ouvrage cité, p. 1315.

☐ **b** je ne saurais me satisfaire de ce genre d'atout et de plaisir

---

31 Préférez-vous que votre partenaire sexuel porte des vêtements à la mode ?

☐ **a** cela m'est absolument indifférent
☐ **b** j'y suis sensible, mais je n'y attache pas beaucoup d'importance
☐ **c** cela me paraît beaucoup contribuer à son charme

---

32 Aimez-vous que votre partenaire sexuel se parfume ?

☐ **a** j'aime beaucoup cela
☐ **b** cela m'est indifférent
☐ **c** je n'aime pas du tout cela

---

33 Pensez-vous qu'en Occident la majorité des gens est partisan d'une longue préparation avant l'acte sexuel lui-même ?

☐ **a** non, pas tant qu'on le dit
☐ **b** cela dépend des pays
☐ **c** en général

---

34 Avez-vous des complexes ?

☐ **a** oui, je me sens souvent inhibé
☐ **b** non, je ne crois pas

---

35 Avez-vous besoin d'une longue accoutumance à un lieu pour vous y sentir à votre aise ?

☐ **a** non, je me sens très vite partout chez moi

☐ **b** oui, j'ai besoin de séjourner longuement à un endroit pour m'y sentir à l'aise

---

36 Essayez-vous de garder le contact le plus possible avec tous les membres de votre famille ?

☐ **a** non, je trouve qu'il est plus facile de s'entendre avec des amis
☐ **b** oui, car rien ne peut remplacer la famille

---

37 Etes-vous patriote ?

☐ **a** oui, j'aime beaucoup mon pays et je me sens mal à l'aise avec des étrangers
☐ **b** je suis contre le patriotisme ; tous les hommes devraient se considérer comme des frères, sans tenir compte des frontières
☐ **c** les rencontres avec des étrangers me plaisent beaucoup, mais c'est dans mon pays que je préfère vivre

---

38 « Les habitudes prises sont la tromperie de la vie » : cet aphorisme vous paraît-il vrai ou faux ?

☐ **a** je les trouve très douces au contraire
☐ **b** il faut se méfier des habitudes, mais elles simplifient bien la vie
☐ **c** l'aphorisme est vrai : il faut éviter l'enlisement des habitudes

---

39 Etes-vous partisan d'une délimitation bien nette de ce qui vous appartient ?

☐ **a** oui, mon jardin est bien clôturé

☐ **b** non, passer son temps à surveiller ses biens rend la vie terne ; mieux vaut en faire profiter les autres également

---

40 Au premier interlocuteur que vous rencontrerez, décrivez un « escalier en spirale », sans prononcer vous-même ces mots, et de façon qu'il découvre le plus rapidement possible ce dont vous parlez. Démarrez en proposant : « Trouvez donc ce que c'est. » Quand ce sera fait, indiquez ici comment vous avez procédé (mais ne regardez pas d'avance les réponses proposées)

☐ **a** j'ai décrit l'escalier en spirale par des mots uniquement

☐ **b** j'ai accompagné ma description verbale d'un mouvement giratoire de l'index

☐ **c** pas besoin de paroles ; il m'a suffi d'un geste pour décrire l'escalier en spirale

---

41 Voici un petit test classique dans l'arsenal des psychologues : un labyrinthe (sous forme de toile d'araignée pour rester dans le règne animal…). Armé d'un crayon, vous partirez de l'araignée située en bas de la toile et tisserez votre fil le long des voies libres de cette toile pour parvenir jusqu'à la mouche située au centre. Prenez le chemin le plus direct possible et évitez les voies sans issue murées par un trait.

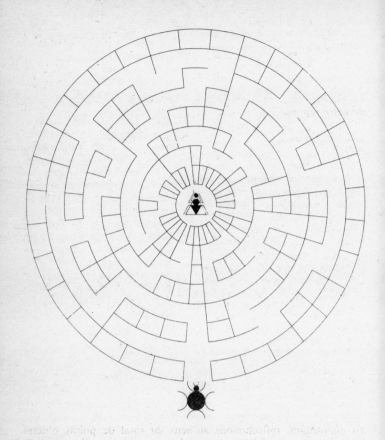

Indiquez à présent comment vous avez procédé :

☐ **a** j'ai démarré très vite au crayon en me fiant à mon flair ; j'ai abouti à quelques impasses, mais je m'en suis vite sorti

☐ **b** j'ai cherché visuellement d'abord à me repérer en examinant alternativement les méandres à suivre en partant du point de départ et du point d'arrivée. Je n'ai démarré au crayon qu'après avoir compris les grandes lignes du tracé à parcourir

☐ **c** je suis parti tout de suite au crayon du point de départ, mais je n'ai fait aucune faute, car je regardais attentivement d'avance où la voie choisie me menait.

Résultats

La notation à retenir est celle de la colonne où figure la lettre de votre réponse.

Selon votre réponse comptez	0	1 ou 2, points	
☐ 1	c	b	a
☐ 2	c	b	a
☐ 3	b		a
☐ 4	a	b	c
☐ 5	b	c	a
☐ 6	a	b	c
☐ 7	c	b	a
☐ 8	a	b	c
☐ 9	b		a
☐ 10	b		a
☐ 11	b		a
☐ 12	a		b
☐ 13	b		a
☐ 14	a	b	c
☐ 15	a	b	c
☐ 16	a		b
☐ 17	b	c	a
☐ 18	b		a
☐ 19	b		a
☐ 20	a		b
☐ 21	c	b	a
☐ 22	c	b	a
☐ 23	a		b
☐ 24	b		a

Selon votre réponse comptez	0	1 ou 2 points	
☐ 25	b		a
☐ 26	b		a
☐ 27	b		a
☐ 28	b		a
☐ 29		b	a
☐ 30	b		a
☐ 31	a	b	c
☐ 32	c	b	a
☐ 33	a	b	c
☐ 34	a		b
☐ 35	a		b
☐ 36	a		b
☐ 37	b	c	a
☐ 38	c	b	a
☐ 39	b		a
☐ 40	a	b	c
☐ 41	b	c	a

	×0	×1	×2
Nombre de réponses	☐	☐	☐
multiplié par	× 0	× 1	× 2
totaux partiels	0 +	☐	+ ☐
Total			

Et maintenant, réfléchissons au sens du total de points obtenu. Ne soyons pas « bêtement » anthropocentriques. En nous, la part différente de l'animal est faible, et la part semblable à l'animal est forte. Celui qui répond sincèrement, honnêtement, à ce questionnaire doit s'en apercevoir. Il n'y a pas de mal à cela. L'évolution des êtres vivants va de la plante à l'animal, de l'animal à l'homme sans solution de continuité, par petites améliorations progressives de la mobilité, de l'indépendance par rapport au milieu. L'idéal n'est pas de se croire entièrement différent de l'animal, ni, bien entendu, de se déclarer entièrement bestial, ni même de se situer sur l'exact milieu, mais de réaliser une synthèse harmonieuse entre la part de la bête et la part de l'homme en nous, qui toutes deux existent, soyons-en sûrs, et méritent d'être épanouies, aussi bien l'une que l'autre.

Grâce à la grille des réponses, vous pouvez les récapituler et estimer quelle est la part de la bête en vous. En règle générale, plus le total de points que vous avez trouvé est élevé, plus la part de la bête est importante. Mais on peut, assez arbitrairement, distinguer trois cas.

De 0 à 25 points (environ) : vous semblez un être quelque peu désincarné, aux instincts faibles, ou tout au moins remarquablement maîtrisés, trop sans doute. Rappelez-vous : « Qui veut faire l'ange fait la bête. »

A la limite, il serait préférable que vos si « raisonnables » réponses soient le fait d'un peu d'hypocrisie de votre part. Etes-vous bien sûr d'avoir répondu en toute franchise, « tout bêtement » ?

Entre 25 et 55 points (environ) : l'ange et la bête se partagent assez équitablement votre personnalité. Vous êtes équilibré. Cela ne veut pas dire qu'à coup sûr ange et bête fassent bon ménage en vous. Mais le fait qu'aucune des deux tendances ne soit brimée aux dépens de l'autre est un gage de tranquillité personnelle.

Plus de 55 points (environ) : vous êtes surtout attentif à l'appel de vos instincts, et cet appel, que vous écoutez si complaisamment, a déjà dû vous jouer d'assez regrettables tours dans la vie. Prenez sur vous dans la mesure du possible. Contrôlez-vous. A moins que vos réponses « bestiales » ne soient le fait de quelqu'un qui veut surestimer en lui son côté « mâle » (s'il s'agit d'un homme) ou « femelle » (s'il s'agit d'une femme). En quoi cela dénoterait en vous quelque obscur sentiment d'infériorité qui vous rendrait plus humain. Adler a dit en effet : « Etre homme, c'est se sentir inférieur. »

Le pourquoi
de certaines réponses

Réponse 1. Toutes les sociétés d'animaux se soumettent à un leader : la « reine » dans la ruche ou la fourmilière, le « chef de meute » chez les mammifères qui vivent en groupe.

Réponse 2. Si un philosophe a dit : « Le rire est le propre de l'homme », les psychologues ont constaté que les rires et les pleurs sont chez l'homme des moyens de communication antérieurs au langage et, quoique expressifs, émanent des couches les plus primitives de notre cerveau, ce qui les apparente aux cris poussés par les animaux.

Réponse 3. L'homme est un animal social, observait très justement J.-J. Rousseau. Toutes les sociétés d'animaux possèdent un instinct spécial, la stygmergie, qui les pousse à vivre ensemble, à aimer la compagnie d'individus de la même espèce, note P.-P. Grassé.

Réponse 5. La stygmergie a pour effet de libérer plus d'hormones dynamisantes chez l'individu entouré de ses semblables que chez l'individu isolé.

Réponses 6 et 7. La suppression des couches supérieures du cerveau réalisée par opération chirurgicale chez un mammifère évolué fait apparaître des crises de colère agressives, incontrôlables, à toute stimulation. Les biologistes appellent « shamrage » cette colère aveugle. Chez l'être humain, lorsque la colère dépasse un certain seuil, les voies d'accès au niveau conscient du cerveau semblent coupées et seules des manifestations du type « shamrage » subsistent.

Réponse 8. L'instinct pousse l'être vivant à se reproduire sans relâche ; la civilisation permet à l'homme de contrôler cet instinct.

Réponse 9. La psychologie moderne découvre que la femme a des capacités et des tendances étonnamment semblables à l'homme. Tant que, pour assurer une descendance à l'homme, elle passait sa vie à procréer, les savants l'avaient jugée sans intelligence, sans esprit d'initiative, et même... sans appétit sexuel ! La vie moderne tend à prouver qu'il n'en est rien, et que s'occuper des enfants remplit difficilement toute sa vie... comme c'est le cas pour son mari.

Réponse 19. L'odorat est localisé dans la partie la plus primitive de notre cerveau.

Réponse 20. Les Kellog, couple de psychologues qui avaient élevé une petite guenon — née le même jour que leur enfant —

avec celui-ci, lui fournissant les mêmes soins, lui faisant passer les mêmes tests, ont vu pendant longtemps le développement du singe et de l'enfant évoluer parallèlement, avec une plus grande avance chez le singe. Mais vers l'âge de 2 ans, c'est dans une tâche de ce type que pour la première fois la supériorité intellectuelle de l'enfant sur le singe est apparue ; la représentation mentale des gestes à effectuer permit à l'enfant de résoudre plus vite et mieux la tâche proposée.

Réponse 21. Nécessité chez l'animal carnivore, la chasse n'est plus qu'une survivance d'un instinct archaïque chez l'homme civilisé.

Réponse 24. Il s'agit là de l'un des aspects les plus caractéristiques de l'intelligence humaine, ce qui la différencie le mieux de l'instinct de l'animal fixé génétiquement dans un rituel immuable à travers les millénaires.

Réponse 27. Les perversions sexuelles ne se rencontrent pas chez l'animal qui vit en liberté[4]. Elles sont propres à l'homme et à sa vie imaginaire plus ou moins déviée de la normale par les expériences vécues dans son enfance.

Réponse 28. Toutes les fois que l'élevage des petits l'exige, la fidélité conjugale existe chez les animaux[5]. Chez l'homme aussi, l'« élevage » des enfants exige une famille unie. Mais il semble que l'instinct de fidélité conjugale n'a plus beaucoup de force malgré son utilité.

Réponse 31. Chez beaucoup d'animaux, la parure joue un grand rôle dans la parade sexuelle. Mais chose curieuse, et contrairement à ce qui se passe chez nous, c'est le mâle qui est somptueusement paré à la saison des amours, la femelle restant plutôt terne.

Réponse 32. Voir réponse 10. L'odorat joue d'ailleurs un grand rôle sur l'excitation sexuelle chez les animaux.

Réponse 33. L'accouplement ne se fait qu'au terme d'une longue parade chez la plupart des espèces animales. Cette préparation est nécessaire à la mise en condition réceptive de la femelle.

4. Voir, dans *Psychologie* n° 13, l'entretien avec le Pr Grassé.
5. Voir : R. Chauvin : *les Sociétés animales* (Paris, Plon 1962).

Dans certaines espèces, l'ovulation n'a lieu qu'à cette condition. Les travaux de Masters et Johnson ont d'ailleurs montré que la femelle humaine a les mêmes besoins dans ce domaine que ses sœurs inférieures. C'est le mâle humain qui trop souvent a perdu l'instinct de préparation du partenaire à l'accouplement.

Réponse 35. Chez l'animal, on trouve ce besoin de possession d'un territoire propre à chaque individu de l'espèce, marqué généralement par son odeur, et qu'il défend avec acharnement contre toute intrusion par un autre individu.

Réponse 36. La famille forme la base de la majorité des sociétés animales.

Réponse 37. Même remarque qu'à la question 35.

Réponse 38. Les habitudes nous rapprochent de l'animal. Elles guident la plupart de nos actions de façon automatique.

Réponse 39. L'altruisme s'observe rarement chez l'animal. C'est une acquisition humaine importante pour le développement de la société humaine.

Réponse 40. Les animaux savent communiquer entre eux par des gestes, et non par des paroles.

Réponse 41. L'intériorisation du geste et la comparaison mentale active de différentes solutions sont, selon le psychologue Jean Piaget, la première manifestation et l'acquisition la plus importante de l'activité intellectuelle humaine.

Etes-vous tolérant?

Dr J.-L. Arnaud

« La tolérance ? Il y a des maisons pour ça ! » Cette boutade sans appel, attribuée à Paul Claudel, révélera à certains une face cachée du poète chrétien. Mais cette attitude n'est-elle pas finalement un peu celle de chacun de nous ? Citoyen au-dessus de tout reproche, et, au cœur de nous-même, une faille ignorée : l'intolérance. Pour le psychologue des profondeurs, celle-ci apparaît comme le refus inconscient de ce qui est différent : nous sommes tous prisonniers de « tabous » qui nous portent à rejeter ce qui s'écarte des règles du clan. Or, à l'examen, l'intolérance apparaît comme une nuisance majeure dans l'histoire de l'humanité. Elle est à l'origine des guerres, des persécutions religieuses ou sociales.

Pour tester votre degré de tolérance, nous avons établi huit chapitres d'enquêtes, huit modes de circonstances où votre tolérance peut être mise à l'épreuve : vie familiale, relations du couple, vie sociale, conceptions philosophiques et religieuses, morale et sexualité, opinions politiques, rapports internationaux, rapports du sujet avec lui-même. Si vous remplissez honnêtement ce questionnaire, vous saurez, à la fin de ce petit jeu psychologique, à quel degré de tolérance ou d'intolérance vous vous situez.

Cochez la lettre a, b, c ou d placée devant la réponse qui s'accorde le mieux avec votre pensée.

Rapports parents-enfants

1 Que pensez-vous du vouvoiement entre parents et enfants ?

☐ **a** je trouve cela très snob et parfaitement périmé

☐ **b** c'est une question strictement individuelle en fonction d'une éducation, de traditions familiales... Ce n'est pas très important

☐ **c** oui, pour les enfants ; non, pour les parents

☐ **d** parents et enfants doivent se tutoyer et, d'ailleurs, mes enfants et moi, nous nous appelons par nos prénoms ; je trouve cela beaucoup mieux

2 Pensez-vous que les parents doivent exercer une autorité sur leurs enfants ?

☐ **a** autorité, certes, mais largement tempérée d'affection ; et, de toute façon, l'autorité doit s'assouplir au fur et à mesure que les enfants grandissent

☐ **b** c'est l'évidence, c'est le devoir n° 1 des parents

☐ **c** oui, mais autorité ne veut pas dire contrainte

☐ **d** les parents n'ont aucun droit sur les enfants ; il faut les laisser se développer et s'épanouir plutôt que courir le risque de leur créer des complexes

3 Etes-vous partisan de laisser les jeunes gens « sortir » ?

☐ **a** d'accord pour laisser sortir les jeunes, mais jusqu'à une certaine heure et pas systématiquement

☐ **b** les êtres sont libres, les enfants doivent sortir comme ils l'entendent

☐ **c** les sorties forment la jeunesse : j'ai été assez « vissé » à la maison pour laisser plus de liberté à mes enfants

☐ **d** non, certainement pas ; cela ne peut entraîner que troubles de santé, mauvais résultats scolaires, mariages hâtifs

4 Etes-vous partisan de donner de l'argent de poche aux enfants ?

☐ **a** je donne de l'argent à mes enfants plutôt que risquer qu'ils ne s'en procurent par des moyens discutables

☐ **b** un peu d'argent de poche est nécessaire à partir d'un certain âge, à condition de le mériter

☐ **c** je n'ai jamais eu d'argent de poche et je m'en suis parfaitement passé. Je subviens aux besoins de mes enfants. Quand ils travailleront, ils gagneront leur argent de poche

☐ **d** l'argent n'a pas d'importance, il faut que jeunesse se passe

5 Si votre fils porte les cheveux longs, pensez-vous :

☐ **a** il lui a manqué une guerre ?

☐ **b** c'est un merveilleux symbole de liberté ?

☐ **c** tout dépend de leur longueur et s'ils sont bien tenus ?

☐ **d** c'est une question de mode : Chopin et Einstein, eux aussi, les portaient longs... ?

Relations du couple

6 Pensez-vous que les récentes modifications apportées au mariage civil et au régime matrimonial, qui donnent plus d'indépendance à l'épouse, sont :

☐ **a** des mesures par trop timides : trop peu et trop tard ?

☐ **b** de toute façon, une contrainte : les êtres sont libres et n'ont nul besoin de s'enchaîner par un contrat ?

☐ **c** un dangereux glissement vers l'anarchie et les désunions familiales ?

☐ **d** un progrès qui répondait à un besoin d'équité ?

7 Trouvez-vous naturel qu'une femme subvienne largement aux besoins du ménage, voire assure la plus large part de ses revenus ?

☐ **a** non, le mari, qui demeure le chef de famille, doit seul subvenir aux besoins du ménage

☐ **b** l'homme et la femme sont égaux

☐ **c** oui, si le travail de la femme ne met pas en danger l'équilibre du couple et lui laisse suffisamment de temps à consacrer à son mari et à ses enfants

☐ **d** la femme est souvent supérieure à l'homme, mais ne gagne rien à se mesurer avec lui sur le plan du travail

8 Mari et femme doivent-ils avoir les mêmes goûts ?

☐ **a** absolument

☐ **b** oui, dans l'ensemble, mais des différences peuvent efficacement prévenir une certaine monotonie

☐ **c** impératif n° 1 du mariage : un respect total et réciproque des goûts et des sentiments de l'autre

☐ **d** les contraires s'attirent : il ne peut y avoir finalement bonne entente qu'entre sujets complètement différents

9 Lorsqu'un couple doit voter, quelle attitude vous paraît la meilleure ?

☐ **a** la discussion doit être ouverte, mais, après confrontation des points de vue en cas de désaccord, chacun doit voter selon son propre choix

☐ **b** chacun vote comme bon lui semble et, si possible, femme contre mari et vice versa

☐ **c** c'est un domaine réservé où nul n'a le droit d'influencer l'autre

☐ **d** ce doit être de la même façon

Relations sociales

10 L'amitié est-elle un sentiment exclusif entre deux personnes ou peut-elle s'étendre à d'autres ?

☐ **a** les sentiments ne doivent pas s'entourer de barbelés

☐ **b** j'admets parfaitement que mes amis en aient d'autres, mais je tiens à être au premier rang de leur amitié, et je le leur rends

☐ **c** l'amitié ne comporte pas de tiers

☐ **d** les amis de nos amis sont nos amis. Il ne faut pas en rétrécir le cercle

11 Une réunion bruyante et animée se déroule très tard chez vos voisins. Quelle sera votre réaction ?

☐ **a** vous téléphonez à la police

☐ **b** vous patientez, à condition que cela ne dure pas toute la nuit et ne se reproduise pas tous les soirs

☐ **c** vous cognez au mur ou vous téléphonez pour demander plus de discrétion

☐ **d** vous vous invitez chez eux pour finir joyeusement la soirée

12 Etes-vous pour ou contre le mélange des classes sociales dans les clubs de vacances, les cercles culturels, les réunions de parents ?

☐ **a** contre : cela ne peut qu'entraîner de la gêne et ne sert à rien

☐ **b** je suis pour, à 100 %

☐ **c** ce peut être une expérience intéressante et sympathique

☐ **d** il faut multiplier ces contacts ; mieux se connaître, c'est mieux se comprendre

13 Si un automobiliste « saute » sur la place où vous vous prépariez à vous garer, pensez-vous ?

☐ **a** c'est un mufle

☐ **b** il est peut-être plus pressé que moi : c'est peut-être un médecin

☐ **c** c'est se donner beaucoup de mal pour pas grand-chose

☐ **d** que le meilleur gagne...

14 Etes-vous pour ou contre la peine de mort ?

☐ **a** pour certains crimes, et dans certains cas

☐ **b** pour : c'est la seule forme de dissuasion dont dispose la société

☐ **c** contre : les statistiques témoignent de sa complète inefficacité

☐ **d** contre : c'est une tradition barbare et odieuse.

15 Un projet de loi est déposé devant le Parlement pour autoriser certains cas d'avortement. Estimez-vous que :

☐ **a** c'est la légalisation d'un crime ?

☐ **b** les cas prévus (viol, malformations inévitables...) sont limités et plaident en faveur du projet ?

☐ **c** on ne peut plus les interdire à partir du moment où l'on a légalisé la « pilule »... ?

☐ **d** la décision appartient au couple, et, plus encore, à la mère ?

Conceptions philosophiques et religieuses

16 Pensez-vous que le massacre de la Saint-Barthélemy :

☐ **a** est une faute qui entache la religion romaine ?

☐ **b** a été un enchaînement regrettable et à méditer ?

☐ **c** est le symbole de l'intolérance ?

☐ **d** se comprend dans le contexte politique de l'époque ?

17 Pensez-vous qu'au sein d'un même groupe, d'une même famille, voire du couple, on puisse pratiquer des religions différentes ?

☐ **a** des conceptions religieuses et philosophiques différentes sont compatibles avec d'excellentes relations, mais représentent un handicap

☐ **b** les conceptions religieuses sont d'ordre strictement intime, elles ne peuvent et ne doivent en aucune façon interférer avec les relations humaines

☐ **c** pas de relations normales si les conceptions religieuses diffèrent

☐ **d** la religion est l'opium du peuple

18 Pensez-vous que Luther était :

☐ **a** un apôtre de la vérité ?

☐ **b** un dangereux illuminé qui a brisé l'unité de l'Eglise ?

☐ **c** un contestataire estimable ?

☐ **d** un contestataire dépassé ?

19 Pour vous, l'euthanasie :

☐ **a** est sans justification et inexcusable

☐ **b** devrait être autorisée par la loi

☐ **c** est condamnable sur le principe, mais peut comporter des circonstances extrêmement atténuantes

☐ **d** est licite dans certains cas, par exemple pour épargner les souffrances inutiles

20 Une nouvelle loi vient d'autoriser le divorce en Italie, sous certaines conditions. Selon vous, est-ce :

☐ **a** une solution à certaines situations impossibles ?

☐ **b** un premier pas souhaitable vers la séparation de l'Eglise et de l'Etat ?

☐ **c** une solution rétrograde et sans portée réelle pour l'ensemble de la population ?

☐ **d** une régression des valeurs morales ?

Morale et sexualité

21 Etes-vous partisan des relations préconjugales ?

☐ **a** il est plus raisonnable de se connaître avant le mariage, plutôt que se découvrir « incompatibles » après

☐ **b** si ce n'est qu'une « anticipation », je n'y vois pas d'obstacle

☐ **c** non, c'est un attentat scandaleux contre le mariage

☐ **d** le mariage est une formalité bourgeoise à supprimer de toute urgence

---

22 Comment jugez-vous le « swapping » (échange des partenaires sexuels) ?

☐ **a** l'écrasement des tabous
☐ **b** une forme de contestation
☐ **c** une distraction pour gens blasés et fatigués
☐ **d** dégoûtant et dégradant

---

23 Etes-vous pour ou contre la suppression de toutes limites en matière de pornographie ?

☐ **a** absolument contre ; il s'agit d'une entreprise de pourrissement, d'ailleurs motivée par l'appât du gain

☐ **b** pour une certaine liberté, à condition qu'elle ne concerne que les adultes

☐ **c** les statistiques font état d'un recul de la délinquance sexuelle dans les pays où toutes les barrières ont été levées. Si c'est exact, je suis pour

☐ **d** dans cette matière, comme dans les autres, liberté totale, ou il n'y a plus de liberté

---

24 L'homosexualité est-elle à votre sens :

☐ **a** une perversion condamnée par la loi ?

☐ **b** une réaction contre le matriarcat ?

☐ **c** il est impossible de juger cela

☐ **d** avant tout, une maladie qui relève de l'endocrinologue et du psychiatre ?

---

25 L'alcoolisme demeure l'une des causes principales de la mortalité et des maladies mentales. Pensez-vous :

☐ **a** que c'est une tare sociale qu'il faut extirper par tous les moyens ?

☐ **b** que c'est une maladie, un refuge contre les nuisances de la vie moderne, qu'il faut soigner ?

☐ **c** que c'est, pour l'espèce, une menace qu'il faut soigner ?

☐ **d** que c'est une forme de libération de l'individu, de sublimation et que, de toute façon, il faut mourir… ?

---

26 Pensez-vous que le mariage est nécessairement monogame, ou qu'il peut évoluer dans l'avenir ?

☐ **a** il s'agit là d'une conception personnelle ; je ne veux pas juger

☐ **b** monogamie = monotonie ; c'est un fait sociologique et l'on n'arrête pas le progrès

☐ **c** la monogamie est un abou-

tissement des sociétés civili-
sées ; sa suppression signifie
un retour à la barbarie

☐ **d** en fait, la monogamie sera
de plus en plus battue en
brèche, mais pas en droit

27 Comment pensez-vous que
l'on doive aborder le problème de la drogue ?

☐ **a** chasser les trafiquants et
soigner les intoxiqués
☐ **b** interdiction absolue,
répression extrêmement sévère
☐ **c** libre consommation de la
drogue
☐ **d** faire une différence entre
les drogues majeures et les
excitants « légers » comme le
haschich

Opinions politiques

28 Avez-vous des opinions politiques tranchées ?

☐ **a** oui
☐ **b** toutes les opinions sont
bonnes, ce sont leurs applications qui diffèrent
☐ **c** je ne fais pas de politique
☐ **d** je n'ai aucune opinion

29 Si vous étiez au pouvoir, seriez-vous susceptible d'interdire un ou plusieurs partis
politiques ?

☐ **a** en aucun cas
☐ **b** oui, si ce parti se mettait
hors la loi
☐ **c** toutes les opinions sont
respectables, et il ne faut pas
faire de martyrs
☐ **d** certainement

30 Que pensez-vous des hommes
politiques qui changent
d'opinion ?

☐ **a** ce sont des « girouettes » à
exclure de la vie publique
☐ **b** les opinions peuvent varier
en fonction de l'âge et des
circonstances, mais pas trop
fréquemment
☐ **c** j'ai de la sympathie pour
ceux qui ont le courage de
leurs opinions successives
☐ **d** seuls les imbéciles ne
changent pas

31 Pensez-vous qu'un pouvoir
central soit une nécessité
pour un pays ?

☐ **a** je suis contre toute forme
de domination qui brime
l'individu
☐ **b** oui, s'il émane du peuple
et s'il reflète la volonté populaire
☐ **c** oui, s'il est tempéré par
une très grande souplesse des
institutions et la séparation
des pouvoirs
☐ **d** certainement

32 On vient de célébrer le
100ᵉ anniversaire de la
Commune. Pensez-vous que :

☐ **a** c'était une tentative subver-
sive que l'on a bien fait de
réprimer ?
☐ **b** c'était une tentative coura-
geuse et maladroite ; on doit
respecter l'idéal qui animait
ses promoteurs ?
☐ **c** sa répression n'a pas été à

la mesure des fautes commises ?

☐ **d** Thiers et Galliffet, qui ont réprimé la Commune, étaient des fascistes ?

Relations internationales

33 Pensez-vous que l'on doive poursuivre ou supprimer ce que l'on a appelé la politique des « blocs » ?

☐ **a** il faut évoluer vers un dégel progressif
☐ **b** en supprimant les effets, on supprimera les causes
☐ **c** c'est une nécessité inévitable
☐ **d** il faut supprimer tous les blocs

34 Pensez-vous que l'O.N.U. soit une solution d'avenir pour la paix internationale ?

☐ **a** il faut supprimer l'O.N.U. et toutes les barrières entre les nations
☐ **b** il faut par tous les moyens consolider l'O.N.U. et tendre vers un gouvernement mondial.
☐ **c** l'action de l'O.N.U, bien que limitée, est utile
☐ **d** c'est une assemblée de discoureurs qui coûte cher et qui n'aura jamais aucune autorité

35 Pensez-vous que l'aide aux pays sous-développés soit :

☐ **a** un gaspillage scandaleux ?
☐ **b** souhaitable, mais mal répartie ?

☐ **c** une œuvre de justice et d'équité ?
☐ **d** le paiement d'une dette ?

36 Que pensez-vous du conflit qui oppose pays consommateurs et pays producteurs de pétrole ?

☐ **a** les producteurs ont raison de valoriser leurs richesses. Aux consommateurs de s'organiser
☐ **b** c'est un chantage scandaleux
☐ **c** les pays producteurs ont raison à 100 %
☐ **d** c'est une formule raisonnable d'aide aux pays en voie de développement

37 Pensez-vous que les travailleurs étrangers :

☐ **a** sont utiles dans la mesure où ils ne déséquilibrent pas la démographie ?
☐ **b** sont une heureuse préfiguration d'une société internationale ?
☐ **c** tout le monde doit être citoyen du monde
☐ **d** sont une charge et une menace pour le pays hôte ?

Rapports intra-personnels

38 Considérez-vous vos loisirs :

☐ **a** comme une perte de temps ?
☐ **b** comme un facteur d'équilibre dans la vie ?
☐ **c** comme un stimulant pour l'action ?

☐ **d** comme le seul but du travail ?

39 Pensez-vous que les horaires de travail doivent être :

☐ **a** plutôt souples ?
☐ **b** réguliers, mais sans rigueur ?
☐ **c** stricts ?
☐ **d** il faut supprimer les pendules

40 Etes-vous partisan d'un régime alimentaire ?

☐ **a** un régime bien adapté est le facteur n° 1 de longévité
☐ **b** chacun établit d'instinct son propre régime
☐ **c** un seul régime : n'en pas avoir
☐ **d** un régime est souhaitable s'il a des indications médicales

41 Que pensez-vous de l'argent ?

☐ **a** à bas l'argent !
☐ **b** bon serviteur, mauvais maître

☐ **c** utile, mais pas au premier plan de l'existence
☐ **d** le moteur n° 1 de la société

42 Que pensez-vous du système fiscal actuel ?

☐ **a** il faut le réformer d'urgence
☐ **b** il est juste dans l'ensemble, car toutes les fiscalités ont une part d'arbitraire
☐ **c** il tend vers plus d'équité
☐ **d** de toute façon, je paie trop d'impôts

43 Si vous trouvez un billet de 100 F dans la rue, pensez-vous :

☐ **a** je le porte au commissariat ?
☐ **b** il faut supprimer les billets de banque ?
☐ **c** je l'ai trouvé, il est à moi ?
☐ **d** il est anonyme, j'en ferai don à une œuvre ?

Résultats

Les tableaux ci-dessous regroupent les quatre positions du questionnaire. Entourez d'un cercle la lettre a, b, c ou d qui correspond à votre réponse. Faites les totaux partiels, puis le total général.

Question	Votre réponse			
	I	II	III	IV
Cellule familiale				
1		a	c	b	d
2		b	c	a	d
3		d	a	c	b
4		c	b	a	d
5		a	c	d	b
Total partiel (1)				

Question	Votre réponse			
	I	II	III	IV
Relations du couple				
6		c	d	a	b
7		a	c	b	d
8		a	b	c	d
9		d	a	c	b
Total partiel (2)				

Question	Votre réponse			
	I	II	III	IV
Relations sociales				
10		c	b	d	a
11		c	b	a	d
12		a	c	d	b
13		a	d	b	c
14		b	a	c	d
15		a	b	c	d
Total partiel (3)				

Question	Votre réponse			
	I	II	III	IV
Conceptions philosophiques et religieuses				
16		d	b	a	c
17		c	a	b	d
18		b	c	a	d
19		a	c	d	b
20		d	a	b	c
Total partiel (4)				

Question	Votre réponse			
	I	II	III	IV
Morale et sexualité				
21		c	b	a	d
22		d	c	b	a
23		a	b	c	d
24		a	b	c	d
25		a	d	c	b

Question	Votre réponse			
	I	II	III	IV
26		c	d	a	b
27		b	a	d	c
Total partiel (5)				
Opinions politiques				
28		a	c	b	d
29		d	b	c	a
30		a	b	d	c
31		d	b	c	a
32		a	c	b	d
Total partiel (6)				
Relations internationales				
33		c	a	b	d
34		d	c	b	a
35		a	b	c	d
36		b	a	d	c
37		d	a	b	c
Total partiel (7)				
Rapports intra-personnels				
38		a	c	b	d
39		c	b	a	d
40		a	d	b	c
41		d	c	b	a
42		a	b	c	d
43		c	a	d	b
Total partiel (8)				

Additionner les totaux partiels

1

2

3

4

5

6

7

8

Total général

Voici l'inventaire terminé. Les quatre colonnes des résultats correspondent à quatre tendances indiquant que vous êtes :

I   intolérant
II   modérément tolérant
III   libéral, aux idées larges
IV   trop conciliant

La colonne I domine : aucun doute possible, vous êtes un conservateur acharné ; vous êtes, sans vous en rendre compte peut-être, d'une très grande intolérance : rien ne trouve grâce devant vous, vous redoutez tout changement quel qu'il soit, vous êtes un peu une personne du passé. Et pourtant, il faudrait peu de chose pour éclairer ce conservatisme et en faire dans tous les domaines un élément constructif. Cessez de lire les seuls journaux correspondant à « vos opinions », fréquentez des gens différents, voyagez, ouvrez votre esprit et votre cœur, vos idées et vos sentiments à ce que l'on ne vous a pas enseigné, et vous enrichirez une personnalité trop sévère.

La colonne II domine : vous êtes tolérant, mais du bout des lèvres. Les conseils que nous avons formulés pour le cas précédent s'appliquent également à vous, mais avec moins d'acuité.

La colonne III domine : vous pouvez sans forfanterie vous considérer comme un libéral, un esprit ouvert, un descendant de Voltaire et de Rousseau. Sans fausse modestie, vous pouvez penser que s'il y avait davantage de personnes comme vous, les choses iraient mieux dans le monde. Vous êtes un exemple sympathique.

La colonne IV domine : attention ! A force de tolérance, vous êtes intolérant, vous êtes, dans le fond, « pour tout ce qui est contre, contre tout ce qui est pour », en un mot un contestataire, mais un peu systématique. Tolérer n'est pas tout mettre sur le même plan : n'y-a-t-il pas des hiérarchies, des choses bonnes et moins bonnes ? Tempérez la générosité de votre caractère. Il serait étonnant que vous ayez plus de 30 ans, et sans rien vous faire renier de vos options libérales, voire libertaires, l'âge et l'expérience sauront certainement les ramener à un plus sage équilibre.

En réalité, le compte que vous venez de faire procède d'une arithmétique un peu simpliste ; et c'est à dessein que nous avons fractionné ce test en huit secteurs différents de tolérance. On peut parfaitement, et c'est d'ailleurs le plus souvent le cas, être tolérant vis-à-vis de soi-même, mais beaucoup moins vis-à-vis des autres. On peut avoir une certaine indulgence morale et être intransigeant sur le plan politique.

Il convient donc pour vous d'examiner les totaux partiels, qui sont nettement plus significatifs et situent mieux votre personnalité sur le plan de la tolérance ainsi que sur le type des correctifs à y apporter.

Une tolérance complète transformerait le monde — la vie de tous les jours en particulier — mais c'est sûrement viser trop haut que d'espérer y aboutir. Un peu d'indulgence, une plus large compréhension des autres et une meilleure connaissance de soi-même pourraient déjà apporter un peu de soleil dans notre grisaille quotidienne.

Esprit de géométrie
ou esprit de finesse?

C'est Pascal qui, en 1647, dans ses *Pensées,* établit l'opposition, devenue célèbre, entre l'esprit de géométrie et l'esprit de finesse. Pour Pascal, l'esprit de géométrie ne s'adresse qu'à l'intelligence, et l'individu qui en est doté au plus haut degré ne se sent bien que lorsqu'il traite, aborde ou défend des vérités déjà établies. L'esprit de finesse, en revanche, s'adresse à l'intuition ; il est complexe, ondoyant, divers, subtil.

En extrapolant la pensée de Pascal — qui, par sa popularité même, a en quelque sorte échappé à l'emprise de son auteur pour tomber, sans doute en subissant quelques distorsions, dans le domaine public — on peut transposer cette opposition, en faire un antagonisme psychologique et l'appliquer dans la vie quotidienne. Ainsi, l'esprit de géométrie sera celui du rationaliste, avec sa brillante logique et les limites que lui confère cette logique même. L'esprit de finesse sera celui de l'imaginatif, de l'intuitif qui tente de distinguer des vérités à travers l'apparence matérielle des choses et qui, parfois, ne se berce que d'illusions.

Nous n'en dévoilerons pas plus pour l'instant et nous vous demandons de répondre aux 40 questions qui vont suivre. Sans doute est-il rare d'être « tout géométrie » ou « tout finesse ». Ce test prétend, modestement, vous aider à vous situer sur la longue échelle qui relie entre elles ces deux attitudes psychologiques.

Chaque question comporte deux réponses possibles. Cochez la lettre a ou b placée devant la réponse qui s'accorde le mieux avec votre façon de penser. Choisissez votre réponse en suivant votre premier mouvement... si possible ; car la façon de répondre dépend en partie de votre plus ou moins grande appartenance à l'esprit de géométrie ou de finesse et constitue déjà une indication.

1 Dessin
Lequel de ces deux dessins préférez-vous ?

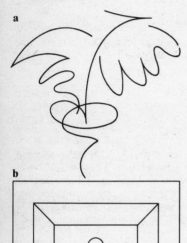

a

b

☐ **a**
☐ **b**

2 Générosité
Une personne de vos relations, dans l'embarras, vous demande de lui prêter une certaine somme d'argent :

☐ **a** vous acceptez très vite, car vous avez le cœur sur la main
☐ **b** sans être insensible, vous préférez prendre le temps de réfléchir avant de prêter

3 Scolarité
Au cours de vos études, en quelles matières aviez-vous généralement les meilleures notes :

☐ **a** en mathématiques ?
☐ **b** en français ?

4 Réparations
Quelque chose ne fonctionne plus ou s'est cassé chez vous, et vous vous trouvez dans l'obligation de le remettre en état de marche par vos propres moyens. Comment procédez-vous en général ?

☐ **a** vous prenez votre temps (et en perdez beaucoup), mais ce que vous désirez, c'est faire du travail qui dure
☐ **b** vous vous contentez d'un « rafistolage » à la va-vite, le principal, pour vous, étant d'être dépanné dans l'immédiat

5 Sport
Que vous soyez ou non un sportif assidu, pour réussir et remporter des victoires :

☐ **a** attachez-vous surtout de l'importance à la technique ?
☐ **b** pensez-vous que ce sont les dons qui comptent le plus ?

6 Point de vue
Entre ces deux projets, lequel vous paraît donner à l'humanité le plus de possibilités de progrès :

☐ **a** l'extension systématique à

la planète du mécanisme in-
dustriel des grandes puissances ?

☐ **b** l'étude objective et appro-
fondie des religions ?

7 Jeu mathématique
Dans un groupe de 30 per-
sonnes, quelle est la probabilité pour que 2 de ces personnes soient nées le même
jour de l'année :

☐ **a** 70 % de chances ?
☐ **b** 10 % de chances ?

8 Introspection
Peu importe pour l'instant la
bonne réponse. Mais comment
avez-vous procédé pour résoudre le petit problème précédent ?

☐ **a** vous vous êtes pendant
quelques instants « cassé la
tête » et vous avez, à l'aide
d'un papier et d'un crayon,
essayé d'en trouver la solution

☐ **b** vous avez répondu vite, in-
tuitivement, en « sentant »
plus ou moins confusément
ce que vous pensiez être la
bonne réponse

9 Relations sociales
Qui vous agace le plus :

☐ **a** les beaux parleurs ?
☐ **b** les « muets comme une
tombe » ?

10 Goûts artistiques
A valeur esthétique estimée
égale par les experts, à quoi
vibrez-vous le plus :

☐ **a** un tableau très coloré ?
☐ **b** une gravure en noir et
blanc ?

11 Occasion à saisir
Est-il dans vos habitudes de
tergiverser pour prendre une
décision ?

☐ **a** oui
☐ **b** non

12 Puzzle
Il vous est arrivé (il vous
arrive peut-être encore) de re-
constituer un puzzle. Quel
est votre comportement habituel ?

☐ **a** vous démarrez « bille en
tête », un peu au hasard, et
procédez surtout par essais et
erreurs

☐ **b** vous ne commencez l'as-
semblage des pièces qu'après
un tri selon la forme, la
couleur, etc.

13 Jeux
Que préférez-vous :

☐ **a** les échecs ?
☐ **b** le poker ?

14 Jeunesse
Quelle est votre opinion au
sujet de ce qu'on appelle
« le phénomène hippy » ?

☐ **a** ce n'est qu'une mode tran-
sitoire qui justifie cependant
une étude sociologique complète et objective

☐ **b** il exprime une manière de
vivre qui est plus près de la

vraie nature de l'homme que son existence mécanisée actuelle

_____   _____

15 Orientation professionnelle
A salaire égal, pour lequel de ces deux emplois vous sentez-vous le plus d'affinités :

☐ **a** inspecteur commercial ?
☐ **b** chef comptable ?

_____

16 Points faibles
Vous souciez-vous de vos erreurs possibles ?

☐ **a** fort peu
☐ **b** assez souvent

_____   _____

17 Lectures
Parmi ces deux façons de présenter l'histoire, laquelle préférez-vous :

☐ **a** les essais historiques, qui traitent presque à fond d'un point limité de l'histoire ou même de la petite histoire ?
☐ **b** les ouvrages qui traitent d'époques plus vastes et tentent de dégager les grands courants économiques, politiques et sociaux ?

_____   _____

18 Voyages
Les voyages touristiques sont une source de plaisirs pour tous, mais chacun les envisage à sa façon. Quelle attitude adoptez-vous en général ?

☐ **a** savoir où vous allez, ce qu'il ne faut pas manquer de

voir ou de manger, cela grâce à la lecture à l'avance d'ouvrages spécialisés
☐ **b** ne connaître du pays que son nom, le découvrir à l'aventure et ne lire d'ouvrages à son sujet qu'après être revenu chez soi, plein des souvenirs que l'on a gardés

_____

19 Langues étrangères
Dans les épreuves de langues, où étiez-vous en général le meilleur :

☐ **a** thème ?
☐ **b** version ?

_____

20 Descartes
Dans une lettre, Descartes a déclaré : « J'ai souvent remarqué que les choses que j'ai faites avec un cœur gai et sans aucune répugnance intérieure ont coutume de me succéder heureusement, jusques-là même que dans les jeux du hasard »

☐ **a** partagez-vous l'opinion de Descartes ?
☐ **b** la trouvez-vous nettement exagérée et peu « cartésienne » ?

_____

21 Photographie
Devant une scène très intéressante à prendre, mais très difficile à réussir avec l'appareil que vous avez en main :

☐ **a** prenez-vous, malgré tout, le risque de photographier ?
☐ **b** y renoncez-vous ?

_____

22 S.N.C.F.
Vous devez prendre un train pour une direction nouvelle pour vous. Vous devez alors vous renseigner :

☐ **a** savez-vous vous retrouver dans un indicateur des chemins de fer, même assez compliqué ?
☐ **b** cet indicateur vous rebute a priori et vous préférez obtenir le renseignement de vive voix auprès de l'employé compétent

23 Discussion
Quelle est, à votre avis, la meilleure façon de convaincre un interlocuteur opposant ?

☐ **a** en lui répétant souvent un seul argument frappant
☐ **b** en développant un raisonnement où les arguments s'enchaînent afin d'entraîner logiquement l'adhésion de l'adversaire.

24 Croyez-vous à l'intuition ?
☐ **a** oui
☐ **b** non

25 Incendie
Par suite d'un oubli, un commencement d'incendie se déclare chez vous : l'huile a pris feu dans la poêle qui est sur le gaz. Votre premier mouvement est (répondez sans attendre) :

☐ **a** couper le gaz

☐ **b** se précipiter avec un chiffon pour étouffer l'incendie

26 Peinture
Quels que soient vos dons, comment vous comportiez-vous pendant la classe de dessin ?

☐ **a** votre dessin était passable, mais dès que vous mettiez de la couleur, c'était la catastrophe
☐ **b** vous ne faisiez qu'une rapide esquisse au crayon ; une seule chose vous intéressait : étaler de la couleur

27 Amour
☐ **a** croyez-vous au coup de foudre ?
☐ **b** pensez-vous que le véritable amour se découvre lentement ?

28 Aptitudes
Quelle fonction préféreriez-vous occuper si vous étiez obligé de travailler dans un journal (ne tenez compte, dans votre réponse, ni des horaires ni des salaires) :

☐ **a** chef du laboratoire photo ?
☐ **b** envoyé spécial ?

29 Génie
Edison a donné cette définition du génie : « 1 % d'inspiration ; 99 % de transpiration. » Qu'est-ce qui vous paraît le plus important :

☐ **a** l'inspiration ?
☐ **b** la « transpiration » ?

30 Parapsychologie

Il y a des gens qui affirment que la télépathie, la transmission de pensée, les rêves prémonitoires existent. D'autres personnes affirment le contraire. Avez-vous personnellement le sentiment d'avoir parfois, au cours de votre existence, fait montre de l'une de ces aptitudes que l'on nomme extrasensorielles ?

☐ **a** oui
☐ **b** non

31 Cocktail

Lorsque vous êtes invité à un cocktail ou à une autre réception :

☐ **a** savez-vous quand vous devez partir ?
☐ **b** restez-vous souvent le dernier ?

32 Hobby

Quelle est la distraction susceptible de vous intéresser le plus :

☐ **a** l'observation des oiseaux ?
☐ **b** la prestidigitation ?

33 Automobile

Vous venez d'acheter une voiture. En y réfléchissant bien, quel est le facteur qui a pesé le plus lourd dans votre décision pour le choix d'un modèle plutôt que d'un autre :

☐ **a** les caractéristiques techniques de la voiture : cylindrée, vitesse, tenue de route ?
☐ **b** son apparence extérieure : forme, couleur, etc. ?

34 Bibliothèque

Allez vers les rayons de votre bibliothèque et comptez vos livres en les divisant en deux groupes : ouvrages d'imagination (romans, poésies, etc.) et ouvrages de réflexion ou d'érudition (essais, livres d'histoire, etc.). Quel groupe est le plus important :

☐ **a** ouvrages d'imagination ?
☐ **b** ouvrages de réflexion ou d'érudition ?

35 « Connais-toi toi-même »

Gide a noté un jour dans son journal : « Connais-toi toi-même. Maxime aussi pernicieuse que laide. La chenille qui saurait ce qu'elle va être ne deviendrait jamais papillon. » Que pensez-vous de cette opinion si contraire à Socrate ?

☐ **a** on ne se connaît jamais trop
☐ **b** trop d'introspection nuit à l'action

36 Littérature

Entre ces deux genres littéraires, quel est celui qui vous attire le plus :

☐ **a** le roman policier ?
☐ **b** la poésie ?

37 Achats
Vous avez pris la décision d'un achat important :

☐ **a** vous avez tendance, après coup, à examiner chaque occasion qui se présente de juger si votre décision était vraiment judicieuse ou non
☐ **b** ce qui est fait est fait : pourquoi revenir dessus ?

38 Habitude de lecture
Voici un livre d'information qui vous intéresse :

☐ **a** vous le lisez de A jusqu'à Z en respectant scrupuleusement l'ordre des chapitres
☐ **b** vous feuilletez l'ouvrage et lisez en premier le chapitre qui vous intéresse le plus, même s'il est au milieu du livre

39 Idées modernes
Avec quoi vous sentez-vous le plus d'affinité :

☐ **a** les théories philosophiques ?
☐ **b** les études de physique ?

40 Projection
Dessinez, sur la page suivante, la première chose qui vous vient à l'esprit. (Attention ! ne regardez les réponses qu'après avoir fait votre dessin.)

☐ **a** vous avez eu tendance à dessiner une figure géométrique, une machine, un objet concret inanimé
☐ **b** vous avez plutôt dessiné un personnage, un animal, une plante, un ciel nuageux, quelque chose de poétique, ou encore une figure sans signification précise

Résultats

Dans les colonnes du tableau ci-dessous, entourez d'un cercle la lettre a ou b qui correspond à votre réponse[1].

Question	I	Votre réponse II	Question	I	Votre réponse II
1	b	a	22	a	b
2	b	a	23	a	b
3	a	b	24	b	a
4	a	b	25	a	b
5	a	b	26	a	b
6	a	b	27	b	a
7	a	b	28	a	b
8	a	b	29	b	a
9	a	b	30	b	a
10	b	a	31	b	a
11	b	a	32	a	b
12	b	a	33	a	b
13	a	b	34	b	a
14	a	b	35	a	b
15	b	a	36	a	b
16	b	a	37	a	b
17	a	b	38	a	b
18	a	b	39	b	a
19	a	b	40	a	b
20	b	a	Total général :		
21	b	a			

Votre total dans la colonne I indique votre cote en esprit de géométrie. Celui de la colonne II donne votre cote en esprit de finesse. Parmi les cotes que vous avez pu obtenir, distinguons cinq cas.

Premier cas. Vous êtes « géométrie-géométrie » si vous avez 30 réponses ou plus dans la colonne I.

Vous voyez rouge lorsqu'on vous parle de télépathie, de soucoupes volantes ou simplement de l'importance de l'intuition. Fermé au côté poétique des choses, vous êtes rigide dans la vie quotidienne, trop rigide. Cependant vous avez, c'est certain, des qualités d'ordre, de prévoyance, d'habilité intellectuelle, d'organisation. Du bon sens ; trop, peut-être. Rappelez-vous que le

1. « a » est la réponse exacte (cf. George Gamow : *Un, deux, trois, l'infini* (Paris, Dunod, 1963).

véritable esprit scientifique doit aller au-delà du bon sens, ce bon sens qui devrait nous faire refuser l'idée « qu'en marchant constamment droit devant soi vers l'Est, on finit par retrouver son point de départ d'où on arrivera en venant de l'Ouest[2] ».

Second cas. Vous êtes « géométrie tempérée » si vous avez entre 25 et 30 réponses dans la colonne I. Sans doute êtes-vous de ceux qui, comme saint Thomas, aiment toucher avant de croire, comprendre chaque chose et préférer l'entourer de plus d'organisation que de spontanéité. Mais vous ne fermez pas la porte à la fantaisie et possédez, rarement certes, le grain de folie sans lequel, paradoxalement, un individu n'est pas tout à fait équilibré.

Troisième cas. Entre 16 et 24 réponses (moyenne 20) dans l'une ou l'autre colonne, vous ne vous caractérisez pas nettement comme un esprit de géométrie ou un esprit de finesse. Cela ne veut pas dire que vous agissez toujours de façon moyenne à ce point de vue, mais que, selon les circonstances, vous vous comportez soit avec géométrie, soit avec finesse.

Quatrième cas. Vous êtes « finesse tempérée » si vous avez entre 25 et 30 réponses dans la colonne II. Le « sentiment », le cœur ont pour vous plus d'importance que le cerveau. Dans la mesure du possible, vous vivez « artistiquement » et vous possédez une large ouverture d'esprit, qui cependant s'arrête au bord de la crédulité et évite en général de tomber dans la confusion.

Cinquième cas. Vous êtes « finesse-finesse » si vous avez 30 réponses ou plus dans la colonne II. Pour vous, les savants sont des esprits secs et ennuyeux. Vous vous moquez des statistiques que vous traitez de mensonges, sans connaître les premiers rudiments du calcul des probabilités. Pour vous, seules comptent l'intuition et l'expérience subjective. Les dons remplacent le travail. L'improvisation tient lieu d'organisation. Sans doute peut-on dire de vous que vous êtes parfois un « être exquis », plein de fantaisie, de délicatesse et de talent, mais ces qualités ont chez vous la fugacité de l'éphémère.

2. Emile Borel : *l'Espace et le temps* (Paris, P.U.F., 1949).

Etes-vous un enfant gâté ?

Charmant, mais capricieux, coléreux et ne supportant pas la contradiction, l'enfant gâté promène ses qualités et ses défauts à travers tous les âges de la vie. D'où lui viennent-ils ? De son éducation bien sûr : « Souvent parce qu'il est le seul et jouit sans partage d'un amour parental d'autant plus inexpérimenté et immodéré que nul ne l'a *rodé* avant lui et que nul ne le réclame après lui, et encore davantage si l'enfant a été longtemps désiré. Mais l'enfant gâté peut éclore aussi au milieu de frères et sœurs, même nombreux, qui n'ont pas connu le même destin, et cela dans la mesure où des circonstances particulières lui ont donné aux yeux des parents un certain caractère d'unicité : soit enfant dont la santé précocement atteinte motiva des soins incessants et une spéciale indulgence en même temps qu'une affection plus inquiète [...], soit dernier-né, tard venu, dont les parents vieillissants s'attendrissent tout en réagissant déjà avec une âme de grands-parents, soit amour d'enfant dont le charme physique et l'espièglerie ont fait le préféré qui mène son monde, soit bébé-souvenir dont la conception ou la naissance coïncida, volontairement ou non, avec un événement grave, heureux ou malheureux dans la vie des parents, soit enfant né après la mort du père et subissant le report des inquiétudes et des sentiments nostalgiques liés à l'image du disparu [...][1]. » Et tant d'autres raisons, dont la liste est infinie.

Mais à toutes ces raisons venues du milieu extérieur s'ajoute ou s'oppose notre tempérament intérieur : équilibré ou capricieux par nature, ce tempérament fait de nous un être différent de ce que les circonstances familiales seules laissent entrevoir. Même

1. Robert Laffont : *Vocabulaire de psychopédagogie* (Paris, P.U.F., 1969).

« élevé à la dure » dans une famille nombreuse, nous pouvons avoir un comportement d'enfant gâté ; même entouré de soins excessifs pendant l'enfance, nous pouvons devenir équilibré, serviable et altruiste à l'âge adulte.

Le questionnaire qui suit peut favoriser une réflexion utile sur votre propension naturelle ou acquise à manifester un caractère d'enfant gâté ; caractère dont le charme est de garder beaucoup de naïveté, de spontanéité, de jeunesse en un mot, mais dont l'inconvénient est la dépendance et la tyrannie à l'égard de l'entourage, pierre d'achoppement dans vos relations avec les autres. Il est préférable d'en prendre conscience dès aujourd'hui pour tenter d'en arrondir un peu les angles.

Cochez la lettre a, b ou c placée devant la réponse qui s'accorde le mieux avec votre pensée.

1 Etes-vous :

- ☐ **a** enfant unique ?
- ☐ **b** cadet d'une famille de plusieurs enfants ?
- ☐ **c** aîné ou de rang intermédiaire dans une famille de plusieurs enfants ?

2 Dans votre enfance, étiez-vous considéré comme physiquement :

- ☐ **a** plutôt robuste ?
- ☐ **b** plutôt sensible et nerveux ?
- ☐ **c** de santé très fragile ?

3 Etes-vous entré :

- ☐ **a** à l'école maternelle avant 5 ans ?
- ☐ **b** à l'école maternelle après 5 ans ?
- ☐ **c** directement à l'école primaire, sans année d'école maternelle préalable ?

4 Lorsque vous receviez des jouets en cadeau, vous souvenez-vous en avoir été :

- ☐ **a** en général très satisfait ?
- ☐ **b** souvent satisfait, mais pas toujours ?
- ☐ **c** avoir eu de grosses déceptions à ce sujet ?

5 Etiez-vous très tyrannique à l'égard de certaines personnes de votre entourage (peut-être à l'insu de vos parents...) ?

- ☐ **a** oui, cela m'est arrivé à l'égard de plusieurs personnes

- ☐ **b** oui, mais dans un seul cas
- ☐ **c** non, pas particulièrement

6 Notez ici votre premier souvenir d'enfance.

Sa tonalité de base vous paraît-elle :

- ☐ **a** foncièrement euphorique, heureuse ?
- ☐ **b** affectivement neutre ?
- ☐ **c** nettement dysphorique, exprimant une insatisfaction profonde ?

7 Les adolescents sont dissimulés, chacun sait cela. Au cours de votre adolescence, avez-vous eu souvent recours à de petits mensonges pour masquer des sorties, des fredaines, des achats, entraînés par un besoin grandissant d'autonomie envers les adultes ?

- ☐ **a** fréquemment
- ☐ **b** peu fréquemment
- ☐ **c** pour ainsi dire jamais

8 Votre entourage a-t-il peur de votre irritabilité ?

- ☐ **a** oui, assez
- ☐ **b** elle se manifeste rarement
- ☐ **c** non, pas du tout

9 Aimez-vous l'effort ?

- ☐ **a** plus une tâche est difficile,

plus elle excite mon désir de vaincre

☐ **b** parfois oui, parfois non ; j'aime l'effort, mais seulement lorsqu'il s'agit de mes passe-temps

☐ **c** j'aime mieux éviter autant que possible d'avoir à fournir de grands efforts

10 L'angoisse, dans une situation difficile, paralyse-t-elle votre action ?

☐ **a** oui, assez souvent
☐ **b** cela m'est arrivé, parfois
☐ **c** non, je me maîtrise suffisamment pour réagir, même si je me sens angoissé

11 Dans les rêves marquants, dont vous avez gardé le souvenir, vous est-il arrivé plusieurs fois d'avoir le sentiment exaltant que vous effectuiez des prouesses qui vous rendaient supérieur à vos proches ?

☐ **a** cela a dû m'arriver, mais je ne m'en souviens plus clairement

☐ **b** non, pas dans les rêves dont je me souviens

☐ **c** oui, plusieurs fois

12 Ressentez-vous facilement de la jalousie envers ce qu'obtiennent les autres ?

☐ **a** il ne me semble pas
☐ **b** il me paraît normal d'en ressentir parfois
☐ **c** il me paraît normal d'en ressentir assez souvent

13 Avez-vous du mal à supporter qu'on vous contredise, surtout en présence de tiers ?

☐ **a** oui, je n'aime pas cela
☐ **b** cela m'est très désagréable, mais j'essaie de rester calme
☐ **c** je trouve normal qu'on me contredise parfois, et n'ai pas de mal à rester calme

14 Aujourd'hui, les artisans se font rares et chers, et on a de plus en plus de difficulté à faire exécuter correctement les petites réparations par des spécialistes de bonne volonté. Que pensez-vous de cette évolution ?

☐ **a** j'en suis satisfait, car elle montre une économie prospère et oblige tout le monde, même les gens riches, à se débrouiller eux-mêmes au lieu de se faire toujours servir

☐ **b** il est bien dommage de ne plus trouver un artisan quand on en a besoin, mais j'en prends mon parti et sais à l'occasion mettre la main à la pâte

☐ **c** je trouve qu'il faudrait lutter par tous les moyens contre cette disparition de l'artisanat, seul garant d'un travail bien fait : cette évolution risque de nuire à l'économie du pays

15 Après une très vive discussion, le chef de famille impose sa volonté et quitte la pièce en lançant : « On dit que j'ai mauvais caractère, parce que je tiens à mes opinions. Mais il faut reconnaître que c'est bien toujours moi qui ai fondamentalement raison ! » Avez-vous déjà eu une telle pensée après de chaudes discussions ?

☐ **a** oui, bien sûr
☐ **b** non, jamais
☐ **c** probablement, parfois ; mais je pense que j'avais tort

---

16 Dans la vie, pensez-vous jusqu'à présent avoir été plutôt :

☐ **a** chanceux ?
☐ **b** malchanceux ?
☐ **c** ni l'un ni l'autre ?

---

17 Vous heurtez en passant un collègue qui tient une bouteille. Celle-ci tombe, se brise, et son contenu se répand. A quelle réaction vous attendez-vous de la part de cette personne ?

☐ **a** de vives insultes dictées par la colère
☐ **b** un mécontentement que la politesse l'obligera à contenir
☐ **c** la compréhension et l'excuse de votre geste involontairement maladroit

---

18 Si le mécontentement de ce collègue éclate aussitôt, que lui répondez-vous ?

☐ **a** excusez-moi, c'était involontaire
☐ **b** voyons, il n'y a pas de quoi faire une histoire

☐ **c** je suis désolé, je vais faire le nécessaire pour remplacer la bouteille et nettoyer les dégâts

---

19 Si vous étiez vous-même le collègue heurté, seriez-vous furieux ?

☐ **a** très probablement, oui
☐ **b** très probablement, non
☐ **c** peut-être : cela dépend avant tout du contexte

---

20 Vous arrive-t-il de jeter dans la cage de l'escalier la cendre de votre cigarette ou l'enveloppe des bonbons que vous mangez ?

☐ **a** pourquoi pas ? la concierge est là pour entretenir cet endroit public
☐ **b** parfois
☐ **c** non, jamais

---

21 Il vous est peut-être arrivé d'avoir à céder votre place à table à un invité plus considéré. Cela vous a-t-il paru désagréable ?

☐ **a** oui, plutôt
☐ **b** non, pas spécialement
☐ **c** oui, dans certaines circonstances ; dans d'autres, non

---

22 Il arrive, dans la vie, que l'on essuie une rebuffade retentissante. Dans un tel cas, avez-vous tendance à ressasser longtemps votre mécompte ?

☐ **a** oui
☐ **b** non
☐ **c** je n'en ai jamais subi

23 Une étudiante racontait un jour en riant qu'elle aimait si peu faire le ménage que, une fois par semaine, elle se contentait de pousser avec un balai la poussière sous son lit. Cela jusqu'à ce que le simple fait de se mettre sur le lit souleva tant de poussière accumulée qu'elle en eut le souffle coupé, ce qui la contraignait à un nettoyage plus rationnel. Cette anecdote aurait-elle pu vous arriver ?

☐ **a** oui

☐ **b** non, pas à ce point

☐ **c** non, certainement pas ; j'aime la propreté, et je sais l'entretenir chez moi

24 A table, vous vous trouvez être le premier servi. Estimez-vous que dans ce cas, il est normal de prendre le meilleur morceau ?

☐ **a** oui, si mes hôtes me présentent un plat en premier, ils seraient fâchés que je ne prenne pas le meilleur morceau

☐ **b** je m'arrange pour prendre un bon morceau, mais pas le meilleur

☐ **c** je me sers le plus modestement possible, pour laisser aux autres la possibilité de bien se servir

25 Lorsque c'est vous qui recevez, estimez-vous que votre rôle est avant tout d'égayer la réunion par votre conversation, ou de veiller à ce que chacun soit bien servi ?

☐ **a** je suis plus doué pour entretenir la conversation que pour m'occuper du service

☐ **b** j'essaie de m'occuper alternativement un peu des deux

☐ **c** je veille d'abord à sustenter mes invités, et je n'interviens dans la conversation que lorsque c'est nécessaire

26 Très éprouvée par un voyage pénible, une personnalité ne paraît pas à la réception préparée en son honneur à son arrivée. Dans un tel cas, pensez-vous que vous agiriez comme elle ?

☐ **a** certainement pas ; même très mal en point, je tiendrais à ne pas décevoir les gens qui se sont donné du mal pour bien me recevoir

☐ **b** oui, si j'étais vraiment malade ; non, si je souffrais d'une indisposition sans gravité

☐ **c** très éprouvé par un voyage, je ne crois pas que j'aurais la force d'assister à une réception à mon arrivée ; je demanderais qu'elle soit remise à un peu plus tard

27 Appelez-vous habituellement un médecin dès que vous sentez que cela ne va pas bien physiquement ?

☐ **a** oui, aussitôt que je ne me sens pas bien

☐ **b** j'attends habituellement un peu pour voir si le malaise ne passera pas de lui-même

☐ **c** non, j'attends d'être tout à fait certain d'avoir quelque chose de grave avant de déranger un spécialiste, car j'aime mieux me soigner moi-même

28 *Si vous êtes un homme :* aidez-vous votre femme dans ses tâches ménagères, telles que faire la vaisselle, les lits, les courses, passer l'aspirateur ?

Si vous êtes une femme : aidez-vous votre mari à réparer une panne d'électricité à la maison, une panne de voiture en voyage ?

☐ **a** oui, régulièrement
☐ **b** non, jamais
☐ **c** cela m'est arrivé, mais peu fréquemment

29 Vous arrive-t-il de perdre votre calme, votre sang-froid, dans une situation difficile ?

☐ **a** oui, cela m'arrive
☐ **b** c'est plutôt rare
☐ **c** pour ainsi dire jamais

30 Aimez-vous être le mieux habillé dans une réunion ?

☐ **a** cela m'est complètement indifférent et je ne cherche pas à l'être
☐ **b** oui, cela me fait plutôt plaisir

☐ **c** non, cela me gêne plutôt car cela me fait remarquer des autres

31 Vous avez joué et perdu. Quelle est votre première réaction ?

☐ **a** jusqu'à présent, j'ai toujours su dissimuler mon mécontentement et garder le sourire dans un tel cas
☐ **b** je me laisse parfois gagner par la colère et je quitte alors rapidement la place pour ne pas le laisser voir
☐ **c** je dois reconnaître qu'il m'est arrivé de faire un esclandre dans un tel cas

32 Un directeur, ne voyant pas sa secrétaire accourir à son appel, va la chercher. Dans le bureau des secrétaires, il découvre un groupe entourant une radio portative qui émet un air d'opéra. Interpellée sévèrement, la secrétaire fautive explique que son mari est ténor et passe pour la première fois sur les ondes pendant quelques minutes. Que feriez-vous dans un tel cas ?

☐ **a** je ferais cesser aussitôt cette distraction et punirais la coupable
☐ **b** je me retirerais sans faire d'éclat, mais en ordonnant à la coupable de venir dès que l'air chanté par son mari serait terminé
☐ **c** je me joindrais au groupe pour écouter, moi aussi, cette

première production publique
du mari

33 Il est bien rare que nos capacités soient appréciées à leur juste valeur. Estimez-vous que, dans votre profession, les vôtres sont suffisamment reconnues ?

- ☐ **a** oui
- ☐ **b** non, mais je n'en souffre pas trop
- ☐ **c** non, et je trouve cela terriblement amer

34 Vous est-il arrivé d'abandonner une tâche entreprise, dans vos études, dans votre profession ou dans vos loisirs, parce qu'elle ne convenait pas à votre nature, à votre tempérament ?

- ☐ **a** non, si je sais qu'elle est utile et si j'ai décidé qu'il fallait l'achever
- ☐ **b** oui, dans les petites choses ; non, dans les grandes
- ☐ **c** oui, il faut reconnaître que cela m'est arrivé, hélas ! plus d'une fois

35 Attendez-vous de votre conjoint :

- ☐ **a** avant tout de la tendresse, de la compréhension ?
- ☐ **b** avant tout le sentiment que vous le rendez heureux ?
- ☐ **c** un équilibre affectif venant de ce que tantôt c'est vous qui avez à le réconforter, tantôt c'est lui qui vous réconforte ?

36 Sur le plan pécuniaire :

- ☐ **a** il vous est arrivé plus souvent d'emprunter que de prêter de l'argent
- ☐ **b** vous avez parfois prêté de l'argent à des amis, mais vous n'avez heureusement guère eu besoin de leur en emprunter
- ☐ **c** vous n'avez jamais ni prêté ni emprunté de l'argent

37 Les gens, aujourd'hui, ont si peu d'égards et de savoir-vivre qu'il vaut mieux se montrer toujours sévère si l'on veut être respecté :

- ☐ **a** cette opinion me paraît exagérée
- ☐ **b** cette opinion me paraît juste
- ☐ **c** cette opinion me paraît nettement trop pessimiste ; je rencontre au contraire dans mon entourage plus de gens qui ont des égards et du savoir-vivre que de gens qui n'en ont pas

38 Lorsque vous êtes invité, avez-vous pour principe d'apporter un cadeau à la maîtresse de maison ?

- ☐ **a** oui, dans la mesure du possible j'apporte toujours un cadeau
- ☐ **b** parfois oui, parfois non, cela dépend de maints facteurs
- ☐ **c** non, je n'ai pas de principe à ce sujet

39 Un homme marié répond à un test. Quoique fidèle à sa femme, il répond oui à la question : « Avez-vous eu des aventures extra-conjugales ou désireriez-vous en avoir ? » cela pour améliorer son score de virilité. Vous arrive-t-il, à vous aussi, d'améliorer vos réponses à ce questionnaire (ou à d'autres) par rapport à la stricte réalité ?

☐ **a** oui, cela m'arrive ; cela n'a pas d'importance, puisqu'il s'agit d'un jeu

☐ **b** non, j'essaie de ne pas embellir la réalité, puisque par ces questionnaires j'espère arriver à une meilleure connaissance de moi-même

☐ **c** j'essaie d'être objectif dans mes réponses, mais je ne pense pas y parvenir toujours ; c'est si agréable de se faire une idée élogieuse de soi-même

Résultats

Entourez d'un cercle la lettre a, b ou c qui correspond à votre réponse à chacune de vos questions.

Question	Réponse			Questions	Réponse		
	I	II	III		I	II	III
1	a	c	b	21	a	c	b
2	c	b	a	22	c	a	b
3	c	b	a	23	a	b	c
4	c	b	a	24	a	b	c
5	a	b	c	25	a	b	c
6	c	b	a	26	c	b	a
7	a	b	c	27	a	b	c
8	a	b	c	28	b	c	a
9	c	b	a	29	a	b	c
10	a	b	c	30	b	a	c
11	c	a	b	31	c	b	a
12	c	b	a	32	a	b	c
13	a	b	c	33	c	b	a
14	c	b	a	34	c	b	a
15	a	c	b	35	a	c	b
16	b	c	a	36	a	c	b
17	c	b	a	37	b	a	c
18	b	a	c	38	c	b	a
19	a	c	b	39	a	c	b
20	a	b	c	Total			

Adler l'a dit : « Chacun aime se faire gâter. Et beaucoup de mères ne peuvent faire autrement que de gâter leur enfant. [Beaucoup de pères aussi [2]]. Heureusement, beaucoup d'enfants s'en défendent si fortement que les dégâts sont moindres que ceux auxquels on pourrait s'attendre[3]. »

Qu'en est-il dans votre cas ? Dans quelle colonne avez-vous donné le plus de réponses positives ?

La colonne I domine : vous avez quelque propension à manifester des tendances d'enfant gâté. Vous désirez occuper partout la première place, vous manquez d'autonomie, vous avez l'habitude de fuir les difficultés de la vie courante. Est-ce dû à une

2. C'est nous qui ajoutons cela.
3. A. Adler : *le Sens de la vie* (Paris, Payot, « Petite Bibliothèque », n° 127, 1969), p. 101.

enfance trop choyée ou à un tempérament particulier ? Dans les deux cas, les habitudes prises ne sont pas faciles à déraciner. Mais essayez tout de même de lutter contre elles, pour devenir un adulte à part entière.

La colonne II domine : vous paraissez avoir un caractère équilibré. Et c'est tant mieux pour vous et pour votre entourage. Vous avez de fortes chances de savoir prendre la vie par le bon bout et de surmonter les difficultés qu'elle vous présente.

La colonne III domine : la vie n'a pas dû être toujours facile pour vous, et vous avez pris des habitudes de modestie et d'altruisme bien agréables pour vos proches. Mais prenez garde qu'elles n'étouffent pas trop votre personnalité, qu'elles ne vous conduisent pas à sous-estimer votre valeur propre, et à trop faire passer le bonheur des autres avant le vôtre. Vous finiriez par vous sentir dans une impasse, ce qui risquerait de vous déprimer ou de vous aigrir.

Si presque toutes vos réponses se situent dans les colonnes I et III et presque aucune dans la colonne II : vous avez un caractère un peu exalté, qui verse facilement dans les extrêmes. Vous avez quelques tendances à faire l'enfant gâté, mais vous essayez de les contrebalancer par des tendances opposées, peut-être exagérément altruistes.

Prenez garde à ce que cette attitude a de peu équilibré. Essayez de tendre vers une harmonisation des contraires qui luttent en vous. Bien sûr, ce n'est pas facile. Il faut pour cela beaucoup se surveiller, et apprendre à ne pas dramatiser ses réactions. Etre soi-même simplement est peut-être ce qu'il y a de plus difficile à réaliser dans la vie. C'est pourtant le secret du bonheur.

Quelle sorte de fou êtes-vous?

Jules Romains n'a pas été le seul à affirmer, par la voix du docteur Knock, que nous sommes tous des malades qui s'ignorent. C'est également l'avis d'un certain nombre de psychiatres : les manifestations morbides de l'esprit que l'on observe chez les malades mentaux ne diffèrent pas radicalement, mais sont de simples exagérations de tendances psychologiques normales. L'un des plus grands caractérologues, Ernst Kretschmer, professeur de psychiatrie et de neurologie à l'université de Tübingen, a montré, à l'aide de nombreuses statistiques, que chaque caractère contenait en germe les tendances à certaines maladies mentales. Ces tendances se révéleraient aussi bien par le type physique que par le type caractériel.

Le questionnaire qui suit devrait vous permettre de deviner vers quelle catégorie de folie votre constitution et votre tempérament pourraient vous faire pencher.

Cochez la lettre a, b ou c devant la réponse qui s'accorde le mieux avec la ligne générale de votre façon d'être ou de penser.

Caractéristiques physiques

1 Quelle est votre taille ?

	Hommes	Femmes
□ **a** inférieure ou égale à :	170 cm	155 cm
□ **b** entre :	171-175 cm	156-160 cm
□ **c** supérieure à :	175 cm	160 cm

2 Quel était votre poids entre 20 et 30 ans ?

	Hommes	Femmes
□ **a** inférieur ou égal à :	50 kg	45 kg
□ **b** entre :	51-60 kg	46-55 kg
□ **c** supérieur à :	60 kg	55 kg

3 Quel est votre tour de tête ?

□ **a** inférieur à 56 cm
□ **b** entre 56 et 57 cm
□ **c** supérieur à 57 cm

4 Développement du tronc :

□ **a** plutôt maigre et élancé
□ **b** épaules larges et puissantes, ventre plat
□ **c** thorax profond et bombé d'où émerge un ventre gras

5 La peau est plutôt :

□ **a** sèche et anémiée
□ **b** tendue, sans excès de graisse
□ **c** grasse et molle

6 Les membres sont plutôt :

□ **a** maigres et décharnés
□ **b** caractérisés par les reliefs renflés des muscles
□ **c** courts et arrondis

Caractéristiques psychologiques

7 Etes-vous facilement rêveur ?

□ **a** oui, cela m'arrive souvent
□ **b** non, ce n'est pas mon genre
□ **c** je l'étais dans mon adolescence

8 Votre tenue est-elle souvent excentrique ?

□ **a** oui, il faut bien mettre un peu de piment dans la tenue
□ **b** cela me plairait bien, mais je n'ose m'y risquer
□ **c** jamais ; je n'aime pas me singulariser dans ma tenue

9 Nourrissez-vous de grandes ambitions pour votre avenir ?

□ **a** oui, il faut voir grand si l'on veut réussir
□ **b** mon ambition est d'atteindre une bonne qualification. Il n'y a rien de grandiose dans mes projets, car je n'aime pas me distinguer des autres
□ **c** j'ai horreur de tous ceux qui se mettent publiquement en vedette ; j'aime mieux occuper une place modeste

10 Dans votre jeunesse, vous est-il arrivé de faire une fugue ?

□ **a** j'en ai médité beaucoup, mais n'en ai jamais mis à exécution

☐ **b** je n'en ai jamais eu envie

☐ **c** oui, cela m'est arrivé. Aujourd'hui cela me paraît plutôt enfantin

---

11 Vous arrive-t-il d'avoir de longues périodes d'attitude prostrée ? Est-ce fréquent chez vous ?

☐ **a** je ressens par moments de la lassitude, mais je ne m'y laisse pas aller ; même mes proches ne s'en aperçoivent guère

☐ **b** il m'arrive de ne pouvoir reprendre immédiatement le dessus ; dans la vie, les circonstances ne me sont guère favorables

☐ **c** on a toujours des hauts et des bas ; il m'arrive de ne pas être en forme, mais cela ne dure jamais longtemps

---

12 Vous est-il difficile de poursuivre longtemps une activité monotone ?

☐ **a** en effet ; on dit d'ailleurs souvent de moi que je ne tiens pas en place

☐ **b** je n'aime pas beaucoup cela ; mais s'il le faut, je le fais

☐ **c** cela ne m'est pas difficile ; au contraire, j'aime cela

---

13 Etes-vous très méfiant ?

☐ **a** non, pas du tout ; cela m'a joué plus d'un tour

☐ **b** il faut l'être parfois ; mais ce n'est pas tellement mon caractère

☐ **c** oui, je suis plutôt méfiant ; j'aime examiner une question avant de prendre des risques

---

14 Les événements extérieurs ont-ils chez vous un grand retentissement ?

☐ **a** oui ; je suis très sensible, et le moindre événement me trouble beaucoup

☐ **b** non ; j'ai des buts à atteindre que je me fixe moi-même, et je ne laisse pas les circonstances extérieures avoir trop de prise sur moi

☐ **c** certains événements m'impressionnent, mais j'essaie de ne pas me laisser aller à ces impressions

---

15 Etes-vous sujet à la bouderie ?

☐ **a** non ; il m'arrive de me mettre en colère, mais je l'oublie dès qu'elle est passée

☐ **b** je boude parfois un peu, mais c'est rare

☐ **c** je boudais surtout quand j'étais plus jeune. C'est une arme efficace, qui n'appelle pas d'éclats ; j'en use parfois encore

---

16 Vous trouve-t-on orgueilleux ?

☐ **a** oui, on le dit de moi ; j'ai pourtant soin de me montrer toujours sous un jour modeste dès que l'occasion s'en présente

☐ **b** je ne suis pas particulièrement modeste, mais je n'ai jamais été taxé d'orgueil, pour autant que je sache

☐ **c** non ; on me reproche plutôt de ne pas avoir assez d'orgueil

17 Avez-vous une voix et un rire éclatants ?

☐ **a** non, mon comportement est plutôt doux
☐ **b** oui, j'ai une voix puissante
☐ **c** ma voix me paraît tout à fait moyenne

18 Comment réagissez-vous aux stimulations qui tendent à détourner votre attention de l'exécution d'une tâche ?

☐ **a** je n'ai aucun mal à ne pas en tenir compte ; je suis très concentré et tenace quand je fais quelque chose
☐ **b** je suis très sensible aux stimulations extérieures, et j'ai du mal à continuer une tâche si je ne suis pas suffisamment isolé
☐ **c** cela dépend du moment ; parfois je me concentre bien sur ce que je fais, parfois moins bien

19 Etes-vous considéré par vos proches plutôt comme un optimiste ou un pessimiste ?

☐ **a** comme foncièrement optimiste
☐ **b** comme souvent trop pessimiste
☐ **c** ni l'un ni l'autre

20 Avez-vous le sentiment que

vos pensées, votre être le plus profond sont tout à fait incompris par votre entourage ?

☐ **a** pas particulièrement
☐ **b** non, je me sens au contraire entouré de compréhension
☐ **c** oui, je me sens terriblement incompris

21 Avez-vous parfois des colères terribles et imprévisibles ? Votre entourage les redoute-t-elles ?

☐ **a** oui, et quand je suis pris par la colère, je suis très violent
☐ **b** je ne me mets pas souvent en colère ; quand cela m'arrive, elle est assez motivée pour ne pas surprendre celui qui l'a suscitée
☐ **c** je n'ai jamais des colères bien terribles

22 Votre susceptibilité est-elle ombrageuse ?

☐ **a** je n'aime pas être attaqué ; dans ce cas, je sais me défendre
☐ **b** je ne crois pas qu'on dise cela de moi ; je ne suis pas très susceptible
☐ **c** ce serait plutôt l'inverse : on me traite souvent de « bonne poire »

23 Avez-vous remarqué que vous êtes plus en forme, plus en beauté en société qu'à l'ordinaire ?

☐ **a** oui, cela me donne le regard plus brillant, le visage plus jeune, plus coloré

☐ **b** non, la timidité me rend généralement terne

☐ **c** en société ou non, je reste égal à moi-même

---

24 Etes-vous facilement anxieux devant la maladie ?

☐ **a** non, je n'ai rien d'un hypocondriaque ; on me reproche plutôt d'oublier de me soigner quand il le faudrait

☐ **b** je n'aime pas être malade, mais tant que je ne le suis pas, je n'y pense guère

☐ **c** je pense que prévenir vaut mieux que guérir, car je n'aime pas souffrir, et un peu de prévoyance évite bien des maux ; je me soigne s'il le faut

---

25 Aimez-vous justifier logiquement vos actions ?

☐ **a** je préfère être logique dans ce que je fais (bien peu de gens en sont capables et ont tendance à critiquer chez autrui ce souci de mettre en pratique les plus hautes facultés de l'homme)

☐ **b** j'aime l'action pour l'action et ne ressens pas le besoin de la justifier par des mots

☐ **c** je suis plus intuitif que logique et déteste la rationalisation perpétuelle de certains pour tout ce qu'ils font

---

26 Restez-vous facilement impassible sur le plan affectif ?

☐ **a** oui, en apparence tout au moins, car je n'aime pas me livrer facilement

☐ **b** j'essaie, mais n'y arrive pas toujours comme je le voudrais

☐ **c** non, je suis trop nerveux pour cela

---

27 Etes-vous persévérant ?

☐ **a** j'aime la continuité dans une tâche, et j'ai du mal à m'adapter à de fréquents changements

☐ **b** j'adore le changement et ne puis supporter de travailler toujours à la même chose au même endroit

☐ **c** j'aime le changement et j'aime la stabilité ; il faut des deux pour être heureux

---

28 Etes-vous facilement familier ?

☐ **a** j'aime garder mes distances ; trop de familiarité conduit à l'indiscrétion

☐ **b** je n'ai pas de difficulté à être familier ; tous les êtres ont de la valeur, quelle que soit la classe sociale à laquelle ils appartiennent ; j'ai une âme trop démocratique pour attacher de l'importance aux différences de classes

☐ **c** je respecte les convenances en usage dans le milieu que je fréquente

---

29 Aimez-vous l'isolement ?

☐ **a** parfois, mais « point trop n'en faut »

☐ **b** pas du tout ; l'homme est un être social qui s'appauvrit s'il reste trop souvent isolé

☐ **c** j'aime la solitude, c'est un besoin chez moi

30 Votre humeur est-elle sujette à des variations très marquées ?

☐ **a** comme tout le monde, j'ai des moments de bonne et de mauvaise humeur ; mais il y a toujours moyen de réagir contre

☐ **b** oui, j'ai un caractère instable qui rend parfois la vie difficile à mon entourage

☐ **c** non, je suis considéré par mes proches comme d'humeur très stable

31 Etes-vous entêté ?

☐ **a** oui, et je crois que c'est une qualité de savoir persister dans une décision une fois qu'elle est prise

☐ **b** je le suis assez peu

☐ **c** non, pas du tout ; je crains au contraire d'être trop influençable

32 Etes-vous stable dans vos affections ?

☐ **a** non, je serais plutôt du type inconstant ; trop de fidélité enlève de la saveur à l'existence

☐ **b** je crois qu'il serait bon de l'être ; mais on ne peut toujours commander à l'amour, et quelques infidélités le ravivent plutôt qu'elles ne le détruisent

☐ **c** je suis affectivement très stable, et j'attends des autres qu'ils le soient également

33 Etes-vous capable d'une ironie assez mordante ?

☐ **a** oui, pourquoi être toujours hypocritement courtois ? C'est si amusant de dire parfois leur fait aux autres

☐ **b** j'aime rire, mais j'essaie d'éviter ce qui pourrait blesser ou ennuyer les autres

☐ **c** j'aime avant tout me sentir en harmonie avec les autres ; l'ironie me paraît toujours inutile

34 Passer à l'action vous paraît-il souvent pénible ?

☐ **a** oui, car j'éprouve souvent une grande lassitude ; on peut dire que je fais tout en me forçant

☐ **b** non, car j'aime mieux agir que subir

☐ **c** cela m'arrive quand je suis fatigué ; mais ce n'est pas une attitude fréquente chez moi

35 Etes-vous sujet à des tics, des comportements stéréotypés ?

☐ **a** oui, j'ai quelques petites manies qui apparaissent surtout dans les moments d'ennui, de dépression, mais j'en avais beaucoup plus durant mon adolescence

☐ **b** j'en ai eu, mais je crois m'en être débarrassé depuis longtemps

□ **c** non et je ne me rappelle pas en avoir jamais eu

36 Avez-vous tendance à beaucoup parler, beaucoup gesticuler ?

□ **a** parfois, j'aime bien parler ; mais je ne gesticule guère
□ **b** je suis plutôt silencieux en société, et mes gestes sont plutôt retenus
□ **c** j'adore parler avec les autres, et on rit souvent de mes grands gestes, mais ils m'aident à m'exprimer

37 Avez-vous facilement des sentiments de culpabilité, même si parfois les fautes sont commises par d'autres ?

□ **a** oui, cela est dû à mon sens social très développé ; de tels sentiments me poursuivent souvent pendant des jours
□ **b** je ne me sens coupable que de mes propres fautes, et je ne m'appesantis point sur de tels sentiments
□ **c** si je me crois dans mon tort, j'essaie de réparer, et puis j'oublie vite l'affaire ; pourquoi traîner inutilement des idées lugubres ?

38 Avez-vous un fort sentiment de double personnalité ?

□ **a** non, je me sens toujours bien dans ma peau
□ **b** il y a plusieurs tendances en moi, mais j'essaie de les harmoniser, de façon qu'elles

ne me causent pas trop de problèmes
□ **c** oui, et ce sentiment est parfois si fort que j'ai l'impression de me dédoubler, une partie de moi-même regardant vivre et agir l'autre, sans aucune participation de l'une à l'autre

39 Avez-vous le sentiment d'être chargé de responsabilités qui dépassent vos forces et vos capacités ?

□ **a** non, j'accepte volontiers les responsabilités
□ **b** il y a des moments où je me sens un peu débordé, mais cela ne dure pas
□ **c** oui, hélas ! la malchance m'a chargé de responsabilités au-dessus de mes forces

40 Etes-vous réfractaire aux disciplines collectives ?

□ **a** oui, j'ai toujours été considéré comme un indépendant ; j'ai besoin de beaucoup de liberté personnelle
□ **b** elles ne me paraissent pas toujours agréables, mais il en faut bien pour vivre en société
□ **c** je sais me plier de façon coopérative aux disciplines collectives

41 Voici une liste de traits de caractère marqués. Parmi ces traits, choisissez-en trois qui apparaissent le plus facilement chez vous et marquez-les d'une croix. Après quoi, vous chercherez dans le petit tableau du « corrigé » dans quelles colonnes se situent vos trois réponses et vous pourrez ainsi les ajouter à la fin du tableau des résultats.

- □ 1 Flegmatique
- □ 2 Revendicateur
- □ 3 Egoïste
- □ 4 Touche-à-tout
- □ 5 Triste
- □ 6 Explosif
- □ 7 Indifférent
- □ 8 Jaloux
- □ 9 Désordonné
- □ 10 Regard morne
- □ 11 Lent
- □ 12 Incompris
- □ 13 Figé
- □ 14 Trop rapide
- □ 15 Manque d'initiative
- □ 16 Manque de fantaisie
- □ 17 Manque d'harmonie
- □ 18 Vanité
- □ 19 Fuite des idées
- □ 20 Hallucinations
- □ 21 Lourdeur
- □ 22 Suscite des scandales
- □ 23 Rire discordant
- □ 24 Rire jovial
- □ 25 Ne rit jamais
- □ 26 Imperturbable
- □ 27 Révolte active
- □ 28 Inhibé
- □ 29 Divague
- □ 30 Idées de suicide
- □ 31 Manque d'idées
- □ 32 Veut toujours avoir raison
- □ 33 Versatile, nerveux
- □ 34 Capricieux
- □ 35 Geste rare
- □ 36 Pesant
- □ 37 Toujours en procès
- □ 38 Cherche la facilité
- □ 39 Cherche la difficulté
- □ 40 Voix monocorde

Corrigé de la question 41

a	b	c	d	e
1	2	3	5	4
6	8	7	10	9
11	12	13	15	14
16	18	17	20	19
21	22	23	25	24
26	27	28	30	29
31	32	33	35	34
36	37	39	40	38
Total				

Colonne dominante :
□ a   □ b   □ c   □ d   □ e

Résultats

Dans le tableau ci-dessous, entourez d'un cercle la lettre qui correspond à votre réponse aux différentes questions. Faites le total pour chaque colonne.

Question	I	II	III	IV	V
1	c		b		a
2	c		a		b
3	c		a		b
4	b		a		c
5	b		a		c
6	b		a		c
7	b		a		c
8	b			c	a
9	b	a		c	
10	b		c		a
11			a	b	c
12	c	b			a
13	c	b			a
14	b		c	a	
15	a		c		b
16		a		c	b
17			c	a	b
18	a		b		c
19	c			b	a
20	a		c		b
21	a			c	b

Question	I	II	III	IV	V
22	b	a			c
23	c			b	a
24	a			c	b
25	b	a			c
26	a		c		b
27	a		c		b
28	c			a	b
29	a		c		b
30	c		b		a
31		a		b	c
32	c	b			a
33	c		b		a
34	b			a	c
35	b		a		c
36			a	b	c
37	b			a	c
38	b		c		a
39	b			c	a
40	b	a			c
41	a	b	c	d	e
Total					

Si la colonne I contient plus de 12 réponses positives : c'est vers la constitution athlétique que vous penchez. Votre type de folie, selon Kretschmer, serait l'épilepsie. Votre tempérament aurait une prédominance ixothymique (visqueux), comportement flegmatique et persévérant, rompu parfois par des explosions de violence accumulée lentement. Voici comment Joseph Nuttin décrit le comportement des athlétiques : « Les athlétiques réagissent peu à des stimulations qui tendent à détourner leur attention dans l'exécution d'une tâche. Leurs réactions motrices sont lentes et lourdes. Au test de Rorschach, ils font preuve de peu de fantaisie. Kretschmer en conclut qu'il y a quelque chose de tenace, d'adhérent, de lourd et de peu mobile dans ce tempérament : leurs idées, leurs réactions et leurs activités suivent un cours stable et tenace, et elles ne *décollent* que difficilement. C'est ce qui a suggéré le terme de *pesant* pour exprimer la caractéristique dominante de ce tempérament. En face d'un excitant, l'athlétique [...] reste plutôt impassible et imperturbable, avec toutefois possibilité de réactions explosives et massives[1]. »

Si la colonne II contient plus de 3 réponses positives : vous penchez vers la constitution paranoïaque. Votre type de folie serait un délire systématisé avec idées de grandeur, ou mégalomanie, surestimation du moi, sentiment de persécution, jalousie ; selon Génil-Perrin, « les paranoïaques constituent une classe de psychopathes dont l'anomalie va du simple travers mental au délire confirmé. Ils se signalent tous plus ou moins par une insociabilité généralement agressive. Le type en est le persécuté-persécuteur[2]. »

Si la colonne III contient plus de 8 réponses positives : vous penchez vers une constitution autistique, égocentrique. Votre type de folie serait la schizophrénie. Ce tempérament, appelé par Kretschmer schizothyme, « est compliqué et possède une personnalité double : une en surface, et une en profondeur que Bleuler a qualifiée d'autiste. La surface peut prendre plusieurs aspects : brutalité aussi bien que timidité, ironie ou insensibilité maussade. La personnalité en profondeur connaît comme extrêmes : le vide affectif et la sensibilité la plus raffinée avec une vie imaginaire des plus riches[3]. » Kretschmer dit que « beaucoup de schizoïdes sont comme ces maisons romaines : des villas qui ont fermé leurs volets contre un soleil trop brillant, mais où, à la lumière tamisée de l'intérieur, l'on célèbre des orgies[4]. » Leur caractère hypersensitif fait d'eux des timides, craintifs, insociables, taciturnes, réservés, graves et même bizarres. On les considère souvent à tort comme dociles, doux, bornés, car chez eux tout se passe à l'intérieur, et peu de cette vie cachée transparaît à l'extérieur.

Si la colonne IV contient plus de 4 réponses positives : vous penchez vers une constitution mélancolique, du groupe des psychoses maniaques-dépressives, qui confèrent au malade des moments de grande gaieté alternant avec des moments de grande tristesse. Votre type de folie donnerait plus de place à la

1. J. Nuttin : *la Structure de la personnalité* (Paris, P.U.F., 1965).
2. A. Porot : *Manuel alphabétique de psychiatrie* (Paris, P.U.F., 1965).
3. J. Nuttin : ouvrage cité.
4. E. Kretschmer : *la Structure du corps et le caractère* (Paris, Payot, 1930 [trad. de *Köperbau und Charakter*, Berlin, Springer, 1921]).

deuxième qu'à la première phase de cette maladie. Le caractère mélancolique se manifeste chez « les individus plutôt tranquilles, calmes, doux et plutôt tristes : ils broient du noir[5]. » Devant les difficultés de la vie, ils sont dépressifs, vite fatigables, se croient toujours fautifs, indignes, grossissent les fautes qu'ils peuvent avoir commises, les petits maux qu'ils ressentent, les difficultés pécuniaires. Leur perpétuelle lassitude les empêche de rien entreprendre. En somme, ils sont avant tout passifs.

Si la colonne V contient plus de 13 réponses positives : vous penchez vers une constitution maniaque, au sens psychiatrique du mot[6], caractérisée par l'agitation, l'hyper-activité. Votre type de folie serait la psychose maniaque-dépressive, qui confère au malade des moments de folle gaieté, de vivacité, d'emportement, alternant avec des moments de grande tristesse, où le malade broie du noir, s'accuse de tous les péchés, se croit atteint de tous les maux, n'a plus de force pour agir. Chez certains, la phase gaie et active domine nettement sur la phase triste et passive. Chez d'autres, on observe l'inverse. Les individus du premier groupe, « qu'on caractérise d'hypomaniaques, ont les réactions très vives et rapides ; les projets et les plans abondent dans leur tête, mais changent facilement[7] ».

Kretschmer a décrit plusieurs variantes de ce tempérament : l'humoriste tranquille, le bavard joyeux, le bon vivant qui tient à ses aises, le pratique actif, le sentimental paisible, et le type à sang lourd.

En résumé : bien entendu, dans la vie, aucune de ces catégories caractérielles ne se présente à l'état pur. Plusieurs tendances peuvent coexister en nous et nuancer de divers aspects nos réactions. Les psychiatres ont observé certaines analogies entre la psychose paranoïaque et la schizophrénie ; ils relient les troubles opposés qui alternent dans la psychose maniaque-dépressive par une série de traits communs appartenant à un tempérament ambivalent, le tempérament cyclothyme. Qu'il soit sous l'empire de la gaieté ou de la tristesse, ce tempérament se caractérise par la sociabilité, l'amabilité, le bon cœur. L'humeur gaie de l'hypo-maniaque peut être doublée d'un fond de mélancolie. De même, la tristesse du tempérament dépressif peut être tempérée par un

---

5. J. Nuttin : ouvrage cité.
6. Non au sens commun de « avoir des petites manies », des habitudes trop stéréotypées, qui rentre plutôt dans la constitution schizothyme.
7. J. Nuttin : ouvrage cité.

fond d'humour et de bonhomie. Ainsi, les différents types ne s'excluent nullement mais au contraire peuvent se compléter pour former la personnalité riche et complexe qui est la nôtre. A chacun de chercher, par un peu de réflexion, quelles sont les nuances qui lui sont propres.

Etes-vous raciste?

J.-L. Arnaud

Répondez oui, sans hésiter. Nous sommes tous racistes à quelque degré. On est toujours le « raciste » d'un autre. Seuls, peut-être au départ, les enfants seraient « aveugles » de naissance aux couleurs de peau. Les races existent cependant.

Le concept de race est en effet une caractéristique sociale de base que les analyses structuralistes retrouvent chez les peuplades les plus primitives et les plus reculées. Ce n'est que secondairement que « racisme » est devenu un terme péjoratif. Aucune race n'est pure. Il y a eu des mélanges ethniques innombrables dès les époques les plus lointaines. Les races relativement cohérentes et individualisées que nous connaissons sont en fait le résultat d'un mélange complexe, extrêmement difficile à retracer.

Le type « aryen » (yeux bleus, cheveux blonds, haute stature) est une vue de l'esprit, de même que la notion de « race des seigneurs » et de races inférieures. L'évolution historique, l'écologie, les grands courants de civilisation ont façonné des peuples évolués et des peuples qui le sont moins, des races en avance et des races en retard. Les conséquences abusivement extraites du fait racial constituent le racisme, et consistent à édicter un caractère inamovible et héréditaire à ces différences, et à rejeter certains groupes au profit d'autres.

Le racisme procède ainsi d'un double phénomène : d'une part, la conscience d'appartenir à un groupe, de l'autre, le besoin d'affirmer, d'imposer, de maintenir une discrimination entre son propre groupe et les autres groupes.

Le racisme ne concerne pas uniquement l'attitude de l'homme blanc vis-à-vis de l'homme pigmenté. Si ce cas est le plus fréquent à l'heure actuelle, il ne faut toutefois pas oublier que des exemples inverses abondent. Pearl Buck rapporte ainsi dans un de ses livres le rejet d'une bru américaine par sa belle-famille chinoise.

Le racisme s'explique avant tout par un mécanisme d'auto-défense : la présence de quelques Noirs à Saint-Germain-des-Prés, peut être considéré comme du folklore ; un million de Noirs à Harlem devient un problème social.

Problème élémentaire, le racisme n'est pas aussi simple qu'on le croit. Remplissez honnêtement le petit questionnaire ci-dessous : vous vous étonnerez. On se flatte en France de ne pas être raciste. Est-ce bien vrai ?

Cochez la lettre a, b ou c qui s'accorde le mieux avec votre façon d'être ou de penser.

Ce questionnaire ainsi établi s'adresse en principe à un adulte français, de race blanche, de culture occidentale.

1 Ayant à choisir un étudiant étranger au pair qui sera reçu dans votre famille, tiendrez-vous compte d'abord de sa couleur de peau ?

☐ **a** oui, c'est compliquer inutilement les difficultés d'adaptation

☐ **b** qu'importe sa couleur s'il est gentil et bien élevé

☐ **c** je voudrais qu'il soit d'une race différente de la mienne

2 La télévision a sélectionné une speakerine de race noire, Sylvette Cabrisseau. Etes-vous d'accord pour d'autres présentatrices de couleur ?

☐ **a** une, c'est déjà trop, il ne manque pas de jeunes femmes blanches pour présenter les programmes...

☐ **b** bravo, il faut multiplier cette expérience

☐ **c** d'accord pour d'autres présentatrices de couleur, à égalité de talent

3 Pour vous, l'aide au tiers monde :

☐ **a** doit être harmonisée avec nos ressources et nos besoins

☐ **b** est un gaspillage scandaleux

☐ **c** est notre meilleure assurance contre un affrontement mondial

4 Que pensez-vous du mariage du Noir Samy Davis Jr avec la Suédoise May Britt ?

☐ **a** ça a raté, ça devait arriver

☐ **b** il est dommage que ça n'ait pas marché, c'est un mauvais exemple qui sera exploité

☐ **c** s'ils ont divorcé, ce n'est pas forcément pour des raisons de couleur de peau

5 Si vous étiez catholique, vous confesseriez-vous à un prêtre noir ?

☐ **a** nous serions gênés l'un et l'autre

☐ **b** étant catholique, il n'y aurait aucune différence pour moi

☐ **c** bien sûr

6 Accepteriez-vous d'être employé sous les ordres de quelqu'un d'une autre race ?

☐ **a** non

☐ **b** oui, s'il mérite sa place

☐ **c** la roue tourne, c'est normal

7 L'ancien secrétaire d'Etat américain Dean Rusk a béni le mariage de sa fille avec un jeune officier noir. Comment trouvez-vous cette attitude et ce mariage ?

☐ **a** c'est lamentable, d'ailleurs ça ne peut pas durer

☐ **b** très bien

☐ **c** ils ont pris un risque ; ils ont dû réfléchir ; je leur souhaite de réussir

8 La musique de jazz

☐ **a** est, à mon avis, une « musique de sauvages »

☐ **b** quand je l'entends, j'admire la sensibilité noire

☐ **c** peut être très bien illustrée par des Blancs

---

9 Achèteriez-vous un appartement dans un immeuble ou un groupe d'immeubles où des Noirs sont locataires ou propriétaires ?

☐ **a** oui, si l'appartement me convient par ailleurs

☐ **b** non, parce que mon appartement perdrait de sa valeur

☐ **c** je serais ravi pour moi et mes enfants de vivre cette expérience

---

10 Si, il y a quelques années, la vacance du pouvoir avait fait du président du Sénat Gaston Monnerville, d'origine guyanaise, le premier des Français, qu'auriez-vous pensé ?

☐ **a** c'est normal, c'est l'application de la Constitution

☐ **b** c'est un scandale pour notre pays

☐ **c** c'est une chance pour la France de prouver sa tolérance aux yeux du monde

---

11 Que pensez-vous des mouvements d'autonomie des Noirs américains ?

☐ **a** c'est justice

☐ **b** d'accord, à condition qu'il y ait tolérance réciproque

☐ **c** il faut détruire ces gens-là

---

12 Pour vous, les différences de couleur sont-elles plus importantes que les différences de religion ou de situation sociale ?

☐ **a** plus importantes

☐ **b** moins importantes

☐ **c** c'est un ensemble, on ne peut répondre par oui ou par non

---

13 Quelle est votre attitude vis-à-vis de l'apartheid en Afrique du Sud ?

☐ **a** condamnable immédiatement à 100 %

☐ **b** les Sud-Africains ont des raisons

☐ **c** il faut souhaiter un assouplissement progressif

---

14 Seriez-vous d'accord pour que vos enfants aient un professeur noir ?

☐ **a** ça m'est égal

☐ **b** ce peut être un exemple de tolérance pour mes enfants

☐ **c** il y a de fortes chances que ce professeur soit moins bon

---

15 Si l'un de vos amis a épousé une femme de race différente, la recevez-vous volontiers chez vous ?

☐ **a** j'aime tous ceux que mes amis aiment

☐ **b** à dîner d'accord, en séjour à la maison, non

☐ **c** oui, je serai ravi

---

16 Pour vous, le Ku Klux Klan est :

☐ **a** une survivance anachronique

☐ **b** une honte pour l'Amérique
☐ **c** un mal nécessaire : les Nord-Américains ont dû se protéger et protéger leurs familles

---

17 Si le cas se posait pour vous d'une transfusion ou d'une greffe, seriez-vous d'accord pour recevoir un organe ou du sang d'un donneur d'une autre race ?

☐ **a** non, ou à l'extrême rigueur pour sauver ma vie
☐ **b** je ne vois aucune différence
☐ **c** oui, mais je ne voudrais pas que cela se sache

---

18 Préféreriez-vous une belle-fille :

☐ **a** de couleur ?
☐ **b** divorcée ?
☐ **c** sans instruction ?

---

19 Pensez-vous, à propos des massacres des Juifs par le nazisme :

☐ **a** c'est l'œuvre d'un fou ?
☐ **b** les Juifs auraient pu réagir ?
☐ **c** Hitler avait des raisons ?

---

20 Préféreriez-vous voir vos enfants, vos frères et sœurs se marier :

☐ **a** à un (e) Français(e) ?
☐ **b** à quelqu'un de votre ville ?
☐ **c** avec l'époux(se) de leur choix quel(le) qu'il(elle) soit ?

---

21 Quels sont vos goûts vis-à-vis de la cuisine exotique ?

☐ **a** j'adore
☐ **b** d'accord pour essayer
☐ **c** tout ce qui est étranger me rend malade

---

22 Etes-vous pour une libre entrée en France des étrangers ?

☐ **a** oui
☐ **b** il faut d'abord respecter un quota sanitaire, puis s'assurer que ces immigrants ont leur place chez nous en y trouvant du travail
☐ **c** il faut établir un quota selon les couleurs et les races. D'accord pour les pays du Marché commun, pas d'accord pour les Africains

---

23 Quelle solution voyez-vous au problème noir tel qu'il se pose à l'heure actuelle aux Etats-Unis ?

☐ **a** création d'un Etat exclusivement noir aux Etats-Unis
☐ **b** rapatriement de tous les Noirs en Afrique
☐ **c** fusion des deux communautés, noire et blanche

---

24 Si un mariage interracial intervenait dans votre famille, souhaiteriez-vous dans ce cas :

☐ **a** qu'il n'y ait pas d'enfant ?
☐ **b** qu'il y ait, bien sûr, des enfants ?
☐ **c** estimeriez-vous que cela ne vous regarde pas ?

25 Pensez-vous que les différents rapports de la France avec ses anciens territoires africains devaient être réglés par :

☐ **a** une solution d'indépendance ?
☐ **b** une solution d'intégration ?
☐ **c** le statu quo colonial ?

26 Etes-vous partisan du droit de vote pour les travailleurs étrangers ?

☐ **a** oui, comme pour la S.S. ou les allocations familiales
☐ **b** en aucun cas (mieux vaudrait d'ailleurs les renvoyer chez eux)
☐ **c** s'ils sont étrangers, ils ne peuvent avoir droit de vote politique — pas plus que nous n'en aurions dans un pays étranger. En revanche, je suis d'accord pour leur accorder des droits de vote dans les problèmes syndicaux, puisqu'ils travaillent

27 Pour vous, les succès sportifs des Noirs sont :

☐ **a** enviables
☐ **b** relatifs
☐ **c** expliqués par un besoin de revanche sur les Blancs

28 Le tennisman noir A. Ashe n'a pas reçu son visa pour jouer en Afrique du Sud. Quelle est votre opinion à ce sujet ?

☐ **a** « charbonnier est maître chez lui »

☐ **b** c'est scandaleux et stupide
☐ **c** c'est un manque de fair-play

29 Que pensez-vous du « boycott » de l'Afrique du Sud aux compétitions des jeux Olympiques :

☐ **a** c'est nécessaire pour obliger les Sud-Africains à modifier leur politique d'apartheid
☐ **b** c'est injuste
☐ **c** ce pourrait être une occasion de négocier une meilleure tolérance raciale

30 Si l'on choisit miss Univers dans une race de couleur, qu'en pensez-vous ?

☐ **a** d'accord, si elle est la plus belle
☐ **b** seules les femmes blanches sont belles
☐ **c** oui, si elle n'est pas trop colorée

31 Le métissage est :

☐ **a** une solution à l'échelle mondiale
☐ **b** un progrès à rebours, je suis contre
☐ **c** c'est une question individuelle

32 Toutes les races sont-elles égales ?

☐ **a** oui
☐ **b** non
☐ **c** oui, en principe. C'est pour des conditions d'éducation et de civilisation qu'elles sont inégales

33 Les tabous sexuels sont-ils liés à la question raciale ?

☐ **a** oui
☐ **b** non
☐ **c** je suis contre les tabous, mais pour la ségrégation sexuelle des races

34 Un mariage interracial peut-il être heureux et réussi ?

☐ **a** oui
☐ **b** la différence raciale est un handicap insurmontable
☐ **c** c'est un handicap supplémentaire à surmonter

35 Si votre fille était enceinte d'un Noir, préféreriez-vous ?

☐ **a** un mariage ?
☐ **b** un avortement ?
☐ **c** un abandon ?

36 Les attitudes d'accueil et d'hébergement des étrangers en France doivent être :

☐ **a** élargies ?
☐ **b** réduites ?
☐ **c** aménagées ?

37 Quelle est votre attitude en matière de salaire ?

☐ **a** le salaire doit être égal quelle que soit la race
☐ **b** le salaire doit être égal à équivalence de compétence et de service
☐ **c** le salaire doit être plus élevé pour un Français

38 Un mariage interracial est-il plus difficile selon le côté (mari ou femme) de la couleur ?

☐ **a** de toute façon, c'est une erreur
☐ **b** entre une femme blanche et un homme de couleur
☐ **c** c'est l'inégalité culturelle et sociale qui compte d'abord

39 Si vous deviez adopter un enfant, adopteriez-vous :

☐ **a** un enfant de votre race ?
☐ **b** un enfant malheureux qui aurait besoin de parents, mais pas trop coloré ?
☐ **c** un enfant, quelle que soit sa couleur ?

40 Quatre travailleurs africains sont récemment morts intoxiqués par un poêle au tirage défectueux. Pensez-vous :

☐ **a** c'est la malchance, c'est un regrettable accident ?
☐ **b** c'est notre faute ?
☐ **c** ils n'avaient qu'à rester chez eux ?

41 Les travailleurs étrangers doivent-ils

☐ **a** être éduqués et faire l'objet d'une promotion professionnelle ou sociale ?
☐ **b** rentrer chez eux ?
☐ **c** accepter le statu quo car, s'ils viennent chez nous, c'est finalement qu'ils y sont mieux que chez eux ?

42 A l'O.N.U., à votre avis, y a-t-il :

☐ **a** égalité normale entre tous les partenaires ?

☐ **b** trop de petits peuples africains admis à égalité avec les grandes puissances ?

☐ **c** pas assez de voix du tiers monde ?

---

43 La chanteuse noire Joséphine Baker a adopté de nombreux enfants de toutes les couleurs. Mais, finalement, son expérience au domaine des Milandes s'est soldée par une vente forcée.

☐ **a** sa tentative est magnifique

☐ **b** elle a fait faillite, c'était inévitable

☐ **c** elle a peut-être voulu trop faire ; il semble y avoir eu des causes d'échec, telles que des fautes de gestion, sans rapport avec cette expérience multiraciale

---

44 Pensez-vous que deux cultures soient un handicap supplémentaire dans un mariage interracial ?

☐ **a** oui

☐ **b** non

☐ **c** tout dépend de la culture

---

45 Pensez-vous que les Noirs, et les peuples de couleur en général sont :

☐ **a** bons et tolérants ?

☐ **b** aigris et revanchards ?

☐ **c** c'est une question d'individus, comme dans toutes les races ?

---

46 Pensez-vous qu'il y ait un complexe de revanche dans un mariage interracial ?

☐ **a** oui, si la femme est blanche

☐ **b** c'est possible

☐ **c** je ne vois pas pourquoi

Résultats

Dans les colonnes du tableau ci-dessous, entourez d'un cercle la lettre a, b ou c qui correspond à votre réponse à chacune des différentes questions.

Question	Votre réponse			Question	Votre réponse		
	I	II	III		I	II	III
1	a	b	c	25	c	a	b
2	a	c	b	26	b	c	a
3	b	a	c	27	c	b	a
4	a	c	b	28	a	c	b
5	a	c	b	29	b	c	a
6	a	c	b	30	b	c	a
7	a	b	c	31	b	c	a
8	a	c	b	32	b	c	a
9	b	a	c	33	a	b	c
10	b	a	c	34	b	c	a
11	c	b	a	35	c	b	a
12	a	c	b	36	b	c	a
13	a	b	c	37	c	b	a
14	c	b	a	38	a	b	c
15	b	a	c	39	a	b	c
16	a	c	b	40	c	a	b
17	a	c	b	41	b	c	a
18	c	b	a	42	b	a	c
19	c	b	a	43	b	c	a
20	b	a	c	44	b	a	c
21	c	b	a	45	b	c	a
22	c	b	a	46	a	c	b
23	b	a	c	Total			
24	a	c	b				

Chaque colonne représente trois attitudes vis-à-vis du fait racial :

La colonne I ; exprime un racisme élémentaire « de peau », viscéral, fait d'idées reçues, de préjugés, de réflexes plus ou moins conditionnés.

La colonne II : exprime un certain racisme, mais avec tolérance, réalisme, ouverture d'esprit, nuances ; c'est, en quelque sorte, un « racisme éclairé ».

La colonne III : traduit une ouverture extrême. Elle exprime l'absence de tout préjugé racial, peut-être même un préjugé inverse favorable. Les tendances au prosélytisme sont manifestes.

En ce qui vous concerne :

La colonne I domine : vous êtes raciste, c'est indiscutable. C'est d'ailleurs votre droit : mais attention ! pensez que les camps d'extermination, « la solution finale », les gérocides ont commencé ainsi. Le rassemblement de « racistes bien tranquilles » a promu le climat qui a permis de telles « solutions ». Regardez-vous objectivement : est-ce vraiment cela que vous souhaitez ? Trop de tendances actuelles apparaissent menaçantes pour qu'il ne soit pas superflu de formuler un avertissement. Nous ne sommes pas ici des moralistes : c'est dans un esprit de connaissance que nous vous conseillons d'élargir votre culture, de rejeter les idées reçues et les préjugés. Une plus grande tolérance vis-à-vis d'autrui vous enrichira, et vous et votre famille en serez finalement les bénéficiaires.

La colonne III domine : vous n'avez, semble-t-il, que des préjugés favorables vis-à-vis des autres races. Bravo ! Mais attention : mis au pied du mur, le sauteriez-vous ? Ces sentiments généreux sont-ils inspirés par l'expérience vécue ? Y résisteraient-ils ?

La colonne II domine : vous êtes équilibré, ouvert, vous n'êtes pas néanmoins dépourvu de racisme, mais qui peut le prétendre ? Approfondissez le problème. Eliminez encore certains préjugés, un certain esprit de caste : vous élargirez ainsi votre personnalité.

Le problème n'est pas finalement d'abolir les races, mais de les harmoniser. Il faut d'abord donner à toutes les mêmes droits effectifs dans le travail comme dans les loisirs. Le traitement du racisme — comme de son sous-produit, la xénophobie, et de tous les esprits de caste et de clocher — passe avant tout par l'éducation : c'est elle qui nous enseigne l'identité biologique de l'homme, le caractère cyclique et la décadence des civilisations qui doivent nous inspirer à tous une judicieuse modestie.

Il convient aussi de rappeler qu'en France nous n'avons pas eu (encore) à nous confronter avec un problème majeur. Mais si la « cote d'alerte » était atteinte (les sociologues la situent aux alentours de 10 pour cent d'éléments étrangers), la situation pourrait se modifier, et nous risquerions de connaître un problème comme celui qui se pose à l'heure actuelle en Angleterre. Plutôt que de donner des leçons aux autres, et de jeter des interdits, souhaitons et faisons en sorte que notre pays demeure un exemple contagieux de tolérance.

Etes-vous superstitieux?

La superstition, affirme le dictionnaire Larousse, « prête un caractère sacré à de vaines circonstances ». Elle serait fondée « sur la crainte et l'ignorance ». Nous ne savons pas tout et, parfois, l'inquiétude nous étreint. C'est dire que nous risquons tous un jour ou l'autre de glisser dans la superstition. Mais notre raison, notre sens critique veillent et, plus ou moins vite, remettent les choses en place. Plus ou moins vite, car cela dépend des tempéraments. Certains esprits vivent et se complaisent dans le merveilleux, alors qu'à l'opposé d'autres livrent à tout moment un combat sans merci contre lui. Les premiers sont superstitieux, les seconds se disent rationalistes. Toutefois, les premiers objectent aux seconds qu'ils n'ont rien compris aux vrais secrets cachés dans l'Univers. Cela ressemble fort à un dialogue de sourds ! Mais peu importe ici. Notre test a pour but de vous faire prendre conscience de votre tendance la plus fréquente : le rationnel ou le merveilleux.

Chaque question comporte deux réponses possibles. Cochez la lettre a ou b placée devant la réponse qui s'accorde le mieux avec la ligne générale de votre façon d'être ou de penser. Répondez avec spontanéité et franchise.

1 Pensez-vous que les saisons ne sont plus aussi marquées aujourd'hui qu'elles l'étaient autrefois ?

☐ **a** elles sont moins marquées qu'autrefois
☐ **b** elles sont toujours les mêmes

2 Après une visite chez votre médecin, vous sentez-vous, en général, déjà mieux ?

☐ **a** oui
☐ **b** non

3 On parle souvent, en mathématiques, des « lois du hasard ». Pensez-vous que ces lois existent vraiment ?

☐ **a** oui
☐ **b** non

4 Le fait d'apprendre que vous êtes 13 à table nuit-il, si peu que ce soit, à votre plaisir ?

☐ **a** oui
☐ **b** non

5 Que pensez-vous de l'efficacité des souhaits (« bonne année », « bonne chance », etc.) ?

☐ **a** s'ils se révèlent efficaces, c'est pour des raisons purement psychologiques
☐ **b** il est probable que, en général, ces souhaits jouent le rôle de porte-bonheur

6 Quelle est à votre avis la meilleure définition de la malchance ?

☐ **a** c'est une impuissance à saisir les bonnes occasions
☐ **b** une force adverse contre laquelle il n'y a rien à faire

7 Tout le monde « touche du bois » ostensiblement pour prévenir un malheur éventuel. Mais en agissant ainsi :

☐ **a** plaisantez-vous sans arrière-pensée ?
☐ **b** gardez-vous, derrière la tête, l'idée qu'après tout il vaut mieux mettre toutes les chances de son côté ?

8 Connaissez-vous votre signe zodiacal de naissance ?

☐ **a** oui
☐ **b** non

9 De ces deux pensées opposées, laquelle vous paraît receler le plus de vérité ?

☐ **a** « Trop de gens croient que les « Anciens ont tout inventé » (Paul Valéry)
☐ **b** « Il n'y a de nouveau que ce qui a été oublié » (Mlle Bertin)

10 Au jeu de la roulette, existe-t-il, selon vous, des martingales mathématiques réellement payantes, à condition de jouer longtemps ?

☐ **a** oui
☐ **b** non

11 Dans des moments d'inquiétude ou de fatigue, êtes-vous sujet à accomplir cer-

tains rituels pour vaincre le mauvais sort, croiser les doigts, etc.) ?

☐ **a** quelquefois
☐ **b** jamais

---

12 Avez-vous remarqué dans votre vie des « coïncidences » vraiment trop fortes pour être attribuées au pur hasard ?

☐ **a** oui
☐ **b** non

---

13 A quelle forme littéraire êtes-vous le plus sensible ?

☐ **a** à un poème surréaliste
☐ **b** à un essai historique

---

14 De ces grandes conceptions sur l'avenir du monde, qui se heurtent sans jamais se convaincre, laquelle a, à votre avis, le plus de chance d'être vraie ?

☐ **a** la doctrine de l'évolution
☐ **b** la doctrine de l'éternel retour

---

15 Avez-vous constaté la justesse de certains dictons anciens sur le temps (saints de glace, etc.) ?

☐ **a** jamais
☐ **b** parfois

---

16 On a dit que ceux qui avaient ouvert le tombeau de Toutankhamon étaient morts prématurément, de façon mystérieuse. Qu'en pensez-vous ?

☐ **a** on aurait tendance à penser à une réelle malédiction
☐ **b** le fait n'est pas établi et ce n'est peut-être qu'une pure fable

---

17 A-t-on, en science, le droit exceptionnel de refuser *a priori* l'existence d'un phénomène par trop de côtés complètement invraisemblable (lévitation, par exemple) ?

☐ **a** oui
☐ **b** non

---

18 Hésitez-vous réellement à allumer trois cigarettes avec la même allumette ?

☐ **a** oui
☐ **b** non

---

19 Transports et accidents : dans lequel de ces deux cas éprouvez-vous le plus d'appréhension ?

☐ **a** à la pensée de prendre la route au volant de votre voiture
☐ **b** à la pensée de monter dans un avion et de voyager par les airs

---

20 Votre expérience personnelle vous porte-t-elle à admettre qu'il peut y avoir des nombres plus favorables que d'autres ?

☐ **a** oui
☐ **b** non

---

21 Evitez-vous de vous habiller avec des vêtements d'une certaine couleur, moins favorable qu'une autre ?

☐ **a** oui
☐ **b** non

22 De ces deux conceptions du destin, laquelle vous paraît la plus proche de la réalité ?

☐ **a** « Le caractère de l'homme fait son destin » (Héraclite)
☐ **b** « La fortune est aveugle » (proverbe)

23 Avez-vous eu l'occasion de faire établir votre horoscope, ou aimeriez-vous le faire établir si vous en aviez l'occasion ?

☐ **a** oui
☐ **b** non

24 Si l'on regarde fixement une personne qui nous tourne le dos et ne nous voit pas, a-t-elle malgré tout tendance à se retourner ?

☐ **a** cela arrive quelquefois
☐ **b** si cela se produit, le hasard seul en est la cause

25 Si d'aventure vous prenez un billet de loterie, choisissez-vous avec soin un billet se terminant par un chiffre plutôt que par un autre ?

☐ **a** oui
☐ **b** non

26 Est-il, à votre avis, établi que la Lune exerce une influence mystérieuse sur les malades mentaux ?

☐ **a** oui
☐ **b** cela n'a jamais été démontré

27 Une échelle se trouve sur votre chemin. Bien que vous ayez la possibilité de passer dessous, vous l'évitez. Pourquoi ? (Répondez franchement)

☐ **a** parce que je peux, réellement, recevoir quelque chose sur la tête
☐ **b** parce qu'on dit que cela porte malheur

28 On constate parfois dans notre vie des « séries noires ». On dit : « Un malheur ne vient jamais seul. »
Quelle est votre interprétation de ce phénomène ?

☐ **a** la cause en est purement psychologique
☐ **b** on aurait tendance à invoquer une influence néfaste contre laquelle il serait difficile de lutter

29 Descartes a écrit un jour que ce que l'on fait dans l'enthousiasme a tendance à nous réussir beaucoup mieux, même s'il s'agit d'un jeu de hasard.
L'avez-vous constaté ?

☐ **a** oui
☐ **b** non

30 Connaissez-vous un nombre suffisamment grand de prédictions qui se sont vérifiées de façon surprenante ?

☐ **a** j'en connais très peu, sinon pas du tout
☐ **b** je connais plusieurs cas que le hasard ne peut pas expliquer

31 Bien que l'Eglise ne lui octroie pas de valeur dans ce cas, avec-vous un saint Christophe dans votre voiture ?

☐ **a** oui
☐ **b** je n'ai jamais eu de saint Christophe dans ma voiture

32 Savez-vous tirer les cartes (même pour vous amuser) ?

☐ **a** oui
☐ **b** non

33 Si vous en aviez la possibilité, aimeriez-vous savoir d'avance ce que l'avenir vous réserve, ou vous fiez-vous à votre génie personnel pour infléchir le cours du destin ?

☐ **a** savoir d'avance
☐ **b** me fier à moi-même

34 On dit que les sorciers africains possèdent parfois de véritables dons pour guérir les malades

☐ **a** je pense que c'est établi
☐ **b** à mon avis, ce ne sont que des contes de bonnes femmes

35 Chaque peuple a ses légendes. Pensez-vous que :

☐ **a** ces légendes recèlent sur l'histoire de ces peuples d'importantes vérités qui sont à jamais perdues ?
☐ **b** rien ne remplace l'histoire et l'archéologie pour en savoir plus long sur nos lointains ancêtres ?

36 Certains de vos rêves les plus impressionnants n'ont-ils pas recelé, parfois, quelques éléments prémonitoires ?

☐ **a** parfois, oui
☐ **b** en aucun cas

37 Certaines personnes croient qu'il y a relation entre le prénom et le caractère d'un individu. Qu'en pensez-vous ?

☐ **a** absolument rien ne permet d'admettre une telle relation
☐ **b** j'avoue avoir plusieurs fois constaté cette relation

38 Préférez-vous penser que chacun d'entre nous possède une certaine prédestination qui guide les actes de sa vie, ne nous rendant ainsi qu'en partie responsables ?

☐ **a** je préfère croire à la prédestination
☐ **b** je préfère penser que je reste maître de mes actes, bons ou mauvais

39 Visitant un lieu inconnu de

vous, avez-vous ressenti parfois l'impression étrange du « déjà vu », comme si vous possédiez une prescience du décor que vous avez devant vous ?

☐ **a** j'ai ressenti cette impression
☐ **b** je n'ai jamais ressenti cette impression

40 Croyez-vous à la vertu de certains régimes alimentaires très stricts (végétarien, par exemple) permettant de vivre jusqu'à un âge avancé ?

☐ **a** je pense en effet que certains aliments (la viande, par exemple) sont nuisibles à l'homme
☐ **b** rien ne vaut une nourriture équilibrée ; sans cela, l'organisme risque de souffrir de carences

41 Croyez-vous qu'à l'heure actuelle on puisse prévoir le temps qu'il fera un mois à l'avance ?

☐ **a** oui
☐ **b** non

42 Avez-vous, à un moment quelconque de votre vie, gardé sur vous quelque objet (bijou, lettre, etc.) qui vous semblait posséder des vertus bénéfiques ?

☐ **a** oui, quelquefois
☐ **b** non, jamais

43 Voici l'une des plus célèbres prophéties de Nostradamus :

« De nuit viendra
          par la forêt de Reines
» Deux pars voltorte
          Herne la pierre blanche
» Le moine noir en gris
          dedans Varennes
» Elu cap. cause tempête,
          feu, sang, tranche. »

Certains auteurs pensent que la fuite du roi Louis XVI et le sort de la famille royale seraient inscrits dans ces quatre vers. Qu'en pensez-vous ?

☐ **a** ce texte est en effet très étonnant
☐ **b** c'est du charabia sans aucune signification

44 Avez-vous constaté personnellement que le temps changeait plus souvent à la nouvelle lune qu'à d'autres moments ?

☐ **a** il m'a semblé, en effet
☐ **b** non, cela paraît peu vraisemblable

45 Pensez-vous que, pour construire les pyramides, les Egyptiens disposaient de moyens techniques dont le secret s'est perdu ?

☐ **a** je serais tenté de le penser
☐ **b** il n'y a aucun mystère ; ils avaient, à coup sûr, une main-d'œuvre abondante et gratuite

46 Souvent, parlant de la terrible maladie qu'est le cancer, on emploie une périphrase permettant de ne pas pronon-

...

cer le nom même de la maladie. Faites-vous partie de ceux qui agissent ainsi ?

☐ **a** oui
☐ **b** non

---

47 A-t-il été établi, selon vous, que deux personnes nées le même jour de la même année présentent certains parallélismes de destinée ?

☐ **a** cela n'a jamais été établi, bien au contraire
☐ **b** il y a des cas de ressemblances troublantes

---

48 Parlant de la foi, Pascal a écrit : « Le cœur a ses raisons que la raison ne connaît pas. » Qu'en pensez-vous, sur un plan tout à fait général, indépendamment de toute considération religieuse ?

☐ **a** il n'y a rien d'autre de valable que la raison
☐ **b** la foi est une donnée encore plus précieuse que la raison

---

49 On dit que les somnambules sont capables de marcher sur les toits sans tomber, car ils conservent leur équilibre en dormant

☐ **a** c'est parfaitement exagéré
☐ **b** ce phénomène a été plusieurs fois constaté

---

50 Vous est-il arrivé d'ouvrir non pas un livre de Freud ou de Jung, mais un ouvrage populaire du genre *Clef des songes* dans l'espoir de trouver un sens à vos rêves ?

☐ **a** cela m'est arrivé
☐ **b** pour moi, rêves et songes ne sont que mensonges

Résultats

Dans les colonnes du tableau ci-dessous, entourez d'un cercle la lettre (a ou b) qui, pour chaque question, correspond à votre réponse.

Question	Votre réponse I	II
1	a	b
2	a	b
3	b	a
4	a	b
5	b	a
6	b	a
7	b	a
8	a	b
9	b	a
10	a	b
11	a	b
12	a	b
13	a	b
14	b	a
15	b	a
16	a	b
17	b	a
18	a	b
19	b	a
20	a	b
21	a	b
22	b	a
23	a	b
24	a	b
25	a	b
26	a	b

Question	Votre réponse I	II
27	b	a
28	b	a
29	a	b
30	b	a
31	a	b
32	a	b
33	a	b
34	a	b
35	a	b
36	a	b
37	b	a
38	a	b
39	a	b
40	a	b
41	a	b
42	a	b
43	a	b
44	a	b
45	a	b
46	a	b
47	b	a
48	b	a
49	b	a
50	a	b
Total		

A présent, récapitulez vos réponses en notant combien de cercles se trouvent dans chacune des deux colonnes. La colonne I est celle de la superstition ; la colonne II, celle du rationalisme. Selon le nombre de réponses que vous aurez données, dans la colonne I, par exemple, on peut placer votre attitude générale selon une ligne qui va de l'hyperrationalisme jusqu'à la superstition totale :

0	15	25	35	50
hyper-rationalisme	rationalisme fort	attitude moyenne	rationalisme faible	superstition totale

Si vous avez plus de 25 réponses dans la colonne I : votre
disposition d'esprit vous pousse à croire au merveilleux, à accepter parfois certaines idées sans leur appliquer le jugement de
votre sens critique. Cela est évidemment d'autant plus marqué
que votre nombre de réponses dans cette colonne I augmente. Le
chiffre de 35 réponses paraît être la cote d'alerte. Au-dessus,
vous risquez d'être le jouet d'illusions et la victime de charlatans.
Montrez plus de circonspection avant de vous fier à ce que l'on
dit.

Si vous avez moins de 25 réponses dans la colonne I : votre
tendance n'est pas d'accepter le merveilleux sans le passer au
filtre de la critique. Si vous vous situez entre 25 et 20 réponses,
vous êtes dans la moyenne.

Mais les gens étant, en moyenne, assez superstitieux, ce n'est, en
fait, que vers **15 réponses** que l'on peut considérer votre rationalisme comme étant de bonne qualité. L'optimum se situe entre
10 et 5 réponses. En effet, vous gardez dans ce cas une certaine
fantaisie, une certaine ouverture de pensée qui font complètement défaut à la personne qui n'aurait aucune réponse dans cette
colonne. Cet « hyperrationaliste », celui qui répond « oui » à la
question 17, par exemple, risque de voir sa pensée et son action
appauvries par un excès de rationalisme, ce qui, à la limite, serait
une seconde forme de superstition.

Etes-vous équilibré?

Dr J.-L. Arnaud

Dans le langage courant, le mot « équilibré » revient souvent : on parle d'« équilibre biologique », d'« équilibre démographique », de « régime équilibré », de « budget, de personne équilibrés ». Ce leitmotiv revient comme un critère.

L'équilibre de l'être humain apparaît comme la résultante de plusieurs équilibres : équilibre physique, équilibre psychique — qui conditionnent également la santé — enfin, et peut-être surtout, équilibre social pris dans son sens le plus large, « environnemental », pour se référer à un concept à la mode ; l'homme, « animal social », ne saurait exister séparé de son milieu. Un homme véritablement équilibré doit l'être également entre ces trois directions.

A cet élément spatial vient s'ajouter pour les êtres vivants une autre dimension d'équilibre : le temps. L'existence de biorythmes, part du patrimoine génétique et où l'environnement joue le rôle de « synchroniseur », est aujourd'hui scientifiquement démontrée, la désynchronisation devenant synonyme de maladie.

A vous de juger maintenant comment vous vous situez dans cet ensemble multidimensionnel.

Chaque question admet quatre réponses possibles : cochez la lettre a, b, c ou d, placée devant la réponse la plus proche de votre comportement. Choisissez-la sans hésiter, en suivant toujours le premier mouvement.

Votre équilibre physique

1 Tenez-vous debout dans la position dite à « cloche-pied », et fermez les yeux. Pouvez-vous garder cette position :

☐ **a** 30 secondes ?
☐ **b** plus de 20 secondes ?
☐ **c** moins de 10 secondes ?
☐ **d** longtemps ?

2 Dormez-vous :

☐ **a** le plus souvent de façon discontinue, par « petits morceaux » ?
☐ **b** entre 6 et 7 heures ?
☐ **c** de 3 à 11 heures, selon les périodes ?
☐ **d** 8 heures d'affilée ?

3 Au bord d'une falaise, ou sur le balcon très élevé d'un immeuble, éprouvez-vous :

☐ **a** un sentiment de sécurité ?
☐ **b** un certain malaise ?
☐ **c** une répulsion ?
☐ **d** une attirance pour le vide ?

4 Comment est votre poids ?

☐ **a** stable
☐ **b** variable, selon la nourriture
☐ **c** j'ai une tendance persistante à maigrir (ou à grossir)
☐ **d** j'ai un poids « accordéon »

5 Etablissez votre équilibre taille-poids, en utilisant la formule

$$P = \frac{T - 100 + 4p}{2}$$

P étant votre poids, T votre taille (en cm), p votre tour de poignet.

Exemple : si vous mesurez 1 m 65 et que votre tour de poignet est de 15 cm, votre poids (idéal) devrait être :

$$\frac{165 - 100 + 4 \times 15}{2} = 62 \text{ kg } 5$$

La différence entre votre poids idéal et votre poids réel est de l'ordre de :

☐ **a** ± 1 kg
☐ **b** ± 10 kg
☐ **c** ± 5 kg
☐ **d** ± 15 kg

6 La nourriture vous inspire-t-elle :

☐ **a** une fringale irrésistible ?
☐ **b** plutôt du dégoût ?
☐ **c** une satisfaction agréable ?
☐ **d** fringale ou dégoût, voire successivement ?

7 Dans une réunion avec des amis, avez-vous l'habitude de consommer de l'alcool ?

☐ **a** tout de suite et en assez grande quantité
☐ **b** raisonnablement, pas plus de deux verres au cours de la soirée
☐ **c** non, je refuse tout alcool
☐ **d** quand je commence à boire, je ne peux plus m'arrêter

8 Fumez-vous ?

- ☐ **a** moins de 15 cigarettes
- ☐ **b** pas du tout
- ☐ **c** je ne compte plus...
- ☐ **d** 1 à 3 paquets, puis je m'arrête d'un coup

9 Recourez-vous volontiers à des excitants comme le café ?

- ☐ **a** non, j'évite, systématiquement tous les excitants
- ☐ **b** un à deux cafés par jour, au maximum
- ☐ **c** j'ai besoin d'être stimulé en permanence
- ☐ **d** oui, en période de « pointe », je ne « marche » qu'au café

10 Faites-vous usage de médicaments ?

- ☐ **a** jamais, j'ai horreur des drogues, je m'en remets toujours à la nature
- ☐ **b** seulement dans les cas graves et sur conseil de mon médecin habituel
- ☐ **c** j'en prends, hélas ! assez souvent
- ☐ **d** je dois en permanence utiliser des médicaments

11 Faites-vous de la culture physique ?

- ☐ **a** jamais
- ☐ **b** par à-coups et, alors, de façon intensive jusqu'à épuisement
- ☐ **c** dix minutes tous les matins régulièrement
- ☐ **d** de temps en temps

12 Vous couchez-vous :

- ☐ **a** toujours à la même heure ?
- ☐ **b** à des heures régulières, mais selon l'humeur du moment ?
- ☐ **c** toujours très tard (vous n'arrivez pas à vous coucher) ?
- ☐ **d** jamais à la même heure ?

13 Etes-vous sportif ?

- ☐ **a** oui, je pratique régulièrement un sport
- ☐ **b** pas vraiment, mais, quand je peux, pendant les vacances
- ☐ **c** toute activité physique me répugne
- ☐ **d** j'ai pratiqué de nombreux sports que j'ai successivement abandonnés

14 Sur le plan santé, vous considérez-vous comme :

- ☐ **a** doué d'une « santé de fer » ?
- ☐ **b** « patraque » ?
- ☐ **c** pas trop mal partagé (mais, bien sûr, avec des ennuis de santé comme tout le monde) ?
- ☐ **d** un éternel malade ?

15 Comment considérez-vous votre vie sexuelle ?

- ☐ **a** régulière et pleinement satisfaisante
- ☐ **b** variable
- ☐ **c** médiocre
- ☐ **d** je me refuse à répondre à cette question

Votre équilibre psychique

16 Etes-vous capable de vous imposer un effort, une discipline ?

☐ **a** oui, je suis un homme (une femme) de devoir
☐ **b** oui, si cela est nécessaire
☐ **c** tout effort, toute discipline me sont odieux
☐ **d** quelquefois

17 Avant une décision importante, comment vous comportez-vous ?

☐ **a** la première idée est toujours la bonne
☐ **b** je pèse longuement le pour et le contre
☐ **c** je me décide sans difficulté
☐ **d** je n'arrive pas à me décider

18 Comment supportez-vous le bruit ?

☐ **a** le bruit m'est indifférent, je ne m'en rends pas compte
☐ **b** le bruit m'est absolument insupportable dans les moments où je travaille
☐ **c** j'ai constamment besoin de bruit autour de moi
☐ **d** je supporte le bruit, mais je constate que je travaille mieux dans le calme

19 D'une façon générale, comment vous sentez-vous ?

☐ **a** « à plat », déprimé
☐ **b** « à tout casser », survolté
☐ **c** en forme
☐ **d** cela dépend des jours

20 Vous interrogez-vous constamment sur ce que vous avez fait ?

☐ **a** non, les regrets sont stériles
☐ **b** oui, je « rumine » assez facilement le passé
☐ **c** oui, pour les choses très importantes
☐ **d** oui, je ne peux m'en empêcher

21 Devant une importante contrariété, dans une discussion violente, comment réagissez-vous ?

☐ **a** je garde mon sang-froid
☐ **b** j'explose
☐ **c** je m'efforce de me raisonner et de me contenir
☐ **d** je suis paralysé

22 Vivez-vous toujours au même rythme ?

☐ **a** oui
☐ **b** non
☐ **c** cela dépend des circonstances
☐ **d** j'ai des périodes d'activité débordante suivies d'inaction et d'abattement

23 Avant une démarche ou un examen importants, êtes-vous :

☐ **a** mal à l'aise, angoissé ?
☐ **b** insouciant ?
☐ **c** prêt ?
☐ **d** en pleine forme, agréablement excité ?

24 Etes-vous capable de faire plusieurs choses à la fois ?

☐ **a** oui, cela me stimule
☐ **b** oui, mais je ne pense pas que cela soit une bonne solution
☐ **c** je suis incapable de faire plus d'une chose à la fois
☐ **d** ou je me fatigue ou je fais mal les différentes choses

25 Comment vous endormez-vous ?

☐ **a** sitôt les yeux fermés
☐ **b** je me retourne des heures avant de m'endormir, et je dois faire usage de somnifères
☐ **c** selon mon état de fatigue ou d'énervement, ou ce que j'ai mangé et bu au dîner
☐ **d** j'ai absolument besoin de lire avant de m'endormir

26 Aimez-vous la vie ?

☐ **a** oui, je profite pleinement de chaque minute
☐ **b** la vie est pour moi sans attraits
☐ **c** seulement si je me raisonne, par exemple en comparant mon sort à celui de plus défavorisés
☐ **d** il y a de bons et surtout de mauvais passages

27 Eprouvez-vous une certaine anxiété en remplissant ce questionnaire ?

☐ **a** un peu
☐ **b** non
☐ **c** oui
☐ **d** oui, pour certaines questions

28 Vous considérez-vous comme équilibré ?

☐ **a** oui
☐ **b** non
☐ **c** je ne sais pas
☐ **d** je suis profondément déséquilibré

29 L'opinion de votre entourage à ce sujet coïncide-t-elle avec la vôtre ?

☐ **a** oui
☐ **b** plus ou moins
☐ **c** je l'ignore et cela m'est totalement indifférent
☐ **d** les autres me détestent

Votre équilibre social

30 Etes-vous heureux de vous retrouver en famille après le travail ?

☐ **a** oui
☐ **b** cela dépend des jours
☐ **c** non, je préfère rester seul
☐ **d** je dois toujours faire un effort pour me replonger dans l'ambiance familiale

31 Si vous êtes marié, qui prend les décisions financières dans le ménage ?

☐ **a** ma femme (mon mari)
☐ **b** nous les prenons tous les deux en commun
☐ **c** nous n'arrivons jamais à nous mettre d'accord
☐ **d** l'un de nous finit toujours par imposer son point de vue

32 Avez-vous le sentiment d'être incompris au sein de votre famille ?

☐ **a** parfois

☐ **b** non
☐ **c** souvent
☐ **d** personne chez moi ne me
comprend

_____

33 Etes-vous pour ou contre le mariage ?

☐ **a** pour
☐ **b** contre
☐ **c** cela dépend du mariage
☐ **d** je suis pour, quand cela m'arrange

_____

34 Jouez-vous avec vos enfants ?

☐ **a** oui, mais je n'ai pas souvent le temps de le faire
☐ **b** je trouve toujours le temps, c'est indispensable à mon équilibre et à celui des enfants
☐ **c** je ne peux supporter mes enfants qu'un certain temps
☐ **d** mes enfants m'épuisent

_____

35 Quel est, en général, votre comportement en société ?

☐ **a** je me mets toujours en avant
☐ **b** je reste dans mon coin sans parler
☐ **c** je participe toujours avec grand plaisir
☐ **d** je recherche les gens qui m'intéressent et, s'il n'y en a pas, je m'éclipse

_____

36 Comment supportez-vous la solitude de courte durée ?

☐ **a** bien
☐ **b** assez mal

☐ **c** j'aime la solitude, d'ailleurs on est toujours seul
☐ **d** je ne peux demeurer seul

_____

37 Quelle est votre attitude vis-à-vis des personnes qui vous sont totalement inconnues ?

☐ **a** j'adore les gens et j'ai toujours plaisir à faire de nouvelles connaissances
☐ **b** cela dépend bien sûr des personnes
☐ **c** indifférente : les autres m'ennuient
☐ **d** j'ai plutôt tendance à être mal à l'aise en présence de personnes que je ne connais absolument pas

_____

38 Etes-vous satisfait de votre travail ?

☐ **a** plus ou moins
☐ **b** oui
☐ **c** non
☐ **d** oui, si je le compare à certains autres

_____

39 Combien d'heures travaillez-vous par jour ?

☐ **a** environ 8 heures
☐ **b** jour et nuit parfois, puis il faut que je m'arrête
☐ **c** de toute façon, je travaille trop
☐ **d** j'ai le sentiment de n'avoir jamais fini mes journées

_____

40 Considérez-vous votre salaire :

☐ **a** mérité ?
☐ **b** trop bas ?

□ **c** correct ?
□ **d** trop élevé pour votre valeur ?

41 Supposez que, demain, la
semaine de travail se réduise
à trois jours. Quelle serait
votre attitude ?

□ **a** je ne sais pas ce que je
ferais de mon temps libre
□ **b** je sais exactement ce que je
ferais
□ **c** je serais un peu désorienté
au début, mais je crois que je
m'organiserais
□ **d** trois jours de travail, ce
serait encore trop...

42 Savez-vous vous détendre et
rester sans rien faire ?

□ **a** cela m'arrive rarement
□ **b** oui, je suis vraiment « décontracté »
□ **c** jamais
□ **d** je peux rester sans rien faire, mais je ne sais pas me
détendre

43 Combien de livres lisez-vous
en moyenne chaque année ?

□ **a** une dizaine, mais importants
□ **b** je n'ai jamais le temps de
lire
□ **c** je dévore tout ce qui me
tombe sous la main
□ **d** vingt livres en moyenne

44 Sortez-vous souvent le soir ?

□ **a** jamais
□ **b** une ou deux fois par semaine

□ **c** tous les soirs, je ne peux
rester enfermé...
□ **d** seulement quand j'en ai
l'occasion

45 Avez-vous un intérêt en dehors de votre travail ?

□ **a** oui, mais je change souvent
□ **b** oui
□ **c** non
□ **d** je ne pourrais pas me passer d'un « hobby »

46 Combien de soirées par semaine regardez-vous la télévision ?

□ **a** deux ou trois fois en
moyenne
□ **b** je n'ai pas la télévision
□ **c** seulement si les émissions
sont intéressantes
□ **d** tous les soirs

47 Assistez-vous volontiers à des
conférences, allez-vous à des
expositions, au concert ?

□ **a** oui
□ **b** j'ai tout ce qu'il me faut à
la maison : pourquoi irais-je
ailleurs ?
□ **c** j'adore sortir, fréquenter des
réunions ; encore faut-il
qu'elles soient intéressantes
□ **d** il faut que je sorte

48 Pratiquez-vous un sport de
groupe ?

□ **a** j'ai toujours aimé pratiquer
des sports d'équipe
□ **b** j'ai besoin du contact des
autres

☐ **c** non, mais sans raison

☐ **d** je n'ai pas l'esprit d'équipe

---

49 Que pensez-vous des week-ends ? En profitez-vous pour partir ?

☐ **a** indispensables, il faut absolument que je m'évade

☐ **b** je ne déteste pas les week-ends, mais il n'est pas toujours possible d'en prendre, et je n'en ai pas les moyens

☐ **c** j'ai trop à faire pour penser aux week-ends

☐ **d** je hais les dimanches

---

50 Prenez-vous des vacances ?

☐ **a** je suis très bien à la maison et n'ai pas besoin de vacances

☐ **b** je ne vis que pour les vacances ; sans vacances, mon travail n'a plus de but

☐ **c** vive les vacances ! mais il y a un temps pour tout

☐ **d** j'ai pris une fois un jour de vacances, et je l'ai regretté

---

51 Quelle est finalement votre attitude vis-à-vis des autres ?

☐ **a** toujours angoissée

☐ **b** dominatrice

☐ **c** le contact des autres m'enrichit

☐ **d** en retrait par rapport aux autres

Résultats

Les tableaux ci-dessous regroupent les quatre positions du questionnaire. Entourez d'un cercle la lettre a, b, c ou d qui correspond à votre réponse la plus proche pour chaque question. Faites les totaux partiels, puis le total général.

Votre équilibre physique A

QUESTION	Votre réponse			
	I	II	III	IV
Equilibration				
1	d	a	b	c
2	d	b	c	a
3	a	b	c	d
Poids et nourriture				
4	a	b	d	c
5	a	b	c	d
6	c	a	b	d
Tonus				
7	b	c	a	d
8	b	a	c	d
9	b	a	c	d
Activité physique et santé				
10	b	c	a	d
11	c	d	a	b
12	a	b	c	d
13	a	b	d	c
14	a	c	b	d
15	a	b	d	c
Total partiel A				

Votre équilibre psychique B

QUESTION	Votre réponse			
	I	II	III	IV
Volonté				
16	a	b	d	c
17	c	b	a	d
Humeur et émotivité				
18	a	d	c	b
19	c	d	b	a
20	a	c	d	b
21	a	c	b	d
22	a	c	b	d
23	d	c	b	a
24	a	b	d	c
25	a	c	d	b

QUESTION	Votre réponse			
	I	II	III	IV
26	a	c	d	b
27	b	a	d	c
28	a	c	b	d
29	a	b	c	d
Total partiel B				

Votre équilibre social C

QUESTION	Votre réponse			
	I	II	III	IV
Votre famille				
30	a	b	d	c
31	b	a	d	c
32	b	a	c	d
33	a	c	d	b
34	b	a	c	d
Les autres				
35	c	d	a	b
36	a	b	c	d
37	a	b	d	c
Votre travail				
38	b	d	a	c
39	a	c	b	d
40	a	c	b	d
41	b	c	a	d
42	b	d	a	c
Culture et loisirs				
43	a	d	c	b
44	b	d	c	a
45	b	a	d	c
46	a	c	d	b
47	a	c	b	d
48	a	b	c	d
49	a	b	c	d
50	c	a	b	d
51	c	d	b	a
Total partiel C				

	I	II	III	IV
Total partiel (A)				
Total partiel (B)				
Total partiel (C)				
Total général				

Voilà l'inventaire terminé. C'est, vous l'aurez remarqué, un peu artificiellement, que des divisions ont été placées entre physique, psychique et social ; en réalité, ces domaines se chevauchent : le sommeil, la fatigue sont autant psychiques que physiques, loisirs et vacances participent aux trois groupes...

Cela étant précisé, les quatre colonnes de résultats représentent dans chaque groupe (physique, psychique, social) quatre positions d'équilibre (I : « suréquilibre », II : « bon équilibre », III : « équilibre instable », IV : « déséquilibre net »).

La colonne I domine : aucune hésitation possible, si vous avez répondu en toute franchise et sans complaisance à notre questionnaire : vous êtes d'un équilibre à toute épreuve. Vous êtes presque un « cas », dans une époque aussi mouvante que la nôtre, un peu comme ces personnes « qui ont le complexe de n'en pas avoir », et nous espérons, dans le fond, que vous n'avez pas été tout à fait objectif dans vos réponses. Un tel équilibre est, en effet, peut-être par trop admirable, trop parfait ; l'homme a besoin d'un peu de fantaisie et, sans vouloir vous offenser, vous êtes un personnage un peu solennel, et finalement un peu ennuyeux. Faites de temps en temps quelque chose d'un peu déraisonnable, vous verrez comme cela fait du bien...

La colonne II domine : votre personnalité est vraiment bien équilibrée, vous réagissez normalement aux contraintes sociales et aux nuisances de la vie quotidienne, tout en sachant vous y adapter. Vous êtes souple, malléable, moderne en un mot.

La colonne III domine : vous êtes équilibré, mais à la limite. Vous parvenez à rétablir en quelque sorte « un équilibre dans le déséquilibre », ce qui n'est peut-être pas tellement loin de la réalité. Pour la philosophie chinoise traditionnelle, il y a toujours un peu de *yin* dans le *yang* et réciproquement...

La colonne IV domine : peut-être votre jugement sur vous-même est-il un peu trop pessimiste, mais le pessimisme n'est-il pas déjà une certaine forme de déséquilibre ? Vous vous sentez « mal dans votre peau », des expériences successives ont installé chez vous un sentiment d'échec, et par là même d'angoisse auto-entretenue. Vous êtes un candidat possible à la « dépression », aux névroses. Votre analyse montre cependant que vous êtes très conscient, et vous êtes donc tout à fait capable de réagir et de recréer votre propre équilibre.

Avant toute chose, repartez de zéro et refaites ce test en toute objectivité, sans « complexe », sans vous influencer de façon défavorable. Si, en seconde lecture, la colonne de droite domine toujours, il faut absolument réagir. Il existe de sérieux conflits de tendances au sein de votre personnalité. Vous êtes généralement « désynchronisé » par rapport au monde qui vous entoure. Il faut d'abord bien analyser les origines de ces différents conflits, qui ne sont pas forcément évidents, et, si cela dépend d'abord de vous, il se peut que vous ayez besoin de l'assistance et des conseils d'un psychologue. Parallèlement à cette analyse, organisez différemment votre existence. Selon les points qui laissent à désirer, créez-vous de nouvelles habitudes alimentaires (solide petit déjeuner « à l'anglaise », déjeuner « équilibré » dîner frugal) ; planifiez, « managez » votre travail, faites cinq minutes de gymnastique tous les jours ; faites également de la relaxation, du yoga... Imposez-vous une certaine discipline d'endormissement, des contacts en dehors de votre travail ; sachez prendre un week-end par mois pour commencer — le monde ne s'écroulera pas sans vous... Enhardissez-vous et prenez pour une fois de vraies vacances ; envisagez même de les prendre dans un club de vacances où vous rencontrerez des gens différents. Mettez de la gaieté dans votre vie, et vous lirez dans les yeux de votre entourage combien votre existence devient plus harmonieuse.

Jusqu'à présent, nous avons considéré vos réponses d'une façon globale. C'est une approche un peu sommaire, et des totaux partiels sont nettement plus significatifs. Faites-les. En effet, un déséquilibre physique prédominant, par exemple, va fausser le compte et faire pencher la balance vers la droite. Il est bien évident que le pivot de l'équilibre demeurera l'équilibre psychique : il conditionne un fonctionnement organique harmonieux, et des relations positives avec l'entourage, mais d'un autre côté, une mauvaise santé, un handicap physique ont toute leur importance. Une remarque à ce propos : l'équilibration proprement dite a son centre dans le cervelet, et les canaux semi-circulaires de l'oreille interne peuvent être comparés à de véritables gyroscopes qui transmettent à chaque instant au centre des informations sur notre position dans l'espace, se comportant de plus comme des « correcteurs d'assiette ». Un mauvais fonctionnement du foie et de la vésicule biliaire, des troubles circulatoires tels que ceux entraînés par l'arthrose des vertèbres cervicales sont encore autant de facteurs à explorer dans le cas de troubles de l'équilibre.

Etre équilibré, c'est en somme réaliser une synthèse harmonieuse entre le corps, l'esprit et leur insertion dans un ensemble social. C'est, bien sûr, une gageure, mais peut-être ce test pourra-t-il vous y aider.

Si, finalement, votre équilibre demeure précaire... sachez tirer profit de vos défauts : le monde a été fait par des femmes et des hommes, célèbres... pour leur manque d'équilibre.

Quel genre de parent êtes-vous ?

Vous avez des enfants ou vous n'en avez pas. Ou encore vous en avez eu, mais il y a un bon moment qu'ils vous ont quitté. Peu importe. Ce que ce test vous propose, ce n'est pas de vous interroger sur un comportement, une technique particuliers à utiliser pour bien élever des enfants. C'est plutôt une réflexion sur votre attitude en général envers vos proches, et surtout envers ceux que vous pouvez dominer.

Si vous avez des enfants à élever en ce moment, cette ré-flexion peut vous aider à choisir la meilleure voie pour les guider sans les heurter. Car il est bien certain que la jeunesse actuelle est « contestataire » et ne se fie pas facilement à l'expérience des adultes pour trouver sa voie. Et pourtant, elle a toujours aussi grand besoin qu'autrefois de cette expérience pour guider ses premiers pas dans la vie.

Si vous n'avez pas d'enfants, vous pouvez trouver de l'intérêt à réfléchir sur vos réactions naturelles à l'égard de vos proches ou de vos subordonnés... ou de vos futurs enfants... ou de vos enfants dans le passé... Les quelques remarques placées après la grille de correction de ce questionnaire pourront vous aider à définir votre conduite habituelle, et à améliorer vos contacts avec votre entourage.

Chaque question comporte trois réponses possibles. Cochez la lettre a, b ou c placée devant la réponse qui s'accorde le mieux avec votre façon de penser. Choisissez votre réponse rapidement en suivant votre premier mouvement. Les choix les plus sponta-nés sont en général les plus significatifs.

1 Quand vous allez au spectacle avec quelqu'un :

☐ **a** vous préférez choisir le spectacle en fonction de ses goûts

☐ **b** vous essayez de le convaincre d'aller à un spectacle de votre goût

☐ **c** vous ne choisissez guère, mais allez voir ce qui est à la mode du jour

2 Vous préférez que votre emploi du temps :

☐ **a** soit chaque jour bien réglé d'avance pour plus d'efficacité

☐ **b** ne soit pas réglé d'avance, pour laisser place à vos fantaisies du moment

☐ **c** comporte des moments de liberté alternant avec des occupations réglées d'avance

3 Avez-vous jamais violé aucune des lois de la société ?

☐ **a** non, jamais, pour autant que c'était en mon pouvoir

☐ **b** si, parfois, lorsque c'était mon intérêt et que cela comportait peu de risques

☐ **c** si, le plus souvent possible, car j'aime mon indépendance et je méprise la société

4 Aimez-vous jouer avec des enfants ?

☐ **a** j'adore cela

☐ **b** je n'aime pas cela du tout

☐ **c** s'ils me sollicitent, je me laisse entraîner à participer à leurs jeux, mais sans grand plaisir

5 Lorsque vous jouez avec des enfants, prenez-vous la direction de leurs jeux ?

☐ **a** oui, en tant qu'adulte, cela me paraît normal

☐ **b** pas toujours, cela dépend du jeu qu'ils proposent

☐ **c** surtout pas, c'est à eux de décider ce qu'ils veulent faire

6 Aimez-vous acheter des cadeaux à vos enfants ou à ceux de vos amis ?

☐ **a** oui, cela m'amuse, mais je n'y pense pas toujours en temps voulu

☐ **b** oui, cela m'amuse, mais je me retiens pour ne pas trop les gâter : de nos jours, les enfants reçoivent trop de jouets

☐ **c** cela ne m'amuse pas, mais je le fais quand même

7 Lorsque vous achetez un cadeau, vers quel genre vont vos préférences ?

☐ **a** n'importe quoi ; tous les genres me paraissent susceptibles d'amuser ; je me laisse guider par les circonstances

☐ **b** je cherche un cadeau utile et résistant, en espérant qu'il n'ira pas tout de suite à la corbeille à papier : les enfants sont si inconstants, et ne pensent qu'à tout casser

☐ **c** j'essaie d'avoir l'occasion

d'interroger l'enfant pour connaître et satisfaire ses goûts

8 Quelles sont les 3 principales qualités que vous appréciez le plus chez un enfant ?

- ☐ 1. la docilité
- ☐ 2. la gaieté
- ☐ 3. la spontanéité
- ☐ 4. la sociabilité
- ☐ 5. l'activité
- ☐ 6. l'indépendance
- ☐ 7. l'application
- ☐ 8. la créativité
- ☐ 9 le charme de la jeunesse
- ☐ 10. l'admiration pour les adultes
- ☐ 11. la curiosité pour ce qui l'entoure
- ☐ 12. le désir d'être guidé
- ☐ 13. la capacité de prendre des initiatives
- ☐ 14. la douceur
- ☐ 15. l'absence d'idées toutes faites

9 Quels sont les 3 principaux défauts que vous supportez le moins bien chez un enfant ?

- ☐ 1. insolent
- ☐ 2. accapareur
- ☐ 3. exigeant
- ☐ 4. versatile
- ☐ 5. bruyant
- ☐ 6. dépendant
- ☐ 7. désobéissant
- ☐ 8. chapardeur
- ☐ 9. capricieux
- ☐ 10 susceptible
- ☐ 11. pleurnicheur
- ☐ 12. rapporteur
- ☐ 13. anxieux

- ☐ 14. colérique
- ☐ 15. raisonneur

10 Pensez-vous que, pour plaire à un groupe d'adolescents aux activités desquels il prend part, le rôle de l'adulte soit, de préférence :

- ☐ a de prendre les décisions, les initiatives ?
- ☐ b de jouer le rôle d'un membre du groupe, sans en faire davantage que les autres membres ?
- ☐ c de laisser toute liberté aux membres du groupe, sans intervenir personnellement ?

11 Pensez-vous que, pour l'éducation de l'enfant, le meilleur climat familial soit :

- ☐ a des parents très conciliants ?
- ☐ b des parents qui écoutent l'enfant et cherchent à comprendre sa personnalité, tout en faisant respecter certaines règles ?
- ☐ c des parents qui inspirent surtout la confiance par leur autorité et le respect des règles sociales ?

12 « On devrait être plus poli encore avec quelqu'un qu'on aime qu'avec des étrangers. » Pensez-vous que c'est une règle à apprendre aux enfants ?

- ☐ a oui, cela rendrait la vie familiale plus agréable
- ☐ b c'est un idéal impossible à atteindre dans la vie prati-

que ; inutile de s'essouffler à courir après

☐ **c** non, trop de politesse introduit trop de distance entre les membres d'une famille

_____   _____

13 Il est bon d'enseigner aux garçons des attitudes et des jeux de garçon, aux filles des attitudes et des jeux de fille :

☐ **a** non, chaque enfant n'a qu'à suivre sa personnalité, sans tenir compte de ces conventions

☐ **b** oui, si l'on veut faire le maximum pour qu'ils s'insèrent facilement dans notre société

☐ **c** la société actuelle donne beaucoup plus de latitude qu'autrefois à l'expression de la virilité et de la féminité ; on peut donc laisser chaque enfant suivre sa personnalité, mais il est bon d'offrir aux garçons des modèles virils, aux filles des modèles féminins, pour les aider à s'adapter aux normes sociales courantes

_____   _____

14 Les enfants ne devraient pas avoir de secrets pour leurs parents :

☐ **a** non, sinon c'est le signe que l'éducation a échoué

☐ **b** pour former sa personnalité, l'enfant a besoin de s'éloigner peu à peu de ses parents. Le désir d'avoir des secrets en fait partie, et il faut le respecter

☐ **c** on peut respecter le désir de l'enfant d'avoir de petits secrets, mais il faut savoir écouter ses confidences avec assez de patience pour éviter qu'il ne cache de grands secrets qui pourraient être dangereux

_____   _____

15 Un enfant a besoin d'un style de vie très régulier pour s'épanouir :

☐ **a** non, au contraire, il adore la variété

☐ **b** oui, il aime la régularité des habitudes

☐ **c** oui et non : il lui faut des habitudes régulières et des dérogations à ces habitudes, qui introduisent de la variété

_____   _____

16 Si un enfant demande avec insistance un présent qui est apparemment au-dessus de son âge, que doit faire le parent ?

☐ **a** lui expliquer qu'il est trop jeune, et lui promettre le cadeau pour plus tard

☐ **b** lui offrir le cadeau à l'occasion d'une fête, d'un anniversaire, puisqu'il en a si envie

☐ **c** chercher à lui faire dire les raisons de ce désir prématuré, faire le cadeau si les raisons sont bonnes, découvrir un équivalent aux yeux de l'enfant si elles sont mauvaises

_____   _____

17 Un enfant doit apprendre à partager les goûts de ses parents :

☐ **a** oui, cela lui est facile car, étant jeune, il est malléable

☐ **b** oui, mais en contrepartie, les parents doivent s'intéresser aussi aux goûts qu'il manifeste lui-même

☐ **c** très jeune, l'enfant partage les goûts de ses parents, mais cela change vite ; il vaut mieux en prendre son parti et le laisser suivre ses goûts personnels

18 En ce qui concerne les repas :

☐ **a** ils doivent être pris en commun, à heures fixes ; c'est l'occasion pour la famille de se regrouper

☐ **b** l'idéal de la famille qui se retrouve à heures fixes pour les repas a besoin de beaucoup d'assouplissement pour laisser à chacun de la liberté

☐ **c** il faut se garder de faire du repas en commun un rite sacro-saint ; il vaut mieux que chacun se sente libre de faire comme il veut

19 En ce qui concerne les vacances :

☐ **a** la famille devrait toujours les passer ensemble ; c'est un signe de bonne entente

☐ **b** on a l'occasion de se voir tout au long de l'année ; pour les vacances, il faut que chacun puisse suivre ses préférences

☐ **c** lorsque les parents désirent passer les vacances avec leurs enfants, il est néces-

saire qu'ils s'adaptent aux goûts des enfants en y introduisant de la variété ; sinon, il est juste que les enfants cherchent seuls cette variété

20 En ce qui concerne l'amour, les parents devraient :

☐ **a** surveiller leurs enfants pour éviter qu'ils ne commettent des bêtises

☐ **b** donner à leurs enfants des éclaircissements, et leur offrir par leur conduite un exemple suffisant pour pouvoir leur faire confiance quant à la maîtrise de soi dans ce domaine

☐ **c** laisser les enfants prendre librement leurs responsabilités

21 Si l'enfant pose à ses parents des questions indiscrètes sur leur comportement personnel dans le domaine amoureux :

☐ **a** il faut lui répondre que cela ne le regarde pas

☐ **b** il ne faut pas hésiter à lui révéler ce qu'il demande ; c'est ainsi qu'il apprendra ce qu'est réellement la vie

☐ **c** il faut chercher d'abord pourquoi il pose cette question, et ne répondre qu'avec prudence en tenant compte de son âge

22 Les familles les plus heureuses sont celles où les parents sont toujours prêts à se conformer aux désirs de leurs enfants :

- [ ] **a** c'est bien vrai
- [ ] **b** non, c'est au contraire terriblement dangereux pour l'éducation de l'enfant ; tôt ou tard, cette attitude le rendra malheureux
- [ ] **c** cela peut être vrai, si par ailleurs les parents savent imposer certaines règles nécessaires

---

23 Les parents doivent-ils faire part de leurs soucis à leurs enfants ?

- [ ] **a** oui, de toute façon les enfants les devineraient à demi-mot
- [ ] **b** non, il faut préserver l'insouciance des jeunes ; ils auront bien le temps d'avoir des soucis quand ils seront grands
- [ ] **c** tout ne doit pas être dit, mais certaines choses peuvent l'être à condition des les mettre à la portée des enfants

---

24 Plus un enfant reste à la maison au lieu d'aller chercher des distractions à l'extérieur, moins il risque de « mal tourner » :

- [ ] **a** oui, c'est vrai
- [ ] **b** c'est vrai, à condition que cela corresponde à sa façon d'être personnelle et non à une contrainte de la part de ses parents
- [ ] **c** non, cela risque de le déséquilibrer par manque de contact social

---

25 Est-il bon qu'un enfant embrasse la même carrière que son père ?

- [ ] **a** oui, car le père peut lui faciliter beaucoup ses débuts
- [ ] **b** non, car cela risque de lui donner des complexes
- [ ] **c** oui et non, tout dépend des goûts et de la personnalité du père et de l'enfant

---

26 Estimez-vous qu'il faut encourager l'admiration d'un enfant pour des modèles choisis hors du cercle familial ?

- [ ] **a** oui, cela ne peut qu'aider au développement de sa personnalité propre
- [ ] **b** oui, si cela ne le conduit pas à des excès ; sinon, il faut essayer, par des discussions, de remettre ses idoles à leur juste place
- [ ] **c** non, des parents sensés ne peuvent pas encourager des caprices pour une idole à la mode ; ils doivent chercher plutôt à préserver l'admiration et le respect de l'enfant pour eux-mêmes

---

27 Votre enfant a eu une dispute avec votre conjoint. Il vient s'en plaindre à vous avec véhémence. Quelle sera votre réaction ?

- [ ] **a** l'écouter exposer longuement ses griefs, aussi erronés qu'ils vous paraissent, et montrer de la compréhension pour ses sentiments quand

vous lui faites part de votre point de vue
- ☐ **b** lui expliquer qu'il se trompe en accusant si vite votre conjoint, dont vous estimez que vous devez rester solidaire dans cette affaire
- ☐ **c** lui dire que vous ne désirez pas prendre parti dans cette affaire, et que c'est à lui de s'arranger avec votre conjoint

28 Imaginez que votre enfant vienne vous proposer quelque chose dont vous venez vous-même d'avoir l'idée. Comment accueillez-vous sa proposition ?

- ☐ **a** vous l'acceptez comme venant de lui uniquement, sans lui dire que vous avez eu l'idée avant lui
- ☐ **b** vous acceptez sa proposition en signalant que vous avez eu cette idée vous-même
- ☐ **c** vous signalez avant tout que cette idée vient d'abord de vous, pour préserver votre autorité et ne pas avoir l'air de céder à un caprice de votre enfant en acceptant sa proposition

29 Votre enfant ne sait comment s'y prendre avec un nouveau jeu de construction qu'il a reçu, et il vient solliciter votre aide. Quel genre de participation aurez-vous tendance à lui offrir ?

- ☐ **a** vous reprenez les choses

dans l'état où il les a laissées, et terminez vous-même l'œuvre entreprise sous l'œil admiratif de l'enfant
- ☐ **b** vous participez quelques instants à son jeu, mais il se révèle compliqué et vous n'avez pas le temps ; vous vous contentez de le remettre sur la bonne voie et le laissez se débrouiller seul
- ☐ **c** vous venez lui montrer ce qui ne va pas et restez auprès de lui pour l'aider, mais le laissez faire lui-même ce qu'il est capable de faire

30 Votre fils vient se plaindre que tous ses camarades reçoivent plus d'argent de poche que lui par semaine. Que lui répondez-vous ?

- ☐ **a** qu'il a bien le droit d'en avoir autant que les autres, et que vous augmenterez son allocation hebdomadaire
- ☐ **b** qu'il faut qu'il vous explique pourquoi et comment il en est venu à penser cela, pour examiner avec lui s'il est bien raisonnable d'augmenter son allocation hebdomadaire
- ☐ **c** que vous avez calculé en connaissance de cause combien il devait recevoir par semaine, et qu'il doit s'organiser pour se contenter de ce qu'il reçoit, en évitant les dépenses absurdes

Résultats

Entourez d'un cercle la lettre a, b ou c qui correspond à votre réponse, puis faites le total par colonne.

Question	Réponse		
	I	II	III
1	b	a	c
2	a	c	b
3	a	b	c
4	b	a	c
5	a	b	c
6	c	b	a
7	b	c	a
8 (Entourez les 3 chiffres correspondant à votre réponse)	1 7 10 12 14	4 5 8 11 13	2 3 6 9 15
9 (Entourez les 3 chiffres correspondant à votre réponse)	1 5 7 9 14	2 4 8 11 12	3 6 10 13 15
10	a	b	c
11	c	b	a
12	a	c	b
13	b	c	a

Question	Réponse		
	I	II	III
14	a	c	b
15	b	c	a
16	a	c	b
17	a	b	c
18	a	b	c
19	a	c	b
20	a	b	c
21	a	c	b
22	b	c	a
23	b	c	a
24	a	b	c
25	a	c	b
26	c	b	a
27	b	a	c
28	c	b	a
29	a	c	b
30	c	b	a
Total			

La colonne I domine : vous appartenez à la catégorie des parents de type *autoritaire*. Vous aimez plier les autres à votre loi. Les jeunes enfants apprécient cette attitude au cours de leurs premières années, surtout si vous êtes de sexe masculin. Une enquête de Rose Vincent sur des enfants de 4 à 14 ans a montré que c'était l'image du père autoritaire qui était préférée. Non pas l'affirmation brutale d'une suprématie : « Ne tolérant pas d'être dérangé, jouant ou discutant parfois mais s'énervant très vite, le père-tyran inspire de la crainte et de la méfiance plus que de l'amour » ; mais l'autorité qui représente un guide, un abri contre les difficultés de la vie, « provoque une admiration et une reconnaissance éperdues[1] ». En revanche, si vous êtes de sexe féminin, votre autorité sera moins appréciée. Selon la même enquête, les enfants ne désirent pas une mère qui les gâte, mais rejettent également toute attitude surprotectrice chez leur mère

1. R. Vincent : « Connaissance de l'enfant », in *la Psychologie moderne* (Paris, C.E.P.L.-Denoël, 1969).

comme le masque d'une volonté de domination mal tolérée. Ils rêvent plutôt d'une camarade de jeu qui pourtant leur offre la sécurité, un peu comme le chef d'un bande.

D'ailleurs, à partir de la puberté, toute autorité directe, qu'elle vienne du père ou de la mère, est bien vite rejetée. Et les parents doivent tôt ou tard faire l'apprentissage de conduites plus souples, plus tolérantes, s'ils veulent garder une influence sur leurs enfants.

La colonne II domine : vous appartenez à la catégorie des parents de type *démocratique*. Cette attitude demande beaucoup de patience et de savoir-faire. Mais à la longue, c'est certainement celle qui donnera le plus de stabilité à votre famille, le plus de satisfactions à vos enfants. C'est ce qu'a montré une étude des psychosociologues K. Lewin, R. Lipitt et R. White[2]. Ces chercheurs soumirent des garçons de 10 ans, groupés pour des activités de loisir, successivement à un climat autoritaire, à un climat démocratique et à un climat de laisser-faire. Sous le premier et le dernier climat, les garçons développèrent beaucoup d'agressivité, parfois masquée sous une apparente apathie dans le climat autoritaire, mais dégénérant vite en chaos dans le climat laisser-faire. En revanche, sous le climat démocratique, les enfants aiment leur moniteur, et lorsque celui-ci quitte la pièce, ils continuent à travailler librement avec acharnement. Dans le climat démocratique, les décisions ont toujours fait l'objet de débats et sont adoptées librement par le groupe, aidé par le moniteur. Les programmes sont décidés en commun. Les enfants préfèrent donc être traités en personnes responsables et connaître à l'avance l'orientation des activités dans lesquelles ils doivent s'engager. Ils vous en seront reconnaissants.

La colonne III domine : vous appartenez à la catégorie des parents de type *laisser-faire*. Cette attitude, si elle a l'avantage de provoquer peu de complexes chez un enfant, risque cependant de le laisser frustré : il ne trouve pas en ses parents le soutien moral, le guide dont il a besoin. Les parents trop indulgents, qui accordent à l'enfant tout ce qu'il désire, risquent d'en faire un enfant gâté, qui ne pourra, plus tard, supporter aucune contrariété et ne saura pas affronter avec succès les difficultés de la vie. Les parents trop tendres (souvent à la suite d'une déception grave dans leur vie conjugale) risquent de faire de leur enfant un déviant sexuel. Les parents négligents, ou trop souvent absents,

2. Voir *Bulletin de psychologie* (Université de Paris, t. 5, n° 6).

créent chez l'enfant un sentiment de solitude et d'anxiété qui retarde la formation de sa personnalité. Dans l'expérience de Lewin, Lipitt et White, déjà citée, les jeunes garçons soumis à un climat de laisser-faire déclarent en majeure partie aimer leur moniteur ; mais ils travaillent dans une atmosphère de désordre, ils s'empêchent de travailler les uns les autres par des initiatives divergentes, ils multiplient les gestes agressifs qui dénoncent leur anxiété sous-jacente liée à leur indétermination sur ce qui les attend et ce qu'ils doivent faire.

Pour que vos enfants apprennent à s'adapter aux difficultés de la vie sans trop douter d'eux-mêmes, ne vous laissez pas trop aller à votre penchant naturel.

Les colonnes I et III dominent : votre attitude oscille entre le type *autoritaire* et le type *laisser-faire*. C'est certainement pour l'enfant la situation la plus dangereuse pour la formation de sa personnalité. Votre comportement irrégulier l'empêche de se faire une opinion stable sur ce qui est bien et ce qui n'est pas bien. Pour l'enfant, chaque changement de climat s'accompagne d'angoisse. Essayez de lui éviter cela, en modérant vos tendances à l'autorité, en évitant trop de laisser-aller.

Etes-vous bourreau ou victime?

Le bourreau a le droit pour lui — ou plus exactement la force. Par définition, il a toujours raison. Tous les abus commencent à partir de là. Rappelez-vous la fable du loup et l'agneau : « La raison du plus fort est toujours la meilleure »... et la victime a toujours tort.

Cette lutte inégale entre le bourreau et sa victime, nous la vivons à chaque heure de notre existence. Dans la vie professionnelle ou familiale, c'est l'un des équilibres les plus difficiles à établir. Doit-on imposer sa volonté et risquer d'être un tyran, ou bien céder une fois et risquer de céder bien d'autres fois ? Mais nous ne sommes pas tous semblables. Il y a chez certains un bourreau qui sommeille (il est même facile à réveiller) ; d'autres ont, presque en naissant, une âme de victime. Question de tempérament, d'éducation, où les motivations inconscientes jouent sans doute aussi leur rôle.

Ce test n'a pas la prétention d'expliquer les pourquoi, mais simplement de vous faire prendre conscience dans lequel des deux camps vous vous trouvez le plus souvent : celui des bourreaux ou celui des victimes.

Chaque question comporte trois réponses possibles. Cochez la lettre a, b ou c placée devant la réponse qui vous paraît le plus en accord avec votre façon d'agir ou de penser.

1 Faites-vous partie de ces gens dont on dit avec quelque agacement qu'ils ont « toujours raison » ?

☐ **a** oui
☐ **b** non
☐ **c** je ne sais pas

2 Donnez-vous de l'argent aux démarcheurs qui sonnent à votre porte en se recommandant d'œuvres charitables ?

☐ **a** jamais
☐ **b** parfois
☐ **c** régulièrement

3 La vue d'un représentant de la force publique :

☐ **a** vous est plutôt sympathique
☐ **b** vous indiffère
☐ **c** vous révolte toujours un peu

4 En amour, ou en amitié, faites-vous plutôt partie du clan des « abandonneurs » ou de celui des « abandonnés » ?

☐ **a** abandonneurs
☐ **b** abandonnés
☐ **c** cela dépend

5 Etant enfant, imposiez-vous par la force votre façon de voir ou d'organiser les jeux à vos différents petits camarades ?

☐ **a** souvent
☐ **b** parfois
☐ **c** jamais

6 Vous est-il déjà arrivé de vous faire soutirer de l'argent par un escroc trop habile ?

☐ **a** non, jamais
☐ **b** une fois
☐ **c** plusieurs fois

7 Que cela vous soit arrivé ou non, quelle a été (ou quelle serait) votre réaction ?

☐ **a** vous laissez tomber
☐ **b** vous déposez une plainte à la police
☐ **c** vous allez à la recherche de l'individu pour faire justice vous-même afin de vous faire rembourser sur-le-champ

8 Prenez-vous des billets de la Loterie nationale ?

☐ **a** régulièrement
☐ **b** parfois
☐ **c** jamais

9 Vous est-il arrivé, au cours de votre vie, de « casser la figure » à quelqu'un ?

☐ **a** plusieurs fois
☐ **b** une fois
☐ **c** jamais

10 Dans votre entourage, dit-on de vous : « Il a la dent dure » ?

☐ **a** non
☐ **b** oui
☐ **c** je ne sais pas

11 Avez-vous le dernier mot dans une discussion d'argent ?

☐ **a** souvent

☐ **b** une fois sur deux
☐ **c** rarement

12 Osez-vous (ou oseriez-vous) prendre une décision assez importante, sans en référer d'abord à votre conjoint ?

☐ **a** oui, sans problème
☐ **b** oui
☐ **c** je ne prends jamais seul une décision importante

13 Vous est-il arrivé d'intenter des procès contre des tiers ?

☐ **a** jamais
☐ **b** souvent
☐ **c** une fois ou deux

14 Etes-vous pour ou contre la peine de mort ?

☐ **a** pour
☐ **b** contre
☐ **c** sans opinion

15 Quelle impression vous ont faite certaines photos ou films documentaires sur le nazisme ?

☐ **a** j'étais incapable de réagir
☐ **b** j'étais indigné
☐ **c** ça m'attirait

16 L'un de vos anciens adversaires tente de composer avec vous et propose de faire amende honorable. Quelle est votre attitude ?

☐ **a** vous refusez en termes humiliants
☐ **b** vous demandez à réfléchir
☐ **c** vous acceptez de « passer l'éponge »

17 Avez-vous franchement l'impression que vous faites en général les choses mieux que les autres ?

☐ **a** oui, je les fais mieux
☐ **b** non, je les fais moins bien
☐ **c** cela dépend

18 A votre avis, les lois et les règlements doivent être respectés :

☐ **a** à la lettre
☐ **b** dans l'esprit
☐ **c** selon les cas

19 Vous est-il arrivé de mettre votre voiture sur le trottoir juste contre la sortie d'un immeuble ?

☐ **a** je ne mets jamais ma voiture sur le trottoir
☐ **b** sur le trottoir oui, contre une porte non
☐ **c** cela m'est arrivé

20 Quelle impression cela vous fait de vous sentir jalousé, voire haï ?

☐ **a** impression pénible
☐ **b** impression agréable
☐ **c** cela dépend

21 En public, un individu vous accuse violemment et à tort :

☐ **a** vous lui répliquez vertement en le menaçant
☐ **b** vous essayez de lui expliquer son erreur
☐ **c** vous préférez quitter aussitôt la place

22 Etes-vous pour ou contre la censure ?

☐ **a** pour
☐ **b** contre, dans tous les cas
☐ **c** contre, sauf très rares exceptions

23 Dans un projet que vous avez formé avec une autre personne, un contretemps fâcheux se produit. Quelle est votre première réaction ?

☐ **a** vous accusez immédiatement l'autre d'en être responsable
☐ **b** vous craignez d'être considéré vous-même comme le responsable de ce contretemps
☐ **c** vous tâchez d'abord de trouver un remède à la difficulté

24 « Qui aime bien, châtie bien »

☐ **a** vrai
☐ **b** faux
☐ **c** cela dépend

25 « La fin justifie les moyens »

☐ **a** vrai
☐ **b** faux
☐ **c** parfois

26 Prenant un taxi en pays étranger, vous ignorez s'il est d'usage de donner un pourboire :

☐ **a** vous profitez de votre ignorance des us et coutumes pour ne rien donner

☐ **b** vous donnez ce que vous auriez donné dans votre pays
☐ **c** vous donnez plus, car vous craignez les récriminations du chauffeur

27 Au cours d'un jeu ou d'une épreuve sportive, l'arbitre vient à commettre une erreur qui vous désavantage grandement :

☐ **a** vous ruminez cette erreur tout au long de l'épreuve, ce qui a pour résultat de vous priver d'une partie de vos moyens
☐ **b** vous vous dites que les erreurs font partie du jeu, et vous n'y pensez plus
☐ **c** vous vous emportez et tentez de faire revenir l'arbitre sur sa décision

28 Vous est-il arrivé de rentrer chez vous avec, sous le bras, un de ces petits gadgets inutiles que vendent tous les bonimenteurs au coin des rues ?

☐ **a** souvent
☐ **b** une fois ou deux
☐ **c** jamais

29 Recourez-vous, moyennant finances, aux services d'une voyante, d'un astrologue, etc., en cas de difficultés sentimentales ?

☐ **a** oui
☐ **b** non
☐ **c** une fois, mais on ne m'y reprendra plus

30 Vous versez une somme d'argent importante à une personne que vous connaissez très peu et qui ne vous propose pas de reçu :

☐ **a** vous en exigez un
☐ **b** vous n'osez pas le faire
☐ **c** vous lui proposez de lui envoyer l'argent au moyen d'un mandat recommandé

31 Estimez-vous qu'on vous a souvent « fait marcher » dans votre vie sentimentale ?

☐ **a** souvent
☐ **b** jamais
☐ **c** parfois

32 De ces deux traits de caractère, lequel vous ressemble le plus ?

☐ **a** l'esprit de contradiction
☐ **b** être de l'avis du dernier qui a parlé
☐ **c** ces deux traits me ressemblent peu

33 Le traitement que vous a recommandé un médecin ne vous a procuré aucun soulagement :

☐ **a** vous allez voir un autre praticien
☐ **b** vous retournez chez le premier pour lui demander un autre traitement
☐ **c** vous écrivez ou téléphonez sur-le-champ à ce médecin pour lui exprimer tout le mal que vous pensez de lui

34 Si vous étiez fait prisonnier pendant une guerre, chercheriez-vous par tous les moyens — quels qu'ils soient — à vous évader ?

☐ **a** oui
☐ **b** non
☐ **c** cela dépendrait des circonstances

35 Etes-vous très rancunier ou capable de pardon ?

☐ **a** rancunier
☐ **b** capable de pardon
☐ **c** sans opinion

36 Réussit-on à vous faire travailler en dehors des heures normales de bureau en vous prenant par les sentiments ?

☐ **a** souvent
☐ **b** parfois
☐ **c** jamais

37 Dans certains cas extrêmes, êtes-vous prêt à admettre le meurtre politique ?

☐ **a** oui
☐ **b** non
☐ **c** peut-être

38 Vous avez eu un accrochage avec une autre voiture. Tentez-vous d'influencer en votre faveur votre adversaire lors du constat amiable ?

☐ **a** oui, je dirige la conversation
☐ **b** non, je laisse faire mon adversaire
☐ **c** non, mais je reste vigilant

39 Vous arrive-t-il de faire une réflexion dans la rue à une personne qui n'agit pas comme vous le souhaiteriez (piéton abusif, automobiliste imprudent, dame laissant son chien se soulager en dehors des caniveaux, etc.) ?

☐ **a** assez souvent
☐ **b** quelques rares fois
☐ **c** jamais

40 Avec le recul du temps, avez-vous le sentiment de vous être laissé entraîner par les belles paroles d'un politicien lui-même peu convaincu ?

☐ **a** plus d'une fois
☐ **b** une fois
☐ **c** jamais

41 Vous sentez-vous une âme de « redresseur de torts » ?

☐ **a** absolument pas
☐ **b** exceptionnellement
☐ **c** en de nombreuses circonstances

42 Dans une file d'attente, avez-vous plutôt tendance :

☐ **a** à prendre la place de la personne qui vous précède ?
☐ **b** à vous contenter de surveiller votre rang de départ ?
☐ **c** à vous faire voler la vôtre par la personne qui vous suit ?

43 Contrairement au règlement de l'immeuble, votre voisin d'étage laisse sur le palier un meuble encombrant :

☐ **a** vous le supportez
☐ **b** vous agissez aussitôt auprès du gérant ou du syndic
☐ **c** vous tentez de raisonner votre voisin

44 Estimez-vous indispensable de tenir seul le budget du ménage ?

☐ **a** oui
☐ **b** non
☐ **c** à chacun son budget

45 En toutes choses, supportez-vous facilement la contradiction ?

☐ **a** très mal
☐ **b** plutôt bien
☐ **c** cela dépend

Résultats

Dans les colonnes du tableau ci-dessous, entourez d'un cercle la lettre a, b ou c qui correspond à votre réponse.

Question	Votre réponse			Question	Votre réponse		
	I	II	III		I	II	III
1	a	c	b	24	a	c	b
2	a	b	c	25	a	c	b
3	c	b	a	26	a	b	c
4	a	c	b	27	c	b	a
5	a	b	c	28	c	b	a
6	a	b	c	29	b	c	b
7	c	b	a	30	a	c	b
8	c	b	a	31	b	c	a
9	a	b	c	32	a	c	b
10	b	c	a	33	c	a	b
11	a	b	c	34	a	c	b
12	a	b	c	35	a	c	b
13	b	c	a	36	c	b	a
14	a	c	b	37	a	c	b
15	c	b	a	38	a	c	b
16	a	b	c	39	a	b	c
17	a	c	b	40	c	b	a
18	a	c	b	41	c	b	a
19	c	b	a	42	a	b	c
20	b	c	a	43	b	c	a
21	a	b	c	44	a	c	b
22	a	c	b	45	a	c	b
23	a	c	b	Total			

La récapitulation de vos réponses fournit une indication sur la place que vous occupez sur l'échelle tempéramentale qui relie le bourreau à sa victime. On peut distinguer trois cas, selon la colonne où dominent vos réponses.

Les quelques indications caractérielles qui suivent seront d'autant plus valables que le nombre de réponses dans une colonne sera grand. Par exemple, il y a des bourreaux « à l'état pur » (près de 45 réponses dans la colonne I), mais il y a des « petits tyrans » à partir de 25 réponses dans cette colonne.

La colonne I domine : vous considérez que rien ne doit vous résister et les bonnes raisons ne vous manquent pas pour contraindre les autres à se plier à votre volonté. « L'Etat, c'est moi », « La force est mon droit » : ces devises de tyran vous sont chères à condition qu'elles s'appliquent en votre faveur.

Vous aimez votre propre brutalité. La cruauté peut être chez vous morale ou physique, mais elle est toujours latente. Revendicateur, redresseur de torts, tyran domestique ou privé, vous vous vantez de ne jamais avoir joué le rôle de victime dans la lutte quotidienne de la vie. Le vide que vous avez créé autour de vous n'est pas sans vous déplaire. Mais êtes-vous vraiment heureux ?

La colonne II domine : vous appartenez à cette catégorie d'individus — heureusement répandue — qui n'aiment pas plus recevoir des coups de bâton qu'en donner. Ni bourreau, ni victime. Vous savez montrer dans la vie une vigilance attentive de bon aloi. Quand, par hasard, votre bonne foi a été prise en défaut, vous savez tirer profit de la leçon : cela ne vous arrivera plus. Vous êtes d'ailleurs capable de vous battre à l'occasion, mais répugnez à attaquer en premier. Vous partagez de près ou de loin l'opinion du philosophe Alain : « Ne pas craindre, rester sobre, ne rien croire, trois ressources contre le tyran. »

La colonne III domine : on dit de vous : « C'est un bon garçon, une bonne fille. » On vous aime bien, tout en vous méprisant un peu. Et à l'occasion, on n'hésitera pas à vous demander un service tout en passant devant vous. Il est tentant de vous exploiter. Sentimental, timide, lent à réagir, vous reconnaissez vous-même que vous êtes souvent trop bon avec les gens. Vous courez au-devant des désillusions et des mécomptes. Si noble que soit le geste de tendre l'autre joue lorsqu'on a reçu une gifle sur la première, cela n'est pas très efficace dans la vie, où un minimum d'habileté manœuvrière et même d'agressivité est nécessaire. Voyez la vie telle qu'elle est. Et réagissez, que diable !

Quelle est votre forme d'intelligence?

Il s'agit d'une série de problèmes de différentes sortes. Ceux du début sont plus faciles que ceux de la fin. Mais ne pensez pas que la difficulté des problèmes est uniquement fonction de leur rang : ne passez pas trop de temps sur une question ; vous risqueriez de piétiner, alors que vous pourriez résoudre plus facilement la question suivante. N'abandonnez pas non plus trop tôt : tous les problèmes qui sont posés ici peuvent être résolus avec un peu de patience. Fiez-vous à votre bon jugement pour savoir si vous devez ou non sauter une question.

Car vous disposez de *trente minutes exactement pour passer le test*. Arrêtez-vous immédiatement au bout de ce temps. Ou mieux, faites-vous chronométrer par quelqu'un, qui vous arrêtera le moment venu. Sinon vous ne pourriez pas juger de votre performance dans ce test, tel que le psychologue Eysenck l'a conçu. Et sachez que, dans un tel test, tout le monde doit être capable d'obtenir quelques bonnes réponses, mais qu'il est impossible à qui que ce soit de résoudre correctement tous les problèmes dans le temps alloué.

Vous répondrez chaque fois par un chiffre, une lettre ou un mot. Vous aurez tantôt à choisir entre différentes solutions qui vous sont proposées, tantôt à découvrir vous-même la bonne réponse. Voici cinq exemples qui vous permettront de vous familiariser avec les principaux types de problèmes qui vont être soumis à votre sagacité.

Premier exemple. On vous demande de trouver le chiffre manquant qui complète logiquement la série de nombres suivants :

2 4 8 16 ?

La réponse exacte est 32. En effet, dans la série de chiffres ci-dessus, chaque nombre est le double du nombre qui précède : 4 est le double de 2 ; 8 le double de 4 ; 16 le double de 8 ; c'est ce qu'on appelle une progression géométrique. D'où le chiffre manquant est 32 qui est le double de 16.

Deuxième exemple. Vous trouverez ci-dessous un cercle divisé en six parties. Dans chaque partie est inscrit un nombre, sauf dans la dernière. On vous demande de trouver le nombre à inscrire dans cette dernière partie.

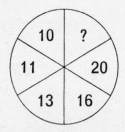

La réponse exacte est 25. En effet, si l'on prend les chiffres dans le sens inverse des aiguilles d'une montre, on s'aperçoit que l'écart entre chacun des chiffres augmente chaque fois d'une unité :

$$10 + 1 = 11$$
$$11 + 2 = 13$$
$$13 + 3 = 16$$
$$16 + 4 = 20$$

Donc, il faut ajouter 5 à 20 :

$$20 + 5 = 25$$

Troisième exemple. Voici quatre figures numérotées de 1 à 4 ; on vous demande de trouver celle qui ne va pas avec les autres :

La réponse exacte est 4. Pourquoi ? Les figures 1, 2, 3 sont identiques, et simplement orientées dans différentes positions : elles peuvent être superposées par simple glissement. La figure 4, en revanche, a été retournée de telle façon qu'elle ne peut pas être superposée aux autres par simple glissement dans le plan de la feuille de papier. Si les trois premières figures sont des Z différemment orientés, la quatrième ne reproduit pas la lettre Z.

Quatrième exemple. Voici une série de six figures numérotées de 1 à 6. On vous demande de trouver le numéro de la figure qui ne va pas avec les autres.

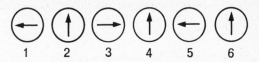

La réponse exacte est la figure 4. Pourquoi ? Entre chaque figure, de 1 à 6, l'aiguille de l'horloge avance d'un quart de tour. Mais il y a un cas où l'aiguille de l'horloge est « détraquée » : il s'agit de la figure 4 où l'aiguille, au lieu d'être tournée vers le bas, comme il serait logique, est tournée vers le haut. La figure 4 est donc bien celle qui ne va pas avec les autres.

Cinquième exemple. Vous trouverez ci-dessous trois figures appelées A, B, C ; on vous demande de trouver D.
  La réponse est à choisir parmi les 5 modèles possibles présentés ensuite et numérotés de 1 à 5

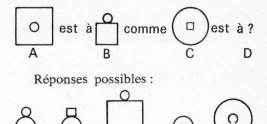

Réponses possibles :

La réponse exacte est la figure 2. Pourquoi ? Le raisonnement est un petit peu plus compliqué que tout à l'heure. Dans ce type d'exercice, il y a une liaison logique entre les figures A et B, et cette liaison est analogue à celle qui relie C à D. Quand on a découvert le principe de cette relation, on est capable de résoudre correctement le problème qui est de mettre en D la figure 2.

En effet :
— à grand carré A, petit carré B ;
donc, à grand rond C, petit rond D. Ce qui élimine les réponses
3 et 5 ;
— chacune des figures modèles A et B est composée d'un rond
et d'un carré. Il en est de même de C ; donc ceci élimine la
figure 1 qui est faite de deux ronds ;
— le rond qui était à l'intérieur de la figure A se trouve être à
l'extérieur dans la figure B ; puisque, dans la figure C, le carré
est à l'intérieur, il devra être à l'extérieur en D. Ce qui élimine
encore la figure 4. Seule la figure 2 respecte toutes les conditions de la relation observée. C'est donc elle qui doit être inscrite
en D.

Nous espérons que vous avez bien compris les « clefs » pour
parvenir à la solution correcte des problèmes que nous venons
d'examiner. Bien entendu, les « serrures » à ouvrir avec ces clefs
seront plus ou moins compliquées. Nous vous rappelons que :
— le test comprend 40 questions ;
— vous disposez de 30 minutes pour y répondre.
Nous vous conseillons :
— d'essayer d'aller le plus loin possible ;
— de surveiller régulièrement le temps qui reste à courir ;
— de ne pas vous accrocher trop longtemps sur un problème
dont la solution vous échappe ;
— vous pouvez, si cela vous aide, vous servir d'une feuille de
papier blanc pour noter différentes tentatives de solutions.
    Prenez vos dispositions pour être au calme pendant une demi-
heure, prenez un crayon en main pour noter vos réponses,
repérez l'heure exacte, à la minute près où vous démarrez, et
allez-y !

1 Ajoutez le chiffre manquant

2 5 8 11 ...

2 Soulignez le mot impropre dans la séquence

maison igloo chalet bureau cabane

3 Trouver les chiffres manquants

7 10 9 12 11 ... ...

4 Des six groupes numérotés, quel est celui qui rentre dans le carré ? Ecrivez le chiffre dans le carré

5 Soulignez le terme impropre

lion renard girafe hareng chien

6 Ajoutez les deux chiffres manquants

6 9 18 21 42 45 ... ...

7 Soulignez le terme impropre dans la séquence

Jupiter Apollon Mars Neptune Mercure

8 Laquelle des six figures numérotées doit être placée dans le carré vide ? Mettre le numéro dans le carré

9 Laquelle des six figures numérotées doit être placée dans le carré vide ? Mettre le numéro dans le carré

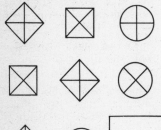

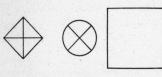

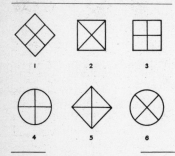

10 Ajoutez le chiffre manquant

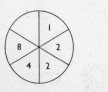

11 Soulignez la figure impropre dans la séquence

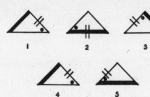

12 Ajoutez les chiffres manquants

13 Ajoutez à la séquence la lettre suivante

E   H   L   O   S   ...

14 Trouvez la terminaison commune à tous les mots qui commencent par les lettres inscrites ici verticalement

15 Soulignez le terme impropre dans la séquence

hareng baleine requin barracuda morue

16 Ajoutez le chiffre manquant

2   5   7
4   7   5
3   6   ...

17 Ecrivez le chiffre manquant

18 Laquelle des six figures numérotées ci-dessous doit être placée dans le carré vide ? Mettre le numéro dans le carré

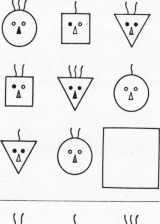

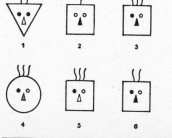

19 Donnez le chiffre manquant

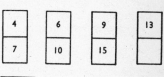

20 Ajoutez le chiffre manquant

```
7   16   9
5   21   16
9   ...  4
```

21 Des figures numérotées, quelle est celle qui peut entrer dans le carré ? Inscrivez son numéro dans le carré

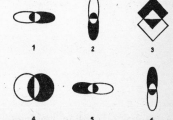

22 Trouvez la terminaison commune à tous les mots qui commencent par les lettres inscrites ici verticalement

P
F
H
C   (...)
M
Cr
B

23 Ajoutez à la séquence la lettre suivante

A   D   H   M   S   ...

24 Soulignez la figure impropre dans la séquence

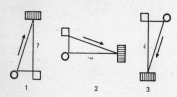

25 Ajoutez le nombre manquant

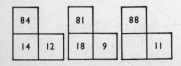

26 Ajoutez la lettre manquante

K   N   H
P   T   L
I   N   ...

27 Laquelle des 5 figures numérotées doit être placée dans l'espace libre ? Mettre le numéro dans l'espace correspondant

est à

comme

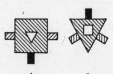

est à :

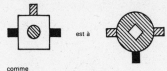

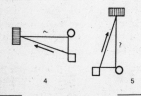

28 Inscrivez le chiffre manquant

8   17   5
12   ... 16
10   11   9

29 Laquelle des 5 figures numérotées doit être placée dans l'espace libre ? Mettre le numéro dans l'espace correspondant

est à

comme

est à :

1   2   3

4   5

30 Ajoutez à la séquence la lettre suivante

N Q L S J U ...

31 Ajoutez le chiffre manquant

```
7    9    5   11
4   15   12    7
13   8   11   ...
```

32 Soulignez la ville qui n'a pas sa place dans la séquence :

Washington Londres Paris New York Bonn Ottawa

33 Laquelle des 5 figures numérotées doit être placée dans l'espace libre ? Mettre le numéro dans le carré

1   2   3

4   5

34 Ajoutez le chiffre manquant

```
3 /12\ 5    4 /14\ 7    2 /  \ 9
   8          5          10
```

35 Ajoutez les lettres manquantes

A	F		J	I
D	C		G	L

36 Ajoutez le chiffre manquant

8 10 14 18 ... 34
50 66

37 Laquelle des 6 figures numérotées doit être placée dans le carré libre ? Mettre le numéro dans le carré

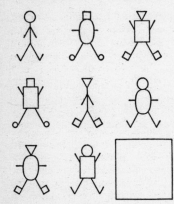

38 Ajoutez à la séquence la lettre suivante

A D A E A G A I A M A

39 Laquelle des 5 figures numérotées correspond à la case vide ? Inscrivez son numéro dans la case

40 Ajoutez le chiffre manquant

2   7   24   77   ...

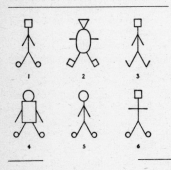

Réponses

Ce questionnaire n'étant qu'un extrait de l'ouvrage de J.-H. Eysenck *Know your own I.Q.*,[1] nous ne pouvons, comme le fait l'auteur, fournir au lecteur une estimation de son quotient intellectuel d'après le nombre de ses réponses justes. Le tableau de notation des résultats que nous fournissons est donc une adaptation personnelle s'appliquant au questionnaire présenté ici, en fonction des résultats fournis par notre propre groupe de sujets, étant entendu que nous prenons ici le mot intelligence, sous son aspect d'esprit de méthode.

La liste des bonnes réponses qui suit vous permet de noter d'un *j* ou d'un *f* si les réponses que vous avez données sont justes ou fausses. Peut-être certaines des réponses que vous avez données vous paraissent-elles justifiées bien qu'elles ne concordent pas avec les réponses données ici. Soyez fair-play et rangez-vous à l'avis d'Eysenck, qui a construit ce questionnaire en tenant compte de la façon de penser de la majorité des lecteurs.

1 14 (les chiffres augmentent de trois en trois)

☐ j
☐ f

2 Bureau (on n'habite pas dans un bureau)

☐ j
☐ f

3 14 et 13 (il y a deux séries alternées augmentant de deux en deux)

☐ j
☐ f

4 3 (les cercles sont en nombre décroissant dans les deux directions)

☐ j
☐ f

5 Hareng (c'est le seul poisson parmi des mammifères)

☐ j
☐ f

6 90 et 93 (pour former la série alternativement on additionne 3 et on multiplie par 2. Ainsi $45 \times 2 = 90$, et $90 + 3 = 93$

☐ j
☐ f

7 Apollon (c'est un nom de dieu grec parmi des noms de dieux romains)

☐ j
☐ f

8 5 (les figures diminuent de gauche à droite)

☐ j
☐ f

9 3 (chaque ligne contient un cercle, un carré et un losange ; les diamètres sont alternativement verticaux et penchés. La figure manquante doit donc être un carré avec des traits verticaux dedans)

☐ j
☐ f

10 32 (en multipliant le premier chiffre par le second, on obtient le troisième : $1 \times 2 = 2$; puis, en multipliant le second par le troisième, on obtient le quatrième, et ainsi de suite : $4 \times 8 = 32$; 32 est donc le nombre manquant) OU 8 (en multipliant les chiffres de droite par 4, on obtient les chiffres opposés diamétralement)

☐ j
☐ f

11 5 (le trait épais tourne dans le sens inverse des aiguilles de montre, le petit cercle gras dans le sens des aiguilles de montre, et les deux traits parallèles précèdent le cercle, sauf dans la figure 5 où ils le suivent)

☐ j
☐ f

12
18
30

(les chiffres du haut suivent la séquence : $-1, +2, -3, +4$; les chiffres du bas suivent la séquence : $+1, -2, +3, -4$)

☐ j
☐ f

13 V (dans la séquence alphabétique, sauter alternativement deux et trois lettres)

☐ j
☐ f

14 ECHE

☐ j
☐ f

15 Baleine (c'est un mammifère : les autres sont des poissons)

☐ j
☐ f

16 6 (chaque nombre de la ligne du bas est la moitié de la somme des nombres des deux autres lignes)

☐ j
☐ f

17 39 (en commençant par 3, chaque nombre est le double du précédent moins 1, 2, 3, etc. ; on a ainsi : $22 \times 2 = 44$; $44 - 5 = 39$)

☐ j
☐ f

18 3 (dans chaque ligne et dans chaque colonne, il y a trois sortes de figures : ronde, carrée, triangulaire ; les nez sont noirs, blancs, ou pointillés, les yeux sont blancs, noirs ou l'un et l'autre ; chaque figure a 1, 2 ou 3 cheveux. La figure qui manque doit donc être carrée avec un nez noir, un œil noir et un œil blanc, trois cheveux)

☐ j
☐ f

19 22 (à chaque colonne, le nombre du bas est obtenu en doublant le nombre du haut et en soustrayant 1, 2, 3, 4 ; on a ainsi : $13 \times 2 = 26$; $26 - 4 = 22$)

☐ j
☐ f

20 13 (additionner le premier et le dernier nombre de chaque ligne pour obtenir celui du centre)

☐ j
☐ f

21 5 (les figures de la dernière ligne sont les mêmes que celles de la première ligne, avec le blanc et le noir inversés)

☐ j
☐ f

22 OULE
☐ j
☐ f

23 Z (D est la troisième lettre après A, H la quatrième lettre après D, M la cinquième lettre après H, S la sixième lettre après M et Z est la septième lettre après S)

☐ j
☐ f

24 5 (à chaque rotation, le petit cercle et le petit carré changent de place, sauf dans le dernier graphique, qui est donc impropre à la séquence. En revanche la flèche et le point d'interrogation restent à la même place)

☐ j
☐ f

25 16 (prenez le nombre du haut, divisez-le par celui de droite, et doublez le résultat)

☐ j
☐ f

26 D (il y a autant de lettres de l'alphabet séparant la première et la seconde (en avançant), que la 1re et la 3e lettre de la ligne (en reculant). Ainsi, en avançant de I à N, on compte 4 lettres de séparation, en reculant de I à D également)

☐ j
☐ f

27 2 (le carré contenant un cercle devient un cercle contenant un carré décalé, le triangle contenant un carré doit donc devenir un carré contenant un triangle décalé. Les lignes obliques passent du cercle intérieur au cercle extérieur. Les trois rectangles qui dépassent la figure principale sont orientés vers le bas après l'avoir été vers le haut, et ceux qui étaient couverts de lignes obliques deviennent noirs et inversement)

□ j
□ f

28 2 (le total de chaque ligne et de chaque colonne donne 30 ; 12 + 16 = 28 ; par conséquent il faut ajouter 2).

□ j
□ f

29 2 (la figure subit une rotation de 90 degrés ; les aires pointillées et blanches sont interverties)

□ j
□ f

30 H (entre les lettres de cette série on compte dans l'alphabet 2, 4, 6, 8, 10 et 12 lettres en descendant de A à Z, et en remontant de Z à A, alternativement)

□ j
□ f

31 10 (le dernier nombre de la première ligne est la somme des deux premiers nombres, moins le troisième : 13 + 8 − 11 = 10)

□ j
□ f

32 New York (ce n'est pas une capitale)

□ j
□ f

33 3 (toutes les figures du haut ont ou 3 lignes avec un angle droit ou 6 lignes qui ne forment pas d'angle droit)

□ j
□ f

34 18 (le chiffre dans le triangle est le résultat de la multiplication des trois chiffres à l'extérieur du triangle, divisé par 10)

□ j
□ f

35 | E |
| H |

(deux suites de lettres, commençant par A et D respectivement et sautant chaque fois une lettre de l'alphabet, se croisent d'un bloc de deux carrés au suivant : A en haut est suivi de C en bas, etc.)

□ j
□ f

36 26 (il y a deux séries alternées, partant des deux premiers nombres, formées cha-

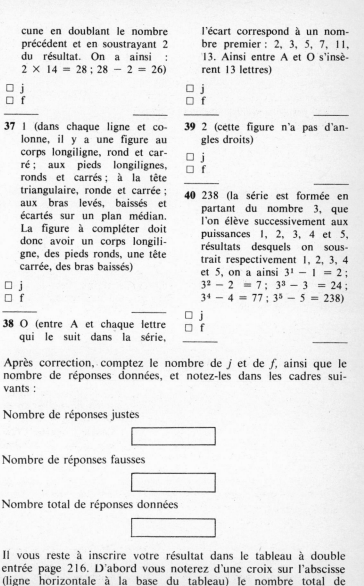

cune en doublant le nombre précédent et en soustrayant 2 du résultat. On a ainsi : 2 × 14 = 28 ; 28 − 2 = 26)

☐ j
☐ f

_____

37 1 (dans chaque ligne et colonne, il y a une figure au corps longiligne, rond et carré ; aux pieds longilignes, ronds et carrés ; à la tête triangulaire, ronde et carrée ; aux bras levés, baissés et écartés sur un plan médian. La figure à compléter doit donc avoir un corps longiligne, des pieds ronds, une tête carrée, des bras baissés)

☐ j
☐ f

_____

38 O (entre A et chaque lettre qui le suit dans la série,

l'écart correspond à un nombre premier : 2, 3, 5, 7, 11, 13. Ainsi entre A et O s'insèrent 13 lettres)

☐ j
☐ f

_____

39 2 (cette figure n'a pas d'angles droits)

☐ j
☐ f

_____

40 238 (la série est formée en partant du nombre 3, que l'on élève successivement aux puissances 1, 2, 3, 4 et 5, résultats desquels on soustrait respectivement 1, 2, 3, 4 et 5, on a ainsi $3^1 - 1 = 2$; $3^2 - 2 = 7$; $3^3 - 3 = 24$; $3^4 - 4 = 77$; $3^5 - 5 = 238$)

☐ j
☐ f

_____

Après correction, comptez le nombre de *j* et de *f,* ainsi que le nombre de réponses données, et notez-les dans les cadres suivants :

Nombre de réponses justes

Nombre de réponses fausses

Nombre total de réponses données

Il vous reste à inscrire votre résultat dans le tableau à double entrée page 216. D'abord vous noterez d'une croix sur l'abscisse (ligne horizontale à la base du tableau) le nombre total de réponses que vous avez données. Puis vous noterez d'une croix sur l'ordonnée (première ligne verticale à la gauche du tableau) le nombre de vos réponses justes. Vous chercherez ensuite le point d'intersection de deux lignes droites portant des croix marquées, comme le montre l'exemple qui suit.

Tableau d'analyse des résultats

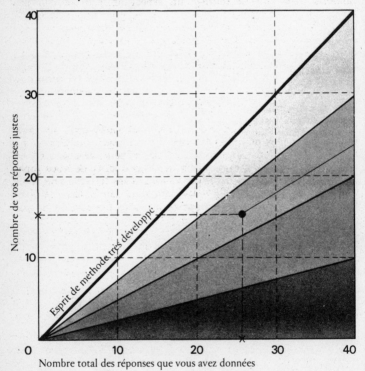

Nombre de vos réponses justes

Esprit de méthode très développé

Nombre total des réponses que vous avez données

Indiquez bien nettement ce point d'intersection. C'est lui qui marque, par exemple, votre cote en esprit de méthode : plus il se trouve dans une zone claire du tableau, plus il indique que vous possédez cet esprit ; mais s'il est dans une zone fortement ombrée du tableau, il indique que vous êtes plutôt fantaisiste que méthodique.

Si le point se situe dans les zones intermédiaires, moyennement ombrée, tout va bien ; votre tendance personnelle s'équilibre entre les deux extrêmes.

Si votre cote en esprit de méthode se situe dans la zone supérieure, très claire, attention à ne pas vous laisser entraîner par votre penchant au méthodisme, qui pourrait donner à vos rapports avec votre entourage un aspect un peu sec, un peu tranchant parfois. Attention surtout si le point se situe sur la diagonale du tableau, qui représente l'esprit de méthode à son point le plus poussé. Mais, s'il peut avoir des inconvénients pour le caractère en général, un esprit de méthode très développé permet une bonne efficacité dans les tâches intellectuelles. Laissez-lui libre cours toutes les fois que vous avez à fournir un effort dans ce sens, soignez-le, développez-le, en particulier pour tout ce qui concerne vos tâches professionnelles.

Si votre cote en esprit de méthode se situe dans la zone inférieure, la plus ombrée, attention à votre esprit fantaisiste, qui a des chances d'être amusant, distrayant, et peut faire de vous un charmeur (une charmeuse) ; mais qui risque aussi de vous jouer plus d'un tour, en particulier quand vous vous livrez à une tâche dite sérieuse : études, travail, responsabilités familiales. Efforcez-vous d'apprendre à fixer des limites à votre fantaisie, à ne pas vous fier uniquement à la chance pour mener jusqu'au bout tout ce que vous entreprenez. Mettez aussi un peu d'ordre et de sérieux dans votre vie.

19

Etes-vous jaloux?

M. Maynadier

« Jalousie : crainte de perdre ce qu'on aime, suscitant des senti-ments agressifs à l'égard du rival réel ou supposé[1]. »

Stendhal a parlé de ce sentiment comme « du plus grand des maux ». Malgré cela, ce sentiment n'a pas que des aspects négatifs. Le sentiment de convoitise, d'irritation que nous ressen-tons à la vue du bonheur ou du bien d'autrui, et que l'on nomme « envie », s'il reste modéré, incite à l'action, à la compétition pour faire aussi bien. Appliquée au sentiment amoureux, la jalousie est une sauvegarde contre les tentations d'infidélité du partenaire, ce qui permet l'union monogame du couple exigée par notre culture. Elle implique un aménagement des vanités respectives et des concessions réciproques. Daniel Lagache, psy-chanalyste et professeur de psychologie à la Sorbonne, a étudié la jalousie amoureuse sous tous les aspects. Par opposition à la jalousie morbide, qui en est une exagération pathologique, il appelle « jalousie psychologique » ce sentiment normal qui est en chacun de nous : « Dans un groupe social donné et dans des circonstances données, c'est l'absence de jalousie qui est anor-male. Elle est une réaction de la personne à une situation spécifique d'infidélité ou d'intrusion[2]. »

Réaction de défense de la personnalité, la jalousie peut être également un facteur de progression. Elle apparaît très tôt et est normale chez l'enfant[3]. Sa première jalousie va vers le parent du

1. *Dictionnaire de la vie du couple,* ouvrage collectif (Paris, C.E.P.L., Denoël, 1969).
2. D. Lagache : *la Jalousie amoureuse,* t. Ier (Paris, P.U.F., 1947).
3. Pour la jalousie chez l'enfant et les problèmes qu'elle pose, se reporter au livre de E. Ziman : *la Jalousie chez les enfants* (Paris, Editions du Scarabée, 1959).

même sexe qui lui ravit l'amour de sa mère (chez le garçon) ou de son père (chez la fille). Cette première jalousie est indispensable au développement de l'enfant. Pour garder l'amour de la mère (du père), le garçon (la fille) va s'identifier à son rival, c'est-à-dire le prendre pour modèle. Ce modèle va guider son développement et lui permettre d'entrer dans le monde des adultes. A l'âge adulte, le maintien d'une certaine émulation, s'appuyant sur le sentiment de jalousie, peut être un facteur de progression personnelle. Mais l'aspect positif d'un tel sentiment s'arrête où commence la perturbation des relations avec les autres.

Chaque question comporte trois réponses possibles. Cochez la lettre a, b ou c placée devant la réponse qui s'accorde le mieux avec votre façon de penser. Choisissez votre réponse rapidement en suivant votre premier mouvement. Les choix les plus spontanés sont en général les plus significatifs.

1 Si votre meilleur ami vous annonce qu'il vient de trouver un emploi très intéressant, quelle est votre réaction ?

☐ **a** je suis très heureux pour lui, car il mérite sûrement cette promotion

☐ **b** je pense que ce n'est pas à moi qu'une telle chose arriverait ; je n'ai jamais eu de chance à ce point de vue

☐ **c** si sa situation est vraiment plus importante que la mienne, j'ai peur de lui apparaître comme inférieur ; j'aimerais, pour me sentir bien dans ma peau, bénéficier moi aussi d'une telle promotion

2 En société, si une personne est le centre de toute la conversation, quelle est votre attitude ?

☐ **a** j'essaie moi-même de devenir un pôle d'attraction en faisant des bons mots ou en racontant des histoires drôles ou intéressantes

☐ **b** lorsqu'une personne est le centre de la conversation, c'est sans doute parce que ce qu'elle dit est intéressant ; je ne vois donc pas pourquoi cela serait désagréable ; je l'écoute avec plaisir

☐ **c** rien ne m'est plus pénible : il m'arrive dans des cas comme celui-ci de me renfrogner dans mon coin pour toute la soirée

3 En vacances, accepteriez-vous sans difficulté que la personne que vous aimez se lie d'amitié avec d'autres vacanciers ?

☐ **a** je n'aime pas cela, mais chacun est libre de faire ce qu'il veut ; je me garde d'intervenir

☐ **b** les vacances sont faites pour changer le mode de vie habituel ; il est normal de se faire de nouvelles relations

☐ **c** ces amitiés de vacances me semblent dangereuses, et j'ai souvent fait des « scènes » à ce propos

4 Si vous êtes dans une réunion de famille avec votre jeune enfant et si l'on rit des mots d'enfants du fils d'une autre personne, quels sentiments éprouvez-vous ?

☐ **a** je suis vexé de cette préférence et en viens à douter des qualités de mon propre enfant

☐ **b** je respecte toutes les opinions

☐ **c** mon enfant vaut bien l'autre, et la famille est stupide de s'extasier sur ce petit

5 Epouseriez-vous quelqu'un qui a eu de nombreuses expériences sexuelles ?

☐ **a** cela n'entrerait pas en ligne de compte si, par ailleurs, d'autres qualités m'apparaissaient très favorables

☐ **b** non, j'aurais peur que son attachement à moi ne dure pas

☐ **c** non, car je ne pourrais m'empêcher de lui en faire souvent le reproche

---

6 Dans votre enfance, votre mère vous préférait-elle un autre de ses enfants (ou, si vous êtes enfant unique, vous préférait-elle un autre membre de la famille, votre père par exemple) ?

☐ **a** lorsque ma mère se montrait injuste envers moi, en donnant la préférence à quelqu'un d'autre, j'essayais de prendre ma revanche en la faisant souffrir aussi d'une façon ou d'une autre

☐ **b** j'ai beaucoup souffert dans mon enfance de voir ma mère me préférer quelqu'un d'autre ; cela m'a souvent fait pleurer

☐ **c** je ne me souviens pas de problèmes importants à ce sujet

---

7 En société, si la personne que vous aimez prend plaisir à la conversation d'une autre femme (d'un autre homme), que faites-vous ?

☐ **a** cela ne me plaît pas, et j'attends que nous soyons rentrés à la maison pour dire ce que j'en pense

☐ **b** je discute avec d'autres personnes, car je trouve cela parfaitement normal

☐ **c** je m'introduis dans leur conversation, que cela leur plaise ou non

8 Avez-vous l'impression que vous n'intéressez pas autant les autres que vous le désirez ?

☐ **a** on s'intéresse à moi dans la mesure où je fais des efforts pour plaire

☐ **b** je me demande si quelque chose en moi peut susciter l'intérêt ; j'ai peur que ma compagnie ne soit pas toujours agréable

☐ **c** les gens s'intéressent à moi ou non ; cela est leur affaire et non la mienne

---

9 Si votre voisin vous appelait pour voir sa nouvelle voiture, une voiture de luxe, alors que vous ne possédez qu'une 2 CV, que penseriez-vous ?

☐ **a** je le féliciterais sans aucune arrière-pensée ; si j'ai une 2 CV, c'est que cette voiture me convient

☐ **b** je regarderais la voiture avec lui, mais cette exhibition m'agacerait plutôt

☐ **c** je me sentirais un peu humilié de n'avoir encore qu'une 2 CV

---

10 Si votre conjoint vous avouait vous avoir été infidèle, que feriez-vous ?

☐ **a** je serais excessivement malheureux ; c'est le monde qui s'écroulerait sous moi

ment l'intimité du début,
mais il faut bien l'accepter

☐ **b** je crois que j'entrerais dans une grande fureur
☐ **c** je n'ai pas une conception possessive de l'amour ; je ne pense pas qu'une infidélité soit une catastrophe dans un couple

_____

11 Si vous travaillez dans un bureau et si votre collègue reçoit devant vous des compliments de son supérieur pour son efficacité dans son travail que pensez-vous ?

☐ **a** que les compliments sont justifiés et ne me lèsent en rien
☐ **b** que je suis mal vu dans l'entreprise et que, quoi que je fasse, on ne reconnaît pas mes qualités
☐ **c** mon collègue ne vaut pas mieux que moi ; le jour viendra où on reconnaîtra mes qualités

_____

12 Voyez-vous (ou verriez-vous) d'un bon œil que votre conjoint reporte sur vos enfants une partie de l'affection qu'il vous témoignait dans les premiers temps de votre mariage ?

☐ **a** je n'aimerais pas du tout que cela se produise ; l'affection des premiers temps du mariage doit se maintenir à travers toute la vie
☐ **b** tout passe ; après avoir aimé son partenaire avant tout, on aime aussi ses enfants ; cela diminue forcé-

ment l'intimité du début, mais il faut bien l'accepter
☐ **c** il est normal de reporter une partie de son affection sur ses enfants

_____

13 Avez-vous eu quelquefois l'impression que la personne que vous aimez voulait vous dissimuler quelque chose ?

☐ **a** j'ai eu quelquefois cette impression et, bien que je ne l'aie pas laissé voir, j'en ai été affecté
☐ **b** s'il y a eu dissimulation, je ne pense pas que cela ait été conscient ; il s'agit plutôt d'oubli
☐ **c** j'ai eu cette impression quelquefois, et j'ai tout fait pour connaître la vérité ; cela a même provoqué des disputes

_____

14 Comment réagissiez-vous dans votre enfance à la réussite d'une personne de la famille plus âgée dont vous entendiez faire beaucoup d'éloges ?

☐ **a** j'avais du mal à supporter que l'on fasse son éloge devant moi ; cela m'agaçait au plus haut point
☐ **b** je pensais qu'il était normal qu'elle réussisse puisqu'elle était plus âgée
☐ **c** j'étais un peu piqué qu'on s'occupe d'elle et cela m'amenait à me vanter de ce que je ferais quand j'aurais son âge : je la dépasserais sûrement

_____

15 Vous est-il arrivé de surveiller, à son insu, les allées et venues de la personne que vous aimez ?

☐ **a** cela m'est arrivé quelquefois

☐ **b** non, car j'ai confiance en elle

☐ **c** j'ai souvent voulu le faire, mais je n'ai jamais mis ce désir à exécution

16 Aimeriez-vous gagner plus d'argent ?

☐ **a** je pense que ce que je gagne suffit à mes besoins

☐ **b** oui, je trouve qu'en fonction de mes possibilités, je pourrais gagner davantage et compte bien y arriver

☐ **c** oui, il est vraiment injuste que d'autres gagnent plus, mais ils sont peut-être plus débrouillards

17 Emulation signifie classement des individus selon leur valeur : pensez-vous qu'à l'école les classements soient utiles ou nuisibles ?

☐ **a** pour tous ceux qui ne sont pas premiers, donc pour la majorité des élèves, les classements sont déprimants, donc nuisibles

☐ **b** les classements donnent de l'émulation, mais c'est inutile : chacun doit pouvoir travailler à son rythme sans qu'entre en jeu le sentiment de faire mieux que les autres

☐ **c** sans émulation, pas de progrès possible : les classements sont utiles

18 Acceptez-vous volontiers une visite prolongée chez les parents de votre conjoint (ou de votre meilleur ami) ?

☐ **a** oui, car je les vois toujours avec plaisir

☐ **b** je trouve que mon conjoint (mon ami) est trop faible pour eux ; j'écourte le plus possible les visites chez eux, même au risque de provoquer des heurts

☐ **c** oui, car bien que cela m'ennuie profondément, je m'efforce toujours de me montrer aimable avec ses parents, parce que mon conjoint (mon ami) les aime beaucoup

19 Lorsque vous étiez écolier avez-vous quelquefois souhaité que l'élève le plus brillant de la classe tombe malade au moment des compositions ?

☐ **a** oui, je pensais que je pourrais ainsi prendre sa place

☐ **b** non, le fait qu'il soit bon élève ne me gênait pas ; je faisais ce que je pouvais sans tenir compte du classement

☐ **c** non, car même dans ce cas, je n'étais pas assez doué pour obtenir une bonne place

20 Souhaitez-vous connaître l'emploi du temps de votre conjoint lorsqu'il est loin de vous ?

☐ **a** je ne conçois pas qu'il ne me dise pas tout ce qu'il fait ; je pose toujours des questions sur son emploi du temps

☐ **b** lorsqu'il est loin de moi, il est libre d'agir à sa guise ; cela ne me concerne pas

☐ **c** j'aimerais connaître cet emploi du temps, mais je ne pose pas de questions pour ne pas l'embarrasser

21 Si, pendant le week-end, vous avez un travail important à terminer et si vous voyez tous vos amis partir à la campagne, quel est votre sentiment ?

☐ **a** je me dis qu'il n'y a pas qu'un week-end dans la vie et que je pourrai partir une autre fois

☐ **b** j'ai un peu le cafard de devoir rester enfermé alors que tout le monde peut sortir et s'amuser

☐ **c** j'essaie de terminer ce travail le plus vite possible pour pouvoir profiter tout de même de la fin du week-end

22 Quand vous entrez dans un lieu public avec la personne que vous aimez, que ressentez-vous si vous avez l'impression que les regards se portent sur elle ?

☐ **a** cela m'ennuie car j'ai peur de ne pas paraître assez bien à côté d'elle

☐ **b** cela m'inquiète : j'ai peur qu'elle n'en tire vanité

☐ **c** si cela arrive, j'en suis ravi

23 Si l'un de vos amis vous révélait que votre femme (votre mari) a été vue en compagnie d'un autre homme (d'une autre femme), quelle serait votre réaction ?

☐ **a** je demanderais des précisions autour de moi et à mon conjoint

☐ **b** j'ai pour principe de ne pas tenir compte de ce genre de racontars

☐ **c** je me sentirais envahi(e) d'une grande tristesse ; même si ce bruit n'était pas fondé, je ne pourrais m'empêcher d'être très inquiet

24 Dans une réunion distinguée, vous vous apercevez que vous êtes moins bien mis qu'un de vos amis. Qu'en pensez-vous ?

☐ **a** cela me met de mauvaise humeur, et je risque d'être désagréable avec les gens

☐ **b** je me sens très humilié de n'avoir pas su me mettre au niveau des autres

☐ **c** je pense qu'on ne juge pas les gens uniquement sur leurs vêtements, et je ne me sens pas complexé

25 Accepteriez-vous que votre conjoint parte en vacances seul ?

☐ **a** pourquoi pas ? Quand on s'aime, il n'y a pas de problème

☐ **b** non, j'aurais trop peur qu'il ne s'éprenne de quelqu'un qu'il trouverait mieux que moi

☐ **c** de petites séparations peuvent raviver l'amour, mais un mois de vacances, cela me paraît long

---

26 Un de vos camarades d'école qui avait abandonné ses études bien avant vous a aujourd'hui une situation supérieure à la vôtre. Qu'en pensez-vous ?

☐ **a** bien que cela soit pénible à accepter, je suis bien obligé de reconnaître que les diplômes ne suffisent pas et que ce sont ses qualités personnelles, supérieures aux miennes, qui lui ont permis de mieux réussir que moi

☐ **b** je trouve cette situation désagréable et, pour qu'elle cesse, je cherche à faire valoir mes diplômes et trouver un emploi plus intéressant que celui que j'ai en ce moment

☐ **c** je ne me formalise pas d'une telle situation

---

27 Votre mari (votre femme) vous fait remarquer les manières agréables d'une autre femme (d'un autre homme). Que pensez-vous ?

☐ **a** une telle remarque me met en alerte : j'observe attentivement cette personne ; je compare mes manières aux siennes

☐ **b** il est tout à fait normal de s'intéresser aux autres ; une telle remarque ne me choque pas du tout

☐ **c** une telle remarque me fait beaucoup de peine ; autrefois, mon mari (ma femme) me réservait tous ses regards et n'aurait jamais remarqué les manières agréables d'une (d'un) autre

---

28 Vous avez des amis qui laissent leurs enfants pour de longues périodes chez leurs beaux-parents. A leur place, feriez-vous de même ?

☐ **a** si mes beaux-parents étaient disposés à les garder, c'est avec plaisir que je les leur confierais

☐ **b** je les leur laisserais le moins longtemps possible, car je ne voudrais pas que mes enfants aient moins d'amour pour moi

☐ **c** si des raisons professionnelles m'y obligeaient, je confierais mes enfants à mes beaux-parents, mais ce serait à contrecœur

---

29 Si, dans une réunion d'amis, on raconte à votre voisin une histoire dont on ne veut pas vous faire part à vous, comment réagissez-vous ?

☐ **a** je fais tout pour connaître cette histoire, au risque de paraître insistant

☐ **b** je me demande pourquoi on ne veut pas me raconter

cette histoire, et je suis un peu vexé

☐ **c** puisqu'on n'a pas jugé bon de me faire part de cette histoire, je ne cherche pas à en savoir plus

30 Si, pour des raisons professionnelles, votre conjoint doit partir quelque temps en province, que faites-vous ?

☐ **a** cette séparation m'est pénible et je ne le laisse pas partir sans de multiples recommandations

☐ **b** je mets à profit son absence pour régler quelques problèmes personnels

☐ **c** dans la mesure où cela est possible, je m'efforce de l'accompagner

31 Des amis, qui vous avaient promis de passer le week-end avec vous, vous font faux bond au dernier moment. Que faites-vous ?

☐ **a** je n'ai pas de difficulté à m'occuper autrement

☐ **b** je suis affecté par cette défection ; il y a là de quoi gâcher un week-end

☐ **c** je les appelle au téléphone pour les inciter à venir tout de même passer le week-end avec moi

32 Si, pendant l'absence de votre conjoint, celui-ci reçoit une lettre, l'ouvrez-vous ?

☐ **a** oui, car j'ai envie de savoir qui lui écrit

☐ **b** non, bien que j'en meure d'envie, je ne veux pas avoir l'air de le surveiller

☐ **c** non, car sa correspondance ne me regarde pas

33 En vacances, sur la plage, avez-vous parfois envié la sveltesse d'autres baigneurs ?

☐ **a** non, mon physique ne m'a jamais complexé par rapport aux autres

☐ **b** ōui, cela m'a donné envie de me mettre à faire de la gymnastique

☐ **c** oui, c'est pour cela qu'il m'est toujours désagréable de me mettre en maillot de bain, il y a tant de gens mieux faits que moi

34 Un confrère, ou un collègue de travail, qui est dans la maison depuis peu de temps se voit attribuer un rôle important que vous pensiez devoir vous être dû. Que faites-vous ?

☐ **a** je donne ma démission

☐ **b** je pense que ce collègue a probablement des compétences pour que cette responsabilité lui ait été confiée ; je suis mécontent, mais je ne dis rien

☐ **c** je vais voir le patron pour lui demander des explications

35 Vous est-il arrivé de reprocher à votre conjoint sa passion pour son travail ou un quelconque violon d'Ingres ?

☐ **a** je le lui ai parfois reproché, mais me sens incapable de faire en sorte qu'il s'intéresse davantage à moi et un peu moins à son travail ou à son violon d'Ingres

☐ **b** non, car je pense qu'il est très bon qu'on se passionne pour quelque chose dans la vie

☐ **c** je lui ai souvent fait ce reproche, et nous nous sommes parfois disputés à ce sujet

---

36 Vous vous trouvez dans une réunion dansante, et vous ne savez pas danser. Acceptez-vous que la personne qui vous accompagne danse avec d'autres ?

☐ **a** bien sûr, je ne voudrais pas la priver d'un plaisir

☐ **b** non, je préfère que nous partions

☐ **c** je ne peux pas l'empêcher de danser avec d'autres, mais cela m'est pénible

---

37 Si la personne que vous aimez a des amis personnels avec lesquels elle passe beaucoup de temps, comment réagissez-vous ?

☐ **a** pour ne pas la quitter, je vais avec elle voir ces amis et essaie de me lier avec eux

☐ **b** j'ai peur qu'elle ne trouve ces amis plus intéressants que moi, et je ne peux pas m'empêcher de souffrir chaque fois qu'elle va les voir

☐ **c** il est normal que chacun ait des relations personnelles ; je suis entièrement d'accord pour qu'elle aille les voir aussi souvent qu'elle le désire

---

38 Considérez-vous que la jalousie est une preuve d'amour ?

☐ **a** oui, car on craint toujours de perdre ceux qu'on aime vraiment

☐ **b** non, la jalousie est un sentiment négatif qui tue l'amour

☐ **c** oui, car l'absence de jalousie est un signe d'indifférence

---

Résultats

Dans les colonnes du tableau ci-dessous, entourez d'un cercle la lettre a, b ou c qui correspond à votre réponse.

Question	Réponses I	II	III
1	c	b	a
2	a	c	b
3	c	a	b
4	c	a	b
5	c	b	a
6	a	b	c
7	c	a	b
8	a	b	c
9	b	c	a
10	b	a	c
11	c	b	a
12	a	b	c
13	c	a	b
14	c	a	b
15	a	c	b
16	b	c	a
17	c	a	b
18	b	c	a
19	a	c	b
20	a	c	b

Question	Réponses I	II	III
21	c	b	a
22	b	a	c
23	a	c	b
24	a	b	c
25	c	b	a
26	b	a	c
27	a	c	b
28	b	c	a
29	a	b	c
30	a	c	b
31	c	b	a
32	a	b	c
33	b	c	a
34	c	a	b
35	c	a	b
36	b	c	a
37	a	b	c
38	c	a	b
Total			

Vos réponses dominent dans la colonne I : votre jalousie est active et même agressive. Vous enviez la réussite des autres, vous craignez de perdre ce que vous avez et mettez en général tout en œuvre pour réaliser vos désirs. Votre jalousie stimule votre activité. Vous avez besoin de vous comparer aux autres pour progresser. Vous n'aimez pas cacher vos sentiments et vous ne maîtrisez pas toujours vos explosions de colère. Vous affirmez bien haut votre exclusivité en amour et ne reculez pas devant des « scènes de jalousie ».

Si votre nombre de réponses dépasse 20, votre jalousie est très agressive, et vous devez faire attention à ne pas dépasser les limites que peut tolérer votre entourage familial et professionnel. Une jalousie excessive peut être une cause de grande souffrance pour vous-même et pour les autres. Veillez à ne pas perdre plus que vous ne gagneriez à vous montrer trop exigeant, à laisser s'exprimer de manière trop directe vos sentiments agressifs envers les autres.

Vos réponses dominent dans la colonne II : votre jalousie est de type passif, voire dépressif ; la moindre déception professionnelle ou amoureuse vous apparaît comme une dangereuse agression contre votre monde privé. Vous vous sentez vulnérable et en voulez à ceux qui vous font du mal en affichant leur réussite ou en ne vous témoignant pas toute l'affection que vous souhaiteriez. Il vous arrive même de vous en vouloir à vous-même : vous vous humiliez, vous sous-estimez votre personne, pensant que vous êtes indigne d'être aimé, indigne d'obtenir les avantages que d'autres peuvent avoir. Dans vos relations avec les autres, vous êtes méfiant, n'osant pas, par crainte de déceptions, aller de l'avant. Vous avez parfois l'impression que vos proches vous trahissent. Vous craignez toujours que l'amitié, l'amour ne soient remis en cause.

Attention, si votre nombre de réponses dans la colonne II dépasse 20, vous êtes sur une mauvaise pente et il se pourrait bien que vos craintes perpétuelles, vos soupçons qui n'ont pas toujours de fondement dans la réalité, l'exposé continuel de vos souffrances ne finissent par lasser vos meilleurs amis. Vous aboutiriez alors au contraire de ce que vous souhaitez en éloignant de vous toute affection.

Vos réponses dominent dans la colonne III : vous manifestez peu de jalousie. Vous êtes indifférent à la réussite des autres. Vous faites en général confiance aux gens, ce qui peut parfois vous conduire à des désillusions.

Attention, cette absence apparente de jalousie peut vous rendre vulnérable vis-à-vis de la société et des personnes que vous aimez. Si une jalousie excessive empoisonne les relations humaines, le professeur Lagache a montré qu'une absence totale de jalousie indique un manque de défenses de la personne contre les intrusions de l'extérieur. Il faut y prendre garde. Sinon, vous risquez de passer à côté du bonheur en amour, à côté de la réussite dans votre profession.

Connaissez-vous vous-même...

A. Sarton

« Connais-toi toi-même. » Cette sentence fameuse est le lieu d'une équivoque. Connais-toi, telle est bien la recommandation de Socrate, qui lui-même l'emprunte à Apollon, dieu de la Lumière. Mais le *toi-même*? Il souligne, traduction appliquée, le caractère réflexif de cette connaissance. Mais je le soupçonne d'insinuer quelque chose comme « ne compte que sur toi, tu es bien assez grand, débrouille-toi tout seul », comme quand on dit « fais-le toi-même ». *Know yourself yourself.* Et cette interprétation non seulement est infidèle au platonisme qui a érigé le dialogue en méthode de recherche de la vérité, mais risque d'égarer définitivement le pèlerin du « connais-toi » dont nous nous faisons aujourd'hui le guide.

Accompagnatrice fidèle de nos actes et de nos pensées, la connaissance immédiate que nous avons de nous-mêmes ne peut nous faire apparaître qui nous sommes. Prend-on la déposition du criminel pour le récit complet et objectif des événements ? La conscience est auteur, avant d'être témoin. Et son témoignage même contient une autre vérité que celle qui lui est accessible. Veut-elle s'ériger en juge ? A quel juge permet-on de se juger lui-même ? Donc, on ne se connaît pas soi-même, pas plus qu'on se teste soi-même, qu'on se psychanalyse soi-même ou qu'on se regarde passer dans la rue.

Alors, nous allons commencer par dialoguer. Ce sera un faux dialogue puisque, à vos côtés, je suis plutôt un fantasme qu'un interlocuteur véritable. Ma présence n'impose pas de limites à votre imagination, comme le ferait celle d'un témoin réel. Si je ne risque pas de vous gêner, ai-je une chance de vous aider ? Mais qu'est-ce qu'une relation fantasmatique à un interlocuteur imaginaire dont les règles vous sont extérieurement établies, si ce n'est un jeu ? C'est vous-même qui jouez mais, du moins, ne jouez pas tout seul, jouez avec moi.

Le premier exercice s'apparente, par la forme, aux questionnaires de personnalité. Cependant, puisqu'il a été conçu à votre usage particulier, il constitue plus une méditation dirigée qu'un test au sens expérimental du mot.

    Vous allez prendre le départ. Les péripéties de la course et vos chances d'aboutir vont dépendre de la manière dont vous prenez le départ. Répondez au questionnaire DÉPART et nous aurons aussitôt après un premier « point ». Vous noterez vos réponses au fur et à mesure dans le tableau récapitulatif, page 248.

    Chaque question posée comporte plusieurs réponses au choix, numérotées a, b, c. Mettez une croix dans le petit carré placé devant la réponse qui s'applique le mieux à votre cas.

I. DEPART

A. QUESTIONNAIRE

1 Quelle importance attachez-vous à l'idée de se connaître soi-même ?

☐ **a** Ça ne peut pas faire de mal
☐ **b** C'est d'un grand intérêt
☐ **c** Je n'y attache que peu d'importance

2 Quel intérêt attachez-vous à l'idée de se connaître soi-même ?

☐ **a** Savoir quelle influence je peux avoir sur les autres
☐ **b** Connaître mes qualités, mes défauts
☐ **c** Cela m'intéresse *en soi*

3 Pensez-vous que le point de vue de vos proches sur votre personnalité est :

☐ **a** A peu près semblable au vôtre
☐ **b** Assez différent du vôtre
☐ **c** Je ne sais pas

B. INTERPRETATION DU QUESTIONNAIRE

1ʳᵉ question : Votre degré de motivation.

Au fond, avez-vous envie de jouer avec nous ? En termes psychologiques : êtes-vous motivé à vous connaître ? Si vous ne l'êtes pas, vous n'irez sans doute pas très loin. Si vous l'êtes, tous les espoirs sont permis. Mais nous ne faisons que commencer.

Si votre réponse est :	b　　→　　a　　←　　c
Votre degré de motivation est :	élevé　　　moyen　　　bas

2ᵉ question : Votre intérêt narcissique.
Plus vous avez exploré les profondeurs de votre inconscient, plus vous avez le sentiment d'être différent des autres, dont on ne connaît souvent que le personnage social superficiel.

Si votre réponse est :	b　　→　　c　　←　　a
Votre degré d'introversion est :	élevé　　　moyen　　　bas

3ᵉ question : Votre degré d'introversion.
Bien sûr, on ne s'intéresse qu'à ce qu'on aime. En termes psychologiques, chercher à se connaître est une manifestation d'intérêt narcissique. Trop faible, il vous laisserait distraire du sujet. Trop fort, il vous ferait perdre de votre objectivité.

Si votre réponse est :	a	b	c
Votre intérêt narcissique est :	important	moyen	faible

Notez vos réponses page 248.

Faisons le point : si vos réponses se placent plutôt dans la partie gauche des lignes d'interprétation : vous êtes doué pour l'exploration psychologique. Vous avez pris un bon départ. Si vos réponses se placent plutôt dans la partie droite des lignes d'interprétation : vous êtes plus fait pour l'action que pour la méditation. Vous savez pourtant obscurément que votre personnalité entraîne pour vous les conséquences pratiques les plus graves et souvent à votre insu. Je me permets donc d'affirmer que ce test est important pour vous. Mais, tel que je vous vois, ce sera dur et je crains que vous n'abandonniez en cours de route.

Si vous êtes au milieu partout, ou avec des « élevés » et des « bas », vous êtes quelqu'un de compliqué et nous nous garderons de vous donner un conseil.

Toutefois, le questionnaire qui suit vous aidera peut-être à clarifier quelques-unes de ces hésitations contradictoires.

II. OBSTACLES

A. QUESTIONNAIRE

1ᵉʳ obstacle
1 Votre tenue à table   ☐ **a** est irréprochable
                                  ☐ **b** n'est pas irréprochable

2 Vous jurez   ☐ **a** peu volontiers
                                  ☐ **b** volontiers

3 Vous vous considérez comme   ☐ **a** très bien élevé
                                  ☐ **b** d'une éducation passable

2° obstacle :

4 Vous estimez
que la psychanalyse

☐ **a** a fait sa juste place dans la vie sexuelle
☐ **b** a conduit à des abus regrettables

5 Ce qui vous frappe
dans la nouvelle
génération

☐ **a** c'est le relâchement moral
☐ **b** c'est l'expression d'une vitalité exubérante

3° obstacle :

6 ☐ **a** Vous rêvez peu et vos rêves n'ont ni queue ni tête
   ☐ **b** Vous vous êtes déjà amusé à chercher la signification de vos rêves

Cochez vos réponses sur cette page, notez-les page 248 et reportez-vous à la page suivante.

B. INTERPRÉTATION DU QUESTIONNAIRE

	Questions 1, 2, 3	**Questions 4, 5**	**Question 6**
Les questions pour lesquelles vous avez choisi les réponses **(a)** *vous signalent un obstacle*	Vous attachez un grand prix à votre personnage social. Vous considérez qu'il représente valablement votre personnalité profonde. Vous répugnez à la remettre en question. Les « révélations » de la psychologie vous semblent mettre l'accent sur des faiblesses que vous condamnez.	En particulier, vous admettez difficilement que la vie instinctive et sexuelle puisse inspirer à votre insu nombre de vos pensées et de vos actes.	Un exemple de cette méfiance : vous ne vous êtes guère engagé sur les chemins du rêve où vous risqueriez de rencontrer un « vous-même » insolite.

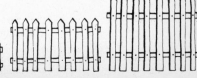

Les questions pour lesquelles vous avez choisi les réponses **(b)** *signalent que vous n'y rencontrez pas d'obstacle*

Vous ne vous érigez pas en modèle. Vous préférez le naturel, l'authenticité, à la poursuite d'une perfection rigide. Vous reconnaissez facilement vos torts, vos erreurs et vous accueillez facilement de nouveaux points de vue sur vous-même.

Vous avez remarqué que le comportement sexuel a de nombreuses ramifications dans la vie sociale et professionnelle. En ce qui vous concerne personnellement, vous seriez capable de faire un parallèle entre votre évolution psychologique et la place de la sexualité dans votre vie.

Il est arrivé que le rêve, « voie royale » vers l'inconscient, vous aide dans cette prise de conscience.

Notez vos réponses page 248.

Passez au contrôle : la méthode suivie ici n'est pas du tout celle que vous escomptiez.

Vous pensez :
— « Nous faisons fausse route : il serait bien plus profitable de recenser nos qualités et nos défauts que de nous engager dans de tels méandres » : *ajoutez un obstacle page 248.*

— « Attendons de voir où cela nous mènera. » Vous avez alors bien mérité de passer au questionnaire suivant.

Faisons le point : vous devinez maintenant que sur le chemin de la connaissance vous vous rencontrez bien vous-même, mais sous la forme inattendue de l'obstacle. Plus ces obstacles sont nombreux et élevés, plus il va vous être difficile d'établir la relation, que nous allons chercher maintenant, de votre personnage social actuel avec l'être archaïque et monstrueux qui sommeille dans l'ombre.

III. INVESTISSEMENTS

A. QUESTIONNAIRE

Consignes

Un samedi, vous avez fait des courses, ou, à la fin d'un séjour à l'étranger, vous avez fait des acquisitions : elles expriment vos besoins, vos goûts. S'il s'agit de cadeaux, l'idée que vous vous faites des autres est encore un reflet de ce que vous êtes vous-même.

Le hasard a placé arbitrairement le moment de votre rencontre avec ce questionnaire mais, à ce moment comme à tout autre, ce que vous êtes est la synthèse d'une foule d'événements et de conduites passés. Pour exprimer cela, nous empruntons à la psychanalyse un terme qu'elle-même emprunte à la finance : *investissements*.

Nous allons vous aider à apprécier vous-même vos *investissements* à l'aide d'un instrument de mesure des attitudes nommé *échelle*.

Chaque *échelle* se compose de trois colonnes exprimant chaque fois, à propos d'une sorte d'investissement :

1° Votre manière de percevoir les autres (les autres gens...)
2° Votre opinion (vous pensez que...)
3° Votre comportement personnel

Vous allez, pour chacun de ces trois points de vue, choisir un niveau parmi les 5 proposés (réponses de **a** à **e**). Certains niveaux n'ont pas de commentaire en regard ; ils représentent une position intermédiaire entre le niveau au-dessus et le niveau au-dessous.

Il est bien entendu que les nuances particulières de votre attitude peuvent ne pas entrer dans ces échelles. Faute de trouver ce qui vous représente le mieux, choisissez ce qui vous convient le moins mal dans chaque échelle.

Cochez vos réponses dans les cases correspondantes des tableaux suivants, puis reportez-les, page 248.

INVESTISSEMENT n° 1 : SANTÉ		
Les autres gens...	*La santé à vos yeux...*	*L'état de votre santé...*
☐ **a** vous étonnent par la place que la santé tient dans leurs choix alimentaires, leurs occupations, jusque dans leurs conversations.	☐ **a** est le fruit de l'hérédité et du hasard ; les soins particuliers qu'on y attache n'y changent pas grand-chose.	☐ **a** moins vous y pensez, mieux vous vous portez.
☐ **b** ma position est intermédiaire.	☐ **b** ma position est intermédiaire.	☐ **b** ma position est intermédiaire.
☐ **c** ne se préoccupent guère de la santé tant qu'ils sont bien-portants et ne se souviennent plus de la maladie une fois qu'ils sont guéris.	☐ **c** santé et maladie dépendent des conditions de vie en société. La santé comme l'hygiène est le résultat d'un effort collectif.	☐ **c** fait partie des questions qu'il est bon de se poser de temps en temps.
☐ **d** ma position est intermédiaire.	☐ **d** ma position est intermédiaire.	☐ **d** ma position est intermédiaire.
☐ **e** ont un régime et des habitudes diamétralement contraires à tous les principes d'une vie saine.	☐ **e** est le plus précieux des biens. Un capital susceptible de s'accroître ou de se dégrader.	☐ **e** est un de vos soins permanents et requiert de vous une attention spéciale qui fait partie de la responsabilité que vous avez vis-à-vis de vous-même et de votre entourage.

INVESTISSEMENT N° 2 : SATISFACTION IMMÉDIATE		
Les autres gens...	*Vous pensez que l'homme (et vous n'êtes d'ailleurs pas le premier à l'avoir pensé)...*	*Vous vous retrouvez le plus authentiquement vous-même...*
☐ **a** vivent au jour le jour, enlisés dans la matérialité de l'existence : travaillent cinq jours par semaine, de quoi gagner ce qu'ils achèteront le samedi pour consommer le dimanche.	☐ **a** est un être des lointains.	☐ **a** dans la conception et l'aménagement de l'avenir. Vous faites peu attention aux contingences présentes, aux commodités et agréments de la vie quotidienne.
☐ **b** trouvent dans la vie sociale un assez bon équilibre de leurs besoins matériels et spirituels.	☐ **b** vit à la fois de bonne soupe et de beau langage.	☐ **b** dans les agréments de la vie sociale : de bons amis, une bonne table, du bon tabac, une bonne soirée.
☐ **c** ma position est intermédiaire.	☐ **c** ma position est intermédiaire.	☐ **c** ma position est intermédiaire.
☐ **d** vous navrent par leur caractère calculateur, leur manque de spontanéité et de générosité.	☐ **d** (il vous paraît sans intérêt de spéculer sur un pareil sujet).	☐ **d** dans le plaisir qui, pour être total, ne doit être ni différé ni contrôlé.
☐ **e** s'adonnent frénétiquement à une foule d'occupations toutes aussi ennuyeuses et inutiles les unes que les autres.	☐ **e** est un animal dégénéré devenu incapable de jouir des « nourritures terrestres ».	☐ **e** dans la sensation, l'expérience du moment présent vécu avec la plus grande intensité possible.

INVESTISSEMENT n° 3 : ARGENT		
Les autres gens...	*Vous pensez que l'argent...*	*L'argent tient dans votre vie une place...*
☐ a ne savent pas profiter des agréments de l'existence.	☐ a est fait pour être dépensé.	☐ a minimale et que vous souhaiteriez encore moins importante si possible. Votre entourage vous reproche de ne pas tenir compte suffisamment des nécessités matérielles. Vous avez tendance à vivre au-dessus de vos moyens.
☐ b ma position est intermédiaire.	☐ b ma position est intermédiaire.	☐ b ma position est intermédiaire.
☐ c dépensent bêtement leur argent, vivent au-dessus de leurs moyens.	☐ c vaut surtout par la manière dont il est géré : on peut faire des miracles avec peu, et, au contraire, voir les richesses s'évanouir en fumée.	☐ c raisonnable. Vous administrez votre patrimoine avec prudence. Vous savez compter.
☐ d ma position est intermédiaire.	☐ d ma position est intermédiaire.	☐ d ma position est intermédiaire.
☐ e sont en réalité déterminés par l'argent qu'ils ont ou qu'ils n'ont pas, mais n'osent pas le reconnaître.	☐ e est un moyen indispensable pour toute entreprise quelle qu'elle soit.	☐ e importante. Vous dépensez beaucoup d'efforts pour en acquérir. Les pertes d'argent vous sont cruelles.

INVESTISSEMENT n° 4 : PRESTIGE SOCIAL		
Les autres gens...	*Vous considérez le prestige social...*	*Votre comportement social...*
☐ **a** passent leur vie à se préparer au jugement d'autrui, courent après une vaine gloire, abdiquent pour des futilités leur véritable personnalité.	☐ **a** avec une ironie écrasante. Leurre, vanité, farce sont les termes qui vous paraissent convenir.	☐ **a** se moque du « qu'en dira-t-on ». Vous éprouvez une certaine jouissance à choquer l'opinion, affecter la vulgarité. Vous prenez un malin plaisir à donner aux autres l'occasion de se méprendre sur votre véritable qualité.
☐ **b** ma position est intermédiaire.	☐ **b** ma position est intermédiaire.	☐ **b** ma position est intermédiaire.
☐ **c** en prennent et en laissent avec, après tout, une assez bonne discrimination de ce qui est utile et de ce qui ne l'est pas.	☐ **c** comme une forme des usages de la vie en société que vous n'avez pas à réformer. La véritable indépendance vous paraît consister à vous y conformer sans en faire un but de votre existence.	☐ **c** se cantonne en général à « ce qui se fait », compte tenu de votre position et des circonstances.
☐ **d** ma position est intermédiaire.	☐ **d** ma position est intermédiaire.	☐ **d** ma position est intermédiaire.
☐ **e** se contentent d'une honnête médiocrité. L'âge et les difficultés de la vie tempèrent leurs ambitions. Ils se laissent glisser au défaitisme	☐ **e** comme un critère objectif de réussite. Puisque nous vivons en société, la sanction ultime du mérite, qui se manifeste tôt ou tard, est qu'il soit reconnu par le plus grand nombre.	☐ **e** est compétitif. Vous vous comparez aux autres, implicitement ou non. Vous attachez beaucoup d'importance aux symboles de réussite : voiture, honneurs... Vous enviez les célébrités.

INVESTISSEMENT N° 5 : TRAVAIL		
Les autres gens...	*Vous pensez que le travail est..*	*Votre comportement habituel est de...*
☐ **a** vous étonnent par leur agitation, leur fébrilité, l'impatience qu'ils mettent à essayer de précipiter le cours naturel des événements, leur incapacité à profiter de la vie.	☐ **a** devenu une sorte d'esclavage propre à la civilisation occidentale.	☐ **a** faire le minimum indispensable. Ne pas faire aujourd'hui ce qui peut être remis à demain et éviter de faire vous-même ce qu'un autre peut faire à votre place.
☐ **b** ma position est intermédiaire.	☐ **b** ma position est intermédiaire.	☐ **b** ma position est intermédiaire.
☐ **c** s'acquittent normalement de leur travail, et, quand c'est fini, jouissent d'un repos bien mérité.	☐ **c** une nécessité qui est compensée par ce qu'il permet d'acquérir : connaissances, biens matériels, loisirs, etc.	☐ **c** faire ce qu'il faut. En donner à vos clients, employeurs, relations, « pour leur argent », sans exagération et sans vous laisser exploiter.
☐ **d** ma position est intermédiaire.	☐ **d** ma position est intermédiaire.	☐ **d** ma position est intermédiaire.
☐ **e** vous étonnent par leur peu d'activité, leur indifférence pour la réalisation, leur recherche de distractions qui les occupent dans l'instant sans but déterminé.	☐ **e** une des valeurs les plus importantes, les plus fécondes de notre civilisation.	☐ **e** vous débarrasser de ce que vous avez à faire afin de pouvoir entreprendre autre chose. L'inactivité provoque chez vous une sorte de malaise.

Avez-vous reporté toutes vos réponses sur le tableau récapitulatif page 248 ? Vous pouvez maintenant interpréter vos investissements, au moyen des explications qui suivent.

B. INTERPRÉTATION DES INVESTISSEMENTS

Chaque échelle est construite de la même manière. Un même niveau horizontal comporte trois points de vue : votre perspective sur le comportement d'autrui, votre opinion, votre comportement.

Observez votre démarche : est-elle résolue et assurée ? Si, dans les colonnes, vous avez, *verticalement,* opté résolument pour l'une des descriptions proposées, sans position intermédiaire ; et si vous avez aussi une assez bonne concordance entre les trois positions sur un même niveau, c'est-à-dire *horizontalement :* vous vous êtes comporté comme une personne de décision, axée sur la réalisation, avec peut-être une tendance à négliger les nuances.

oui □ *fois sur 5*

Etes-vous tourné vers l'action ? Si vous vous êtes plus intéressé à la colonne de droite qu'à celle du milieu, c'est que vous êtes plus tourné vers l'action que vers la spéculation.

oui □ *fois sur 5*

Etes-vous plutôt méditatif et hésitant ? Si vous avez éprouvé des difficultés à choisir, *verticalement,* un niveau et avez saisi avec empressement les possibilités qui vous étaient offertes de vous placer *entre* deux niveaux (dans la position intermédiaire) ; et si vous avez dû introduire *horizontalement*, des décrochages de niveaux en fonction des points de vue proposés : ne seriez-vous pas un être complexe, tenté par la multiplicité des possibilités offertes, parfois tiraillé entre des extrêmes ?

oui □ *fois sur 5*

Observez votre intensité relationnelle. Vos investissements, selon leur nature, donnent leur tonalité particulière à vos relations avec autrui. Ils en déterminent l'intensité. Pour juger de cette intensité, donnez une note à vos réponses, en appliquant le barème ci-dessous :

Santé	Satisfaction	Argent	Prestige	Travail
a vaut 5	e vaut 5	e vaut 5	e vaut 5	e vaut 5
b » 4	d » 4	a » 4	d » 4	d » 4
c » 3	c » 3	b » 3	c » 3	c » 3
d » 2	b » 2	d » 2	b » 2	b » 2
e » 1	a » 1	c » 1	a » 1	a » 1

Faites vos calculs dans le tableau récapitulatif page 248, et reportez le décompte ci-dessous. Dans le cas où vous auriez adopté deux positions dans une colonne, faites la moyenne de cette colonne avant de totaliser.

Votre décompte :

Santé
Satisfaction
Argent
Prestige
Travail
_____

Total

Vous totalisez moins de 30 points. Vous êtes, dirait-on, habituellement jugé comme un individu froid, peu passionné, peu expansif. Peut-être est-ce dans votre tempérament et êtes-vous réellement peu impliqué dans les vicissitudes de l'existence. Il se peut aussi que cette indifférence soit une sorte de carapace qui cache une grande sensibilité, protège une certaine vulnérabilité. Il vous est difficile d'en juger vous-même.

Vous totalisez entre 30 et 60 points. Il semble que vous vous situiez dans la norme où se trouve aussi vraisemblablement la majorité. Cette position comporte une foule de nuances en fonction de la nature des investissements.

Vous totalisez plus de 60 points. Il faut s'attendre que vous soyez passionné, excessif, avide à la fois de jouir, de posséder et de créer.

Interprétation de votre caractère par la répartition de vos investissements. Nous avons rangé les cinq investissements dans l'ordre dans lequel ils se succèdent au cours de la formation de la personnalité. Pendant les premières années de la vie, la libido[1] se transforme, en passant par une série de métamorphoses ou de stades.

Dans cette histoire réside la clef de votre caractère actuel. La relation entre cette histoire et votre être présent peut être schématisée comme obéissant à deux lois :

1. A chaque stade (narcissique : santé ; oral : satisfaction immédiate ; etc.), la quantité d'énergie disponible est le potentiel énergétique total de l'individu, diminué de ce qui est resté fixé (investi) aux stades antérieurs.

2. A chaque stade, les traits caractériels typiques se répartissent proportionnellement à l'énergie investie à ce stade.

Le jeu des échelles reproduit ces deux lois :
1. Si vous avez trop investi au début (santé, satisfaction immédiate,

1. La libido comprend l'instinct moral, certes, mais dans le sens très élargi d'énergie vitale. Les étapes qu'elle parcourt ont reçu le nom de « stades » d'évolution.

etc.), vous risquez de vous trouver démuni, donc retenu, dans votre capacité ultérieure d'investir (exemple I ci-dessous).

2. La répartition de vos investissements vous décrit : dans les pages qui suivent, vous retrouverez le détail de qui vous êtes — qui vous n'êtes pas.

Sur le second tableau :
— entourez d'un rond les lettres correspondant à vos réponses dans l'échelle de droite pour chacun des 5 questionnaires.
— puis tirez un trait reliant les ronds entre eux, comme dans les exemples donnés ci-dessous.
Vous tracerez ainsi le profil caractériel de vos investissements.

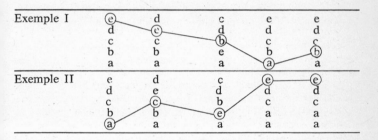

Exemple I : Sujet hypocondriaque, peu actif (investissement élevé dans les premiers stades), d'une intensité relationnelle faible, tout entier absorbé de sa propre personne.

Exemple II : Sujet actif, doué d'une intensité relationnelle considérable, tourné vers la réalisation. Présente une certaine contradiction entre son besoin de satisfactions immédiates et ses investissements sociaux supérieurs.

Profil caractériel de vos investissements

	Santé (stade narcissique)	Satisfaction immédiate (stade oral)	Argent (stade anal)	Prestige social (stade phallique)	Travail (stade génital)
Investissement élevé	e	d	c	e	e
	d	e	d	d	d
	c	c	b	c	c
	b	b	e	b	b
Investissement bas	a	a	a	a	a

Interprétation de votre caractère par la nature de vos investissements.
Investissement « santé » (questionnaire n° 1 de la page 238). Indice de
l'intérêt profond que vous portez à votre propre personne. S'il est
particulièrement élevé, il réduit votre capacité de vous engager dans
d'autres investissements qui vous apparaissent comme nécessitant un
effort épuisant, périlleux pour vous.

Si vous vous êtes placé aux niveaux élevés **d** ou **e**, cet investissement santé vous « retiendra » aux niveaux **a, b, c** (bas) dans les
investissements ultérieurs. Dans l'histoire de la libido, un tel investissement est le signe d'une fixation au premier stade du développement affectif, quand l'enfant est à lui-même son propre objet éroti-
que. C'est le stade « narcissique ». En contre-épreuve, la maladie
réveille cet état ancien : le malade réduit son environnement, se
désintéresse des projets lointains, n'est momentanément plus capable
de se consacrer à qui ou quoi que ce soit d'autre que lui-même.

*Investissement « satisfaction immédiate » (questionnaire n° 2 de la
page 239).* Etre affecté, recevoir, donner sont des modulations d'une
même expérience.
Recevoir et en devenir conscient, c'est ce qui remplace pour
l'enfant la tendance narcissique. Cette expérience nouvelle est celle
de la nourriture, qu'il ingère en même temps que l'amour maternel.

a (investissement bas) dénote abstinence et intellectualisme, ces
deux traits nécessitant d'être confirmés par ailleurs.

b et **c** prouvent votre attachement aux satisfactions immédiates.
Vous allez avoir tendance à considérer l'argent pour les satisfactions
immédiates qu'il vous donne (vous vous retrouverez dans le questionnaire n° 3 « argent », en **a** : prodigalité ; ou **e** : avidité).

d, e (investissement élevé) : vous avez été frustré de ces satisfactions
au moment où elles étaient nécessaires à votre épanouissement. Vous
les poursuivez maintenant inlassablement, sans jamais atteindre à la
plénitude. Elles risquent de vous retenir dans les investissements
ultérieurs en **a, b c** (niveaux bas).

Investissement « argent » (questionnaire n° 3 de la page 240). L'argent
matérialise la famille des besoins qui s'appellent encore : possession,
accaparement, accumulation… Ces besoins représentent une forme
infantile de la volonté de puissance. La première expérience que
l'enfant fait de la domination, vers l'âge de deux ans, concerne ses
excréments. Expérience encore chargée de narcissisme, puisqu'il en est
le sujet et l'objet, mais introduisant déjà une forme de relation
sociale conflictuelle (dans la perspective des parents : l'éducation de
la propreté). C'est le « stade anal ».

Plus tard, cette expérience sera perpétuée dans une matière vile mais socialisée, qu'à volonté on retient et qu'on abandonne, dont la possession donne jouissance à soi-même et pouvoir sur les autres : l'argent.

c (niveau élevé) à l'échelle du questionnaire « argent » risque de vous retenir en **a, b, c** (niveau bas) dans les investissements suivants. (Pour cette échelle, le maximum apparent est en **e**, mais le maximum réel en **c.**)

Investissement « prestige social » (questionnaire n° 4 de la page 241).
Les investissements de prestige social répondent au besoin de manifester sa personnalité, de requérir le témoignage d'autrui, son étonnement, son admiration. Pour obtenir ce résultat, on attache du prix aux accessoires les plus spectaculaires. Qu'est-ce que le jeune garçon possédait, qu'il pût montrer avec fierté, où il trouvât le moyen de fasciner ses pairs ? La psychanalyse a assigné à ce stade la dénomination de « phallique ». On voit l'évolution suivie par la libido depuis les stades antérieurs : elle est moins enfermée dans l'intériorité du sujet, moins dépendante de la satisfaction immédiate, considérablement plus socialisée.

Etes-vous en **d, e** : ceux qui font les réussites les plus brillantes sont là. Mais vous n'avez que trop tendance à prendre l'admiration publique pour l'ultime critère de réussite...

Investissement « travail » (questionnaire n° 5 de la page 242). Toute l'énergie disponible à ce point, c'est-à-dire qui a traversé les stades antérieurs en se transformant, mais sans se fixer, est disponible pour les investissements les moins égocentriques et les plus créateurs. Il ne s'agit pas seulement de la vie professionnelle, mais aussi conjugale, familiale, artistique peut-être. Pour marquer sa destination créatrice, Freud a nommé ce stade « génital ».

Vous êtes en **a** : cherchez les autres investissements, délicieux peut-être mais plus primitifs, ceux qui vous ont retenu en chemin.

Vous êtes en **b, c** : dans votre *maturation* il est resté un îlot infantile qui vous retient, vous rappelle aux moments où vous êtes le plus en flèche.

Vous êtes en **d, e** : bravo, mais il faut être bien sûr que vous méritez cet éloge. Si cette position est accompagnée de niveaux élevés dans les investissements précédents, elle est obtenue au prix de tensions importantes. Sinon, félicitez-vous d'être non un « bourreau de travail », mais un producteur d'œuvres[2].

2. Voir le tableau récapitulatif, page 248.

Réponses

Vous noterez vos réponses au fur et à mesure dans le tableau récapitulatif ci-dessous.

I Départ			
1 Degré de motivation	□ a	□ b	□ c
2 Intérêt narcissique	□ a	□ b	□ c
3 Degré d'introversion	□ a	□ b	□ c

II Obstacles			
1 □ a □ b		4 □ a □ b	
2 □ a □ b		5 □ a □ b	
3 □ a □ b		6 □ a □ b	
□ + 1 obstacle			

III Echelles

Santé	Nombre de réponses	Barème	Sommes
a	□ □ □	× 5 =	
b	□ □ □	× 4 =	
c	□ □ □	× 3 =	
d	□ □ □	× 2 =	
e	□ □ □	× 1 =	
Total			

Satisfaction immédiate			
a	□ □ □	× 1 =	
b	□ □ □	× 2 =	
c	□ □ □	× 3 =	
d	□ □ □	× 4 =	
e	□ □ □	× 5 =	
Total			

Argent			
a	□ □ □	× 4 =	
b	□ □ □	× 3 =	
c	□ □ □	× 1 =	
d	□ □ □	× 2 =	
e	□ □ □	× 5 =	
Total			

Prestige social	Nombre de réponses	Barème	Sommes
a	□ □ □	× 1 =	
b	□ □ □	× 2 =	
c	□ □ □	× 3 =	
d	□ □ □	× 4 =	
e	□ □ □	× 5 =	
Total			

Travail			
a	□ □ □	× 1 =	
b	□ □ □	× 2 =	
c	□ □ □	× 3 =	
d	□ □ □	× 4 =	
e	□ □ □	× 5 =	
Total			

Votre décompte :
Santé
Satisfaction
Argent
Prestige
Travail
Total

Faisons le point une dernière fois. Le résumé de vos résultats tient matériellement peu de place. Toujours petite est la place que je tiens sur un papier. Ce qui compte, c'est ce qui a pu se passer entre le départ et l'arrivée et maintenant, peut-être, votre désir d'en savoir plus, de mieux vous comprendre. Si, au moment où vous venez de vous noter, vous n'êtes plus tout à fait le même, nous n'avons pas tout à fait perdu notre temps.

Est-ce l'arrivée ?

Se connaître, nous venons de l'entrevoir, c'est comprendre en quoi notre être actuel est le résultat d'un processus, la présence d'une histoire. Il arrive que cette prise de conscience se fasse dans une révélation subite. En général, elle se partage dans la multiplicité des circonstances où nous sommes engagés.

Dans ce deuxième sens, se connaître, c'est *se reconnaître* dans chacun des événements où nous jouons un rôle. Employer un mot plutôt qu'un autre, faire un choix, s'engager dans une action, penser, imaginer, rêver, chacun de ces comportements a une signification. Plus il est chargé d'histoire inconsciente, plus il perpétue le passé dans notre avenir et le change en destin. L'ouverture de l'avenir passe donc par la reconquête de ce passé. L'étude de la psychologie peut nous aider dans cette entreprise.

Conclusion

Un panorama de votre personnalité

Vous voici au bout de vos peines : vous avez répondu à toutes les questions posées dans cet ouvrage. Ou peut-être pas à toutes les questions. Celles qui ne vous inspiraient pas, celles qui vous paraissaient inutiles, indiscrètes ou ridicules sont restées sans réponse. Peut-être certains questionnaires tout entiers sont-ils ainsi encore en friche. Peut-être plus tard, en une autre occasion, désirerez-vous y répondre. Peu importe, vous avez, selon votre inspiration actuelle, terminé votre check-up psychologique. Essayons d'en tirer quelques conclusions sur votre façon d'être actuelle.

Pour éviter toute ambiguïté, précisons que, n'étant pas un psychologue, il ne peut être question pour vous de remplacer ce spécialiste : vous ne pouvez espérer déceler ou guérir chez vous de graves désordres psychologiques. Heureusement de tels désordres sont l'exception. Leurs symptômes, manies, phobies, hallucinations, sont en général assez inquiétants pour que la personne qui en souffre, ou ses proches, aient recours au médecin, seul habilité à en juger la gravité et les remèdes.

Les jeux psychologiques proposés ici sont destinés aux personnes en bonne santé physique et mentale. Leur seule ambition est de vous faire réfléchir à votre manière d'être. Est-elle équilibrée ? Adaptée à votre milieu ? A votre entourage social ? Voilà des questions auxquelles il est utile de réfléchir parfois. Trop souvent on oublie que le caractère n'est pas déterminé une fois pour toutes de façon immuable. Il change au cours de la vie. Tous les événements, les personnes fréquentées le modifient, en bien ou en mal.

Le monde extérieur n'est pas seul à former le caractère. Notre capacité de réfléchir sur ce que nous sommes nous permet de juger nos points forts et nos points faibles, et de travailler de notre propre initiative à atténuer ce que certains traits de notre caractère peuvent avoir d'excessif et à en renforcer d'autres. C'est ce qu'on nomme l'éducation personnelle ou « auto-éducation ». Le psychanalyste C.G. Jung disait de façon imagée de l'effort auto-éducatif qu'il « arrondit la psyché » en supprimant les angles et en comblant les vides[1].

C'est à cet effort de réflexion que nous convient les dernières pages de cet ouvrage. Elles contiennent deux tableaux chiffrés qui vous paraîtront peut-être un peu rébarbatifs. Mais seuls les chiffres permettent de déterminer avec précision quelle position chacun occupe par rapport au reste de ses semblables. Nous vous conseillons donc de ne pas reculer, par crainte des chiffres et graphiques, devant le petit effort intellectuel réclamé pour faire la synthèse de ce que vous êtes, car il vous permettra de décider s'il y a intérêt à faire évoluer votre caractère dans un sens ou dans un autre.

---

1. Voir C.G. Jung : *l'Homme à la découverte de son âme* (Genève, éd. du Mont-Blanc, 1944).

Bilan de vos 20 tests

Votre profil psychologique

A la fin de chacun des 20 questionnaires de l'ouvrage, vous avez trouvé un tableau permettant de répartir vos réponses en différentes colonnes. Un commentaire suivait le tableau. Il vous a renseigné sur l'interprétation à donner à vos réponses selon la façon dont elles se répartissent dans les colonnes.

Si vous avez omis de remplir certains de ces tableaux récapitulatifs, faites-le à présent. Additionnez le nombre de vos réponses dans chaque colonne des tableaux. Nous allons nous servir de ces chiffres pour une synthèse générale.

Exemple : le test 1 « Etes-vous en accord avec vous-même ? » se termine par un tableau en trois colonnes I, II et III (voir p. 23). Chaque ligne du tableau correspond à une question posée dans le test. Vous avez répondu aux questions en choisissant une des réponses *a, b* ou *c* proposées. Indiquez dans quelle colonne du tableau se situe la réponse que vous avez choisie, en entourant d'un cercle la lettre correspondante. Si vous n'avez pas pu choisir de réponse à l'une des questions, laissez sa ligne en blanc. Comptez ensuite combien vous avez de cercles par colonne et notez le total obtenu dans les cases réservées à cet effet. Pour obtenir une vue d'ensemble de vos résultats, vous allez recopier les totaux des tableaux qui suivent chaque questionnaire sur le grand tableau de la page 276 et suivantes. Pour chaque total à recopier, une ligne est prévue dans le grand tableau, avec une case en blanc que vous pouvez remplir. En face de cette case destinée à recevoir votre résultat, vous voyez une longue ligne,

divisée en cinq compartiments. Les divisions de ces compartiments sont formées par des chiffres indiquant où se situe la
moyenne[1] et les écarts types[2] d'un groupe de 50 sujets ayant
passé les 20 tests. Il est intéressant de noter par une petite croix
où se situe votre résultat par rapport à ceux des sujets témoins.
Jusqu'à la distance de plus ou moins un écart type ($+o$, lire
sigma), votre résultat se situe dans une proportion de 68 pour
100 des sujets témoins, ce qui indique qu'il est conforme au
groupe général. Au-delà d'un écart type votre résultat n'est égalé
que par 32 pour 100 de la population témoin. Il n'y a que 5
pour 100 de sujets normaux qui dépassent le seuil de deux écarts
types ($\pm$ 2σ). Dans le tableau page 276, ces chiffres sont
matérialisés par des zones ombrées : de la moyenne à $\pm$ un
écart type ($\pm$ σ), 68 pour 100 des sujets, zone blanche ; au-delà
d'un écart type, 32 pour 100 des sujets, qui se divisent en : 27
pour 100 entre 1 et 2 écarts types (-2σ à $-\sigma$ et $+$ σ à 2σ),
zone ombrée en gris clair ; et 5 pour 100 au-delà de 2 écarts
types, zone ombrée en gris foncé.

A chaque ligne, indiquez par une croix votre résultat dans la
ligne compartimentée qui vous permet de juger visuellement de
combien il s'écarte de la norme. Un modèle de la mise en place
des croix vous est donné p. 270 et suivantes.

La plupart de vos croix se situeront probablement près de la
moyenne, indiquant chaque fois un aspect équilibré de votre
caractère. On peut penser cependant qu'un nombre plus ou
moins grand de vos croix s'écartera sensiblement de la moyenne.
Certaines se situeront au-delà d'un écart type en plus de la
moyenne. C'est à ces cas spéciaux qu'il vous faut vous intéresser
plus particulièrement, en lisant au début de la ligne quelle
tendance caractérielle ils concernent. Si l'emplacement de votre

1. La moyenne est un chiffre indiquant la tendance centrale d'un groupe.
Elle se calcule par la formule :

$$m = \frac{\Sigma\ x}{N}$$

où m représente le résultat moyen du groupe, $\Sigma\ x$ la somme des résultats
individuels, N le nombre des individus testés.
2. L'écart type correspond à une déviation moyenne par rapport à la
tendance centrale du groupe. Il se calcule par la formule :

$$\sigma = \sqrt{\frac{\Sigma\ (x - m)^2}{N - 1}}$$

où σ représente l'écart type, $\Sigma\ (x - m)^2$ la somme des écarts à la moyenne,
élevée au carré, et N le nombre des individus testés.

croix, à droite de la moyenne, indique que la tendance caractérielle est forte, il vous faudra chercher comment contrôler cette tendance de façon à éviter ses excès. Si l'emplacement de votre croix, à gauche de la moyenne, indique que la tendance caractérielle est faible, il faudra chercher comment renforcer ce point faible de votre caractère.

Exemple d'analyse d'un profil psychologique

Ainsi, dans le modèle de profil psychologique donné page 270 (sujet numéro 49 de notre groupe témoin), les cinq croix situées le plus à gauche indiquent des tendances caractérielles faibles :

Questionnaire 5, col. I : l'extraversion
(= tendance à l'introversion)
Questionnaire 6, col. I : l'ascendant
(= tendance à la soumission)
Questionnaire 9, col. II : la tolérance modérée
(= tendance à l'intolérance)
Questionnaire 11, col. I : enfant gâté
(= tendance au dévouement)
Questionnaire 18, col. II : l'esprit de méthode
(= tendance à la fantaisie)

Les cinq croix situées le plus à droite indiquent des tendances caractérielles fortes en ce qui concerne :

Questionnaire 4, col. I : le refus du modernisme
Questionnaire 8, col. I : le développement des instincts
Questionnaire 9, col. I : une intolérance marquée (confirme le 3e point du paragraphe précédent)
Questionnaire 12, col. IV : un esprit plutôt mélancolique
Questionnaire 20, col. I : une attention nettement dirigée vers la santé.

Le sujet qui a fourni ce profil psychologique est du sexe féminin, marié et mère de famille, maîtresse de maison, ayant dépassé la cinquantaine. Son caractère apparaît assez nettement typé, soumise à son mari et à son milieu, avec des principes marqués, du dévouement envers ses proches (peu de tendance à se montrer enfant gâté) ; de la fantaisie plus que de la méthode, ce qui doit tempérer ce que son caractère paraît avoir d'un peu austère. Son peu de goût pour les innovations et ses préoccupations assez marquées pour sa santé s'expliquent probablement

Liste des sujets ayant rempli les 20 tests

Pour garantir la validité de la cotation des réponses, publiée après chacun des 20 tests de cet ouvrage, nous avons demandé à cinquante personnes de remplir ces tests. Vingt sont du sexe masculin, trente du sexe féminin ; leurs âges s'échelonnent de 20 à 70 ans. La gamme des professions s'étend de l'employé au directeur. Ces cinquante personnes constituent un groupe témoin, situé statistiquement dans la « normale ». Les réponses fournies par ce groupe témoin ont permis de calculer les moyennes et les écarts types du tableau « Votre profil psychologique » (page 276).

En outre, nous avons calculé les relations existant entre différents tests au moyen du coefficient de corrélation de Bravais-Pearson appliqué à ce groupe, ce qui permet de procéder à un bilan de vos réponses (tableau et explications des pages 276 à 279).

Voici la composition de notre groupe de cinquante sujets :

N°	Sexe	Age	Profession	N°	Sexe	Age	Profession
1	F	45	Secrétaire de direction	24	F	35	Informatique
2	F	39	Directrice d'école (C.A.P.E. enfance inadaptée)	25	F	20	Comptable
				26	F		
3	M	67	Ingénieur Ecole centrale	27	M	26	Etudiant
4	F	37	Institutrice	28	F	24	Secrétaire de rédaction
5	F	20	Sténodactylo	29	F	40	Commerçante
6	M	35	Employé de bureau	30	F	65	Maîtresse de maison
7	M	25	Agent technique imprimerie	31	M	70	Retraité
				32	F	33	Secrétaire de rédaction
8	M	25	Agent technique imprimerie	33	F	29	Licence d'histoire
				34	F	50	Maîtresse de maison
9	F	37	Secrétaire médicale	35	F	35	Professeur de gymnastique
10	F	38	Maîtresse de maison (diplôme ingénieur Arts et Métiers)	36	F	23	Employée de fabrication dans maison d'édition
11	F	25	Secrétaire	37	M	60	Assureur
12	F	35	Chef de service	38	F	24	Etudiante en philosophie
13	F	33	Maîtresse de maison	39	F	21	Hôtesse d'accueil
14	M	22	Etudiant en droit	40	F	52	Maîtresse de maison
15	M	23	Instituteur	41	M	51	Industriel
16	F	28	Secrétaire de rédaction	42	M	55	Agent technique imprimerie
17	M	23	Etudiant en histoire	43	M	35	Technicien
18	F	35	Travaille dans l'informatique	44	F	35	Commerçante
				45	F	34	Maîtresse de maison
19	M	40	Cadre société immobilière	46	F	41	Organisatrice de voyages
				47	M	68	Chirurgien-dentiste
20	F	23	Psychologue	48	M	44	Chef des ventes
21	F	51	Comptable	49	F	71	Maîtresse de maison
22	M	42	Directeur	50	M	63	Chirurgien-dentiste
23	F	30	Secrétaire				

par son âge. Ce profil psychologique est satisfaisant, car il paraît en accord avec le rôle social de la personne concernée.

Pour « arrondir sa psyché » on pourrait conseiller :
1) un peu de cérébralisation et de méthode : lorsqu'on laisse libre cours à la fantaisie et aux tendances instinctuelles, le caractère devient impulsif, livré de façon primesautière à l'inspiration du moment, ce qui est charmant à 20 ans, mais présente des inconvénients à l'âge adulte ;
2) un freinage de l'intolérance et du refus des nouveautés. Dans un certain milieu bourgeois du passé, il était bien vu d'avoir des principes. Mais de nos jours l'évolution des coutumes appelle plus de largeur d'esprit.

Analysez votre profil psychologique

Vous pouvez, de cette manière, faire l'analyse de votre profil psychologique. Etablissez tout d'abord la liste de vos tendances caractérielles marquées, en notant sur une feuille blanche numéro et titres de la ligne correspondant à chaque croix placée dans les zones ombrées. Il est commode de prévoir une feuille pour les croix placées dans les zones ombrées de gauche et une feuille pour les croix placées dans les zones ombrées de droite. Ainsi vous pourrez embrasser d'un coup d'œil vos tendances faibles (zones ombrées de gauche) pour juger leur nombre, leurs ressemblances ou dissemblances ; et de même pour vos tendances fortes (zones ombrées de droite). Indiquez aussi dans vos deux listes le degré des tendances marquées, en cochant d'un signe plus ($+$), ou en soulignant, celles de ces tendances qui dépassent deux écarts types ($+$ ou $- 2\sigma$: croix placées dans les zones les plus ombrées), s'il s'en présente.

Attention dans votre liste aux tendances bipolaires du tableau, comme introversion-extraversion ou masculinité-féminité ; il serait fâcheux de vous tromper de direction lorsque vous notez le titre de la tendance. Attention surtout dans le cas où deux négations font une affirmation : un *faible* désaccord avec soi-même signifie que dans l'ensemble l'accord avec soi-même est bon ; un résultat *faiblement* intolérant signifie que la tendance caractérielle dominante est la tolérance.

Les non-réponses, les blancs,
les remarques rageuses

Au cours de l'analyse de votre profil psychologique, il peut être instructif de revenir à chaque questionnaire ayant fourni un résultat symptomatique, pour examiner le détail de vos réponses. Vous rappelez-vous un malaise ressenti dans la rédaction de certaines d'entre elles ? Avez-vous laissé des questions sans réponse ? Avez-vous constellé le questionnaire de remarques rageuses ? Ce sont des sortes de réponses « négatives » dont on peut tirer des indications utiles. Vous pouvez par exemple dresser sur une page à part la liste des questions qui ont provoqué de telles réactions. En parcourant cette liste, la lumière peut se faire sur un problème caché mais important. En y pensant sérieusement, il est probable que vous pourrez le résoudre.

Les coefficients de corrélation

Certains questionnaires ne se ressemblent pas du tout. Mais entre d'autres on peut s'attendre à trouver certaines relations qui peuvent correspondre plus particulièrement à certains types de caractères. Par exemple, on peut s'attendre à ce que les extravertis aient plus de facilité à s'adapter au monde moderne que les introvertis ; ou bien on peut supposer que ceux qui ont l'« esprit de géométrie » très développé soient en même temps les moins superstitieux. D'autres relations, non prévues d'avance, peuvent être non moins intéressantes. Un test statistique classique permet de rechercher de telles relations de façon chiffrée. Il s'agit du coefficient de corrélation de Bravais-Pearson, dont la formule est :

$$ r = \frac{\Sigma \, (x - \overline{m}) \, (y - \overline{m}')}{\sqrt{\Sigma \, (x - \overline{m})^2 \, \Sigma \, (y - \overline{m}')^2}} $$

où r représente le coefficient ; $(x - \overline{m})$ l'écart à la moyenne du résultat de chaque sujet dans un test, $(y - \overline{m}')$ l'écart à la moyenne dans un second test mis en corrélation avec le premier ; Σ indique l'addition de toutes les valeurs en question.

Nous avons appliqué ce test statistique aux résultats fournis par nos 50 sujets témoins. Le tableau de la p. 260 fournit la liste des coefficients de corrélation qui ont montré une relation significative entre deux tests dans ce groupe de personnes normales. Nous vous indiquerons ensuite comment comparer vos propres résultats à ceux du tableau, pour voir s'ils se situent dans la norme ou s'en écartent.

NB. Pour faciliter la lecture du tableau des corrélations significatives des pages suivantes, nous avons été obligés de faire figurer deux fois chaque corrélation. En effet, si le questionnaire 1 est en corrélation avec le questionnaire 4, la réciproque est vraie. La corrélation significative doit être notée sous la rubrique « questionnaire 1 » puis sous la rubrique « questionnaire 4 », car si l'on omettait l'une des deux mentions, on n'aurait pas une vue complète des relations significatives d'un questionnaire donné avec tous les autres.

Certains questionnaires ne peuvent être mis en corrélation avec d'autres ; c'est le cas des numéros 2, 18, 19, 20.

Dans l'expérimentation statistique, il est d'usage de considérer qu'un résultat est significatif d'une cause autre que le hasard lorsqu'il dépasse une certaine valeur de probabilité appelée « seuil de signification ». Il y a plusieurs « seuils de signification ». Les plus en usage sont :

0,05 significatif
0,01 très significatif

et au-delà la signification est encore meilleure 0,005-0,001.

Pour un groupe de 50 sujets, les seuils de signification du coefficient de corrélation de Bravais-Pearson sont les suivants :

$r = 0,235$ probabilité 0,10
$r = 0,28$ probabilité 0,05

(indiquées par un astérisque* dans le tableau)

$r = 0,36$, probabilité 0,01

(indiquée par deux astérisques** dans le tableau).

II Coefficients de corrélation significatifs entre les questionnaires

Question-naire concerné	Colonne des résultats	Questionnaires en corrélation	Colonne des résultats	Coefficient de cor-rélation
1/Etes-vous en accord avec vous-même ?	colonne III désaccord	4/Etes-vous adapté au monde moderne ?	colonne III super-adaptation	0,30*
	colonne III désaccord	15/Etes-vous équilibré ?	colonne III et colonne IV déséquilibre	0,41**
	colonne III désaccord	16/Quel genre de parent êtes-vous ?	colonne III laisser-faire	0,48**
3/Quel est votre coeffi-cient de masculi-nité-féminité ?	colonne II féminité	17/Etes-vous bourreau ou victime ?	colonne III victime	0,27
4/Etes-vous adapté au monde moderne ?	colonne III super-adaptation	1/Etes-vous en accord avec vous-même ?	colonne III désaccord	0,30*
	colonne I inadaptation	5/Etes-vous introverti ou extraverti ?	colonne II introversion	0,27
	colonne III super-adaptation	5/Etes-vous introverti ou extraverti ?	colonne I extraversion	0,32*

Question- naire concerné	Colonne des résultats	Questionnaires en corrélation	Colonne des résultats	Coefficient de cor- rélation
5/Etes-vous introverti ou extra- verti ?	colonne II introversion	4/Etes-vous adapté au monde moderne ?	colonne I refus du modernisme	0,27
	colonne I extraversion	4/Etes-vous adapté au monde moderne ?	colonne III super- adaptation	0,32*
	colonne I extraversion	6/Etes-vous un leader ?	colonne I ascendance	0,46**
	colonne II introversion	7/Etes-vous anxieux ?	colonne III très anxieux	0,29*
	colonne I extraversion	8/Quelle est la part de la bête en vous ?		0,23
5/Etes-vous introverti ou extra- verti ?	colonne I extraversion	12/Quelle sorte de fou êtes-vous ?	colonne V manie	0,35*
	colonne I extraversion	17/Etes-vous bourreau ou victime ?	colonne I bourreau	0,30*
	colonne II introversion	17/Etes-vous bourreau ou victime ?	colonne III victime	0,25
6/Etes-vous un leader	colonne I ascendance	5/Etes-vous introverti ou extraverti ?	colonne I extraversion	0,49**
7/Etes-vous anxieux ?	colonne III très anxieux	5/Etes-vous introverti ou extraverti ?	colonne II introversion	0,29*

Question-naire concerné	Colonne des résultats	Questionnaires en corrélation	Colonne des résultats	Coefficient de cor-rélation
	colonne III très anxieux	11/Etes-vous un enfant gâté ?	colonne I tendances d'enfant gâté	0,41**
	colonne III très anxieux	14/Etes-vous superstitieux ?	colonne I superstitieux	0,24
8/Quelle est la part de la bête en vous ?		5/Etes-vous introverti ou extraverti ?	colonne I extraversion	0,23
		10/Avez-vous l'esprit de géométrie ou de finesse ?	colonne I esprit de géométrie	0,32*
		11/Etes-vous un enfant gâté ?	colonne I tendances d'enfant gâté	0,30*
9/Etes-vous tolérant ?	colonnes I et II intolérance	13/Etes-vous raciste ?	colonne I raciste	0,24
10/Avez-vous l'es-prit de géométrie ou de finesse ?	colonne I esprit de géométrie	8/Quelle est la part de la bête en vous ?		0,32*
	colonne II esprit de finesse	14/Etes-vous superstitieux ?	colonne I supertitieux	0,22
11/Etes-vous un enfant gâté ?	colonne I tendances d'enfant gâté	7/Etes-vous anxieux	colonne III très anxieux	0,41**
	colonne I tendances d'enfant gâté	8/Quelle est la part de la bête en vous ?		0,30*

Question- naire concerné	Colonne des résultats	Questionnaires en corrélation	Colonne des résultats	Coefficient de cor- rélation
	colonne I tendances d'enfant gâté	16/Quel genre de parent êtes- vous ?	colonne III laisser-faire	0,43**
12/Quelle sorte de fou êtes- vous ?	colonne V manie	5/Etes-vous introverti ou extraverti ?	colonne I extraversion	0,35*
13/Etes-vous raciste ?	colonne I racisme	9/Etes-vous tolérant ?	colonnes I et II intolérance	0,24
14/Etes-vous supers- titieux ?	colonne I superstitieux	7/Etes-vous un anxieux ?	colonne III très anxieux	0,24
	colonne I superstitieux	10/Avez-vous l'esprit de géométrie ou de finesse ?	colonne II esprit de finesse	0,22
15/Etes-vous équi libré ?	colonnes III et IV déséquilibre	16/Quel genre de parent êtes-vous ?	colonne III laisser-faire	0,45**
16/Quel genre de parent êtes- vous ?	colonne III laisser-faire	1/Etes-vous en accord avec vous-même ?	colonne III désaccord	0,30*
	colonne III laisser-faire	11/Etes-vous un enfant gâté ?	colonne I tendances d'enfant gâté	0,43**
	colonne III laisser-faire	15/Etes-vous équilibré ?	colonnes III et IV déséquilibre	0,45**

Question-naire concerné	Colonne des résultats	Questionnaires en corrélation	Colonne des résultats	Coefficient de cor-rélation
17/Etes-vous bourreau ou victime ?	colonne III victime	3/Quel est votre coefficient de masculinité-féminité ?	colonne II féminité	0,27
	colonne I bourreau	5/Etes-vous introverti ou extraverti ?	colonne I extraversion	0,30*
	colonne III victime	5/Etes-vous introverti ou extraverti ?	colonne II introversion	0,25

Les corrélations significatives

Le tableau des corrélations significatives montre quelles sont les tendances qui, dans un groupe de sujets normaux, s'accordent, et quelles sont les tendances qui se contredisent. Il peut être important pour vous de voir si vos résultats suivent ces normes ou s'en écartent.

*Questionnaire 1*III[3] *et 4*III : la tendance « superadaptation au modernisme » est en corrélation avec la tendance « désaccord avec soi-même » ($r = 0,30$, probabilité inférieure à 0,05). C'est un résultat psychologiquement important qu'il faut noter.

*Questionnaire 1*III *et 15*III *et* IV : le « désaccord avec soi-même » est aussi en corrélation avec la tendance « déséquilibre », ce qui paraît plus évident ($r = 0,41$, probabilité inférieure à 0,01).

*Questionnaire 1*III *et 16*III : celui qui est en « désaccord avec lui-même » a des chances de devenir un parent « laisser-faire » ($r = 0,48$, probabilité inférieure à 0,01).

3. Lire question 1, col. III, question 4, col. III, etc.

*Questionnaire 3*II *et 17*III : la comparaison du questionnaire « masculinité /féminité » avec le questionnaire « Etes-vous victime ou bourreau ? » n'indique pas de corrélation significative entre le pôle « masculinité » et le pôle « bourreau » (heureusement, nous vivons dans un monde civilisé !), mais une corrélation légèrement significative entre le pôle « féminité » et le pôle « victime » (masculinité-bourreau : r = 0,11, non significative ; féminité-victime : r = 0,27, probabilité inférieure à 0,10).

*Questionnaire 5*I *et* II *et 4*III *et* I : le questionnaire « Etes-vous introverti ou extraverti ? » est en relation significative avec le questionnaire « Etes-vous adapté au monde moderne ? » dans leurs deux composantes respectives : le pôle « extraversion » est en corrélation significativement très positive vers la tendance « superadaptation » ; inversement le pôle « introversion » est en corrélation positive avec le « refus du modernisme », en corrélation négative avec la tendance « superadaptation » (extraverti-refus : r = 0,27, probabilité inférieure à 0,10 ; extraverti-superadaptation : r = 0,43, probabilité inférieure à 0,01 ; introverti-refus : r = 0,27, probabilité inférieure à 0,10 ; introverti-superadaptation : r = 0,43, probabilité inférieure à 0,01).

*Questionnaire 5*I *et 6*I : l'extraverti est aussi très significativement porté vers l'attitude du chef, vers le leadership ; on trouve entre l'extraversion et le pôle « ascendance » du questionnaire « Etes-vous un leader ? » une corrélation positive de 0,46 (probabilité inférieure à 0,01). Cette corrélation trouve son corollaire entre l'« introversion » et le pôle « soumission » des mêmes questionnaires avec une corrélation négative de −0,46 (probabilité inférieure à 0,41) tout aussi symptomatique.

*Questionnaire 5*II *et 7*III : l'« extraverti » n'est pas porté à être « anxieux » (r = 0,29, probabilité inférieure à 0,10). Par contre l'« introverti » est anxieux (r = + 0,29, probabilité inférieure à 0,10).

*Questionnaire 5*I *et 8* : l'« extraverti » suit plus volontiers ses instincts (« part de la bête » r = + 0,23, probabilité égale à 0,10), que l'introverti (r = 0,23, probabilité égale à 0,10).

*Questionnaire 5*I *et 12*V : le type de maladie mentale typique de l'« extraverti » est la manie (r = 0,35, probabilité inférieure à 0,55). Ce résultat est conforme à ce que disent les psychiatres.

*Questionnaire 5*ı *et 17*ı *:* l'extraverti est porté à devenir « bourreau » (r = 0,30, probabilité inférieure à 0,05), mais pas victime, tout au contraire de « l'introverti » (r = 0,25, probabilité inférieure à 0,10).

*Questionnaire 7*III *et 14*ı *:* dans les questionnaires « Etes-vous anxieux ? » et « Etes-vous superstitieux ? » les colonnes « anxiété » et « superstition » sont en corrélation positive (r = 0,24, probabilité inférieure à 0,10), corrélation vraisemblable : l'angoisse pousse à croire au merveilleux ; les meilleurs clients des arts divinatoires sont les personnes soumises à de fortes tensions émotives, acteurs, champions, politiciens en tournée électorale, et autres vedettes obligées constamment de forcer la chance, pour lesquelles la moindre défaillance engendre beaucoup d'anxiété.

*Questionnaire 9*ı *et 13*ı *:* dans les questionnaires « Etes-vous tolérant ? » et « Etes-vous raciste ? », le pôle « intolérance » est en corrélation positive avec « racisme » (r = 0,24, probabilité inférieure à 0,05). Là aussi la corrélation était attendue.

*Questionnaire 10*ı *et 8 :* par ailleurs, notons que ceux qui montrent plus d'esprit de géométrie que de finesse hésitent moins à suivre leurs instincts (r = 0,32, probabilité inférieure à 0,05).

*Questionnaire 10*ı *et 14*ı *:* et ils sont plutôt contre la superstition (r = − 0,22), et pour le rationalisme (r = + 0,22) comme on pouvait s'y attendre (probabilité égale à 0,10).

*Questionnaire 11*ı *et 7*III *:* non moins intéressant : l'enfant gâté paraît plus anxieux que la moyenne (r = 0,41, probabilité inférieure à 0,01). Ou tout au moins exprime-t-il ouvertement l'anxiété qu'il peut ressentir.

*Questionnaire 11*ı *et 8 :* « l'enfant gâté » paraît aussi extérioriser facilement ses instincts (« part de la bête en vous » r = 0,30, probabilité inférieure à 0,05).

*Questionnaire 11*ı *et 16*III *:* enfin une corrélation assez inattendue : les sujets qui manifestent une tendance à se montrer enfant gâté ne se montrent pas des « parents autoritaires » (r = 0) et ne savent pas être des meneurs de jeu « démocratiques » (r = 0), mais deviennent le plus souvent des « parents laisser-faire » comme en témoigne une corrélation très significative de 0,43 (probabilité inférieure à 0,01). Cette attitude fera très probablement, si les circonstances extérieures ne s'y opposent pas, de leur progéniture des enfants gâtés également. A travers l'éducation, le proverbe « tel père, tel fils » renouvelle son sens.

A la recherche des corrélations dans vos résultats

Le tableau des pages 260 à 264 indique les coefficients de corrélation significatifs dans notre groupe témoin de 50 sujets normaux. Ces relations entre les questionnaires de cet ouvrage sont commentées de façon générale dans les pages qui précèdent. Voyons à présent comment étudier si vos propres résultats contiennent ou non de telles relations : vous trouverez un exemple de la marche à suivre page 270.

Reprenez pour cela la liste de vos tendances marquées (que vous avez dressée sur une feuille blanche, en suivant nos indications données, page 257), établie en fonction des croix qui, dans votre profil psychologique, dépassaient un écart type en plus ou en moins de la moyenne (zones ombrées du tableau p. 276). Vous avez désigné ces tendances par le titre du questionnaire et de la colonne concernés. Si ce n'est déjà fait, ajoutez devant chaque questionnaire et colonne de la liste les numéros correspondants. Par exemple, si vous avez une forte cote dans le questionnaire « Etes-vous adapté au monde moderne ? » à la colonne « superadaptation » notez qu'il s'agit du questionnaire 4, colonne III (4III).

La liste ainsi numérotée vous permettra des comparaisons aisées avec le tableau p. 60. Toutes les fois que ce tableau II contient un numéro de questionnaire et de colonne qui se trouve aussi dans votre liste, vous le cochez, en entourant d'un trait au crayon directement dans cet ouvrage le numéro du questionnaire et le numéro de la colonne. Mais le tableau II présente sur une même ligne chaque fois un deuxième questionnaire et sa colonne, qui a fourni un coefficient de corrélation avec le premier de la ligne. Dès que vous avez coché un premier questionnaire et sa colonne parce qu'il figurait dans votre liste, cherchez si vous avez aussi le second questionnaire et sa colonne. Il faut, bien entendu, que toutes les quatre composantes coïncident, pour que vos tendances personnelles présentent les mêmes relations que celles de nos sujets témoins. Ainsi, si vous aviez un résultat marqué au questionnaire 1, colonne III, vous entourez 1 et III à la première ligne du tableau III ; si ensuite vous vous apercevez que vous avez aussi un résultat marqué au questionnaire 4, colonne III, vous entourez 4 et III en regard de 1 et III ; mais si vous avez une tendance marquée au questionnaire 4, colonne I, vous n'indiquez rien dans le tableau, car votre corrélation ne correspond pas à celle du groupe témoin.

Les coefficients de corrélation significatifs du tableau II sont rangés par ordre de numéro des questionnaires. Cela facilitera les comparaisons avec votre liste personnelle.

Une fois ces comparaisons achevées, examinez comment se répartissent les numéros que vous avez encerclés dans le tableau II parce qu'ils se trouvaient sur votre liste des tendances marquées.

Avez-vous encerclé deux numéros de questionnaires et colonne sur une même ligne du tableau II ? Cela indique une liaison psychologique classique entre vos tendances caractérielles.

Notre modèle présenté page 270 (sujet numéro 49) présentait certaines de ces liaisons classiques entre tendances caractérielles : une tendance forte au refus du modernisme (questionnaire 4, colonne I) associée à une tendance faible à l'extraversion, donc tendance à l'introversion (questionnaire 5, colonne II) ; une tendance faible à l'ascendant (questionnaire 6, colonne I) associée à une tendance faible à l'extraversion (questionnaire 5, colonne I).

Si, en revanche, tous les numéros encerclés se répartissent au hasard sur toutes les lignes, sans former de paires correspondant aux corrélations significatives, cela indique chez vous beaucoup d'originalité, mais aussi une certaine difficulté à vous adapter aux normes classiques du milieu dans lequel vous vivez. Il est plus facile de se sentir à l'aise dans notre société si l'on possède un caractère conforme à ces normes. Mais attention aussi à ne pas vous enliser dans ces normes : un grand nombre de tendances marquées chez vous correspondant aux corrélations du tableau II pourraient indiquer un caractère un peu sclérosé dans des habitudes de conformisme excessives. Comme en tout, il faut chercher le juste milieu entre l'originalité et l'absence d'originalité.

Nous espérons que ce petit check-up personnel vous aidera dans la recherche de ce juste milieu idéal.

Voici comment établir votre profil psychologique

1) Reportez (pp. 276 et suiv.) le total des points obtenus à chaque test dans les carrés correspondants (voir exemple pages suivantes).

2) A chaque ligne, indiquez par une croix votre résultat dans les zones compartimentées, ce qui vous permet de juger visuellement de combien il s'écarte de la norme. Voici, page suivante, l'exemple de notre sujet 49.

3) Etablissez tout d'abord la liste de vos tendances caractérielles correspondant à chaque croix placée dans les zones ombrées. Dans l'exemple de notre sujet numéro 49, voir les deux listes pp. 274-275.

4) Entourez sur les pages 260 à 264 les tests mentionnés sur vos deux listes (entourez le numéro du test et le numéro de la colonne). Chaque fois que vous entourez les numéros de deux tests figurant sur une même ligne, vos tendances personnelles présentent les mêmes relations que celles de nos sujets témoins. (Toujours à propos de notre sujet numéro 49, voir exemple page 260.)

Exemple de profil psychologique

Questionnaire		Total des points par colonne	
1/ Êtes-vous en accord avec vous-même?	I	26	Accord satisfaisant avec vous-même
	II	25	Accord moyen avec vous-même
	III	11	Accord peu satisfaisant avec vous-même
2/ Connaissez-vous les autres? _Nombre de réponses justes_		40	
3/ Quel est votre coefficient de masculinité-féminité?		20	Masculinité - Féminité
4/ Êtes-vous adapté au monde moderne?	I	14	Refus du modernisme
	II	16	Acceptation du modernisme
	III	10	Superadaptation au modernisme
5/ Êtes-vous introverti ou extraverti		20	Extraverti - Introverti
6/ Êtes-vous un leader?		19	Ascendant - Soumis
7/ Êtes-vous anxieux?	I	30	Sang-froid
	II	26	Angoisse maîtrisée
	III	4	Dérèglement émotionnel
8/ Quelle est la part de la bête en vous? _Total des points obtenus_		47	
9/ Êtes-vous tolérant?	I	14	Intolérant
	II	10	Modérément tolérant
	III	14	Libéral. aux idées larges
	IV	5	Trop conciliant
10/ Avez-vous l'esprit de géométrie ou de finesse?		13	Esprit de géométrie - de finesse
11/ Êtes-vous un enfant gâté?	I	3	Tendances d'enfant gâté
	II	18	Caractère équilibré
	III	18	Altruisme développé
12/ Quelle sorte de fou êtes-vous?	I	15	Epileptoïde
	II	3	Paranoïde
	III	5	Schizoïde
	IV	7	Mélancolique
	V	15	Maniaque

	-2σ	$-\sigma$	moyenne	$+\sigma$	$+2\sigma$	
			95 %			
			68 %			
	12,3	18,3 X	24,3	30,3	36,3	
	14,4	19,2	24 X	28,8	33,6	
	1	5,9	10,8 X	15,7	20,6	
connaît mal les autres	30,4	37,2 X	44	50,8	57,6	connaît bien les autres
féminité	9,5	15,4 X	21,3	27,2	33,1	masculinité
	4,2	7,4	10,6	13,8 (X)	17	
	10,6	13,8 X	17	20,2	23,4	
	5,5	8,7 X	11,9	15,1	18,3	
introverti	18,5 (X)	23,5	28,5	33,5	38,5	extraverti
soumission	12,9 (X)	21,1	29,3	37,5	45,7	ascendance
	15,2	22,3	29,4 X	36,5	43,6	
	12,8	18,6	24,4 X	30,2	36	
	0	1,1	5,7 X	10,3	14,9	
cérébral	26,4	34,1	39,8	45,5 (X)	51,2	instinctif
		2,8	7	11,2 (X)	15,4	
	7,8 (X)	12,6	17,4	22,2	27	
	3,3	7,5	11,7 X	15,9	20,1	
		2,1 X	6	9,9	13,8	
finesse	6,2	11,2 X	16,2	21,2	26,2	géométrie
	0,9 (X)	3,7	6,5	9,3	12,1	
	8,5	12,5	16,5 X	20,5	24,5	
	7,2	11,4	15,6 X	19,8	24	
	5,9	9,8	13,7 X	17,6	21,5	
		2,2 X	4,5	6,8	9,1	
	1,2	4,3 X	7,4	10,5	13,6	
		1,2	3,8	6,4 (X)	9	
	6,6	9,9	13,2	16,5	19,8	

Exemple de profil psychologique (suite)

Questionnaire		Total des points par colonne	
13/ Êtes-vous raciste?	I	12	Racisme élémentaire
	II	22	Racisme nuancé
	III	13	Absence de préjugé racial
14/ Êtes-vous superstitieux?		21	Superstitieux - Rationaliste
15/ Êtes-vous équilibré?	I	20	Suréquilibre
	II	15	Bon équilibre
	III	8	Equilibre instable
	IV	8	Déséquilibre net
16/ Quel genre de parents êtes-vous?	I	8	Autoritaire
	II	18	Démocratique
	III	8	Laisser-faire
17/ Êtes-vous victime ou bourreau?	I	11	Bourreau
	II	21	Ni bourreau ni victime
	III	13	Victime
18/ Quelle est votre forme d'intelligence?	Nombre de réponses justes	8	
19/ Êtes-vous jaloux?	I	5	Jalousie du type actif
	II	4	Jalousie du type passif
	III	2	Absence de jalousie
20/ Connaissez-vous vous-même...	I	6	Santé
	II	1	Satisfaction immédiate
	III	3	Argent
	IV	1	Prestige social
	V	4	Travail

	95%				
		68%			
−2σ	−σ	moyenne	+σ	+2σ	

	−2σ	−σ	moyenne	+σ	+2σ	
			6	12,1	18,2	
	15.8	19.5 X	23.2	26.9	30.6	
	3.5	9.9 X	16.3	22.7	29.1	
onaliste ←	8.8	12.4	20 X	27.6	35.2	→ superstitieux
	7.7	13.8	19.9 X	26	32.1	
	9.9	13.8 X	17.7	21.6	26.5	
	1.5	4.7	7.9 X	11.1	14.3	
		1.7	5.2 X	8.7	12.2	
	0.3	3.2	6.1	9	11.9	
	10.8	15.3 X	19.8	24.3	28.8	
		3.3	7.8 X	12.3	16.8	
	2.5	6.6	10.7 X	14.8	18.9	
	12.8	17.2 X	21.6	26	30.4	
	3.6	7.8	12 X	16.2	20.4	
ntaisiste ←	3 (X)	10	17	24	31	→ méthodique
	2 X	5	8	11	14	
		3.2 X	7.2	11.2	15.2	
	9.9	16	22.1 X	28.2	34	
	0	0.1	2.3	4.6 (X)	6.8	
	0	0.3 X	3.2	6.1	9.0	
	0	2.0 X	4.9	7.8	10.7	
	0	0.2	1.6 X	2.9	4.2	
	0	0.4	2.7 X	4.2	7.3	

ZONE GAUCHE DU DEPLIANT

(entre -1σ et -2σ)

> Tendances faibles

Test n° 5   Êtes-vous introverti ou extroverti ?
             Extraversion

Test n° 6   Êtes-vous un leader ?
             ascendant

Test n° 9   Êtes vous tolérant ?
             colonne II : modérément tolérant

Test n° 11   Êtes-vous un enfant gâté ?
             colonne I : enfant gâté

Test n° 18   Quelle est votre forme d'intelligence ?
             esprit de méthode

4/ Êtes-vous adapté au monde moderne ?	
	colonne III super-adaptation
	(colonne I) inadaptation
	colonne III super-adaptation

Exemples de notre sujet numéro 49 page 260.

ZONE DROITE DU DEPLIANT

(entre + 1 σ et + 2 σ)

Tendances fortes

Test n° 4   Êtes vous adapté au monde moderne ?
Colonne I : refus du modernisme

Test n° 8   Quelle est la part de la bête en vous ?
colonne I : développement des instincts

Test n° 9   Êtes-vous tolérant ?
Colonne I : intolérance marquée

Test n 12   Quelle sorte de fou êtes-vous ?
colonne $\overline{IV}$: esprit plutôt mélancolique

Test n° 20   Connaissez-vous vous-même ?
colonne I : préoccupé par la santé

1/ Êtes-vous en accord avec vous-même?	colonne III désaccord	0,30 *
5/ Êtes-vous introverti ou extraverti?	colonne II introversion	0,27
5/ Êtes-vous introverti ou extraverti?	colonne I extraversion	0,32 *

Votre profil psychologique

Questionnaire		Total des points par colonne	
1/ Êtes-vous en accord avec vous-même?	I		Accord satisfaisant avec vous-même
	II		Accord moyen avec vous-même
	III		Accord peu satisfaisant avec vous-même
2/ Connaissez-vous les autres? Nombre de réponses justes			
3/ Quel est votre coefficient de masculinité-féminité?			Masculinité - Féminité
4/ Êtes-vous adapté au monde moderne?	I		Refus du modernisme
	II		Acceptation du modernisme
	III		Superadaptation au modernisme
5/ Êtes-vous introverti ou extraverti			Extraverti - Introverti
6/ Êtes-vous un leader?			Ascendant - Soumis
7/ Êtes-vous anxieux?	I		Sang-froid
	II		Angoisse maîtrisée
	III		Dérèglement émotionnel
8/ Quelle est la part de la bête en vous? Total des points obtenus			
9/ Êtes-vous tolérant?	I		Intolérant
	II		Modérément tolérant
	III		Libéral, aux idées larges
	IV		Trop conciliant
10/ Avez-vous l'esprit de géométrie ou de finesse?			Esprit de géométrie - de finesse
11/ Êtes-vous un enfant gâté?	I		Tendances d'enfant gâté
	II		Caractère équilibré
	III		Altruisme développé
12/ Quelle sorte de fou êtes-vous?	I		Epileptoïde
	II		Paranoïde
	III		Schizoïde
	IV		Mélancolique
	V		Maniaque

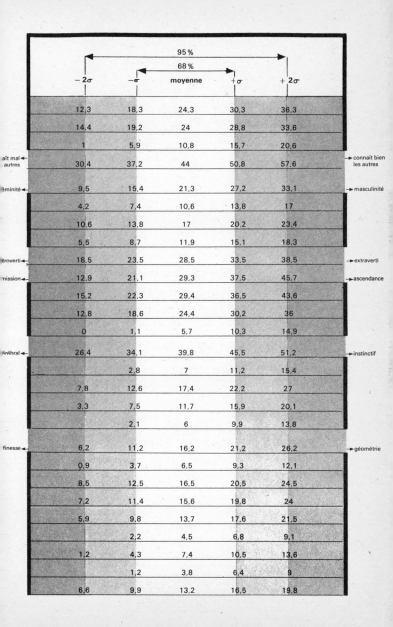

	−2σ	−σ	moyenne	+σ	+2σ	
			95 %			
			68 %			
	12,3	18,3	24,3	30,3	36,3	
	14,4	19,2	24	28,8	33,6	
	1	5,9	10,8	15,7	20,6	
ait mal autres ←	30,4	37,2	44	50,8	57,6	→ connaît bien les autres
éminité ←	9,5	15,4	21,3	27,2	33,1	→ masculinité
	4,2	7,4	10,6	13,8	17	
	10,6	13,8	17	20,2	23,4	
	5,5	8,7	11,9	15,1	18,3	
troverti ←	18,5	23,5	28,5	33,5	38,5	→ extraverti
mission ←	12,9	21,1	29,3	37,5	45,7	→ ascendance
	15,2	22,3	29,4	36,5	43,6	
	12,8	18,6	24,4	30,2	36	
	0	1,1	5,7	10,3	14,9	
érébral ←	26,4	34,1	39,8	45,5	51,2	→ instinctif
		2,8	7	11,2	15,4	
	7,8	12,6	17,4	22,2	27	
	3,3	7,5	11,7	15,9	20,1	
		2,1	6	9,9	13,8	
finesse ←	6,2	11,2	16,2	21,2	26,2	→ géométrie
	0,9	3,7	6,5	9,3	12,1	
	8,5	12,5	16,5	20,5	24,5	
	7,2	11,4	15,6	19,8	24	
	5,9	9,8	13,7	17,6	21,5	
		2,2	4,5	6,8	9,1	
	1,2	4,3	7,4	10,5	13,6	
		1,2	3,8	6,4	9	
	6,6	9,9	13,2	16,5	19,8	

Votre profil psychologique (suite)

Questionnaire		Total des points par colonne	
13/ Êtes-vous raciste?	I		Racisme élémentaire
	II		Racisme nuancé
	III		Absence de préjugé racial
14/ Êtes-vous superstitieux?			Superstitieux - Rationaliste
15/ Êtes-vous équilibré?	I		Suréquilibre
	II		Bon équilibre
	III		Équilibre instable
	IV		Déséquilibre net
16/ Quel genre de parents êtes-vous?	I		Autoritaire
	II		Démocratique
	III		Laisser-faire
17/ Êtes-vous victime ou bourreau?	I		Bourreau
	II		Ni bourreau ni victime
	III		Victime
18/ Quelle est votre forme d'intelligence?	Nombre de réponses justes		
19/ Êtes-vous jaloux?	I		Jalousie du type actif
	II		Jalousie du type passif
	III		Absence de jalousie
20/ Connaissez-vous vous-même...	I		Santé
	II		Satisfaction immédiate
	III		Argent
	IV		Prestige social
	V		Travail

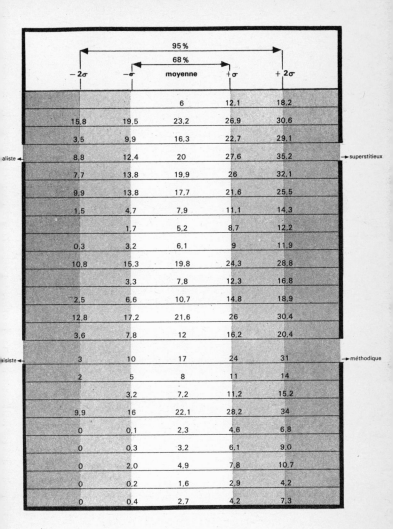

	95%			
	68%			
−2σ	−σ	moyenne	+σ	+2σ
		6	12,1	18,2
15,8	19,5	23,2	26,9	30,6
3,5	9,9	16,3	22,7	29,1
8,8	12,4	20	27,6	35,2
7,7	13,8	19,9	26	32,1
9,9	13,8	17,7	21,6	25,5
1,5	4,7	7,9	11,1	14,3
	1,7	5,2	8,7	12,2
0,3	3,2	6,1	9	11,9
10,8	15,3	19,8	24,3	28,8
	3,3	7,8	12,3	16,8
2,5	6,6	10,7	14,8	18,9
12,8	17,2	21,6	26	30,4
3,6	7,8	12	16,2	20,4
3	10	17	24	31
2	5	8	11	14
	3,2	7,2	11,2	15,2
9,9	16	22,1	28,2	34
0	0,1	2,3	4,6	6,8
0	0,3	3,2	6,1	9,0
0	2,0	4,9	7,8	10,7
0	0,2	1,6	2,9	4,2
0	0,4	2,7	4,2	7,3

aliste ← → superstitieux

aisiste ← → méthodique

Bibliographie

Ouvrages concernant les sujets des tests présentés

Connaissez-vous les autres ?

Bergès (Dr J.) : Les gestes et la personnalité (Paris, Hachette, 1967).

Corman (Dr L.) : Nouveau manuel de morpho-psychologie (Paris, Stock, 1966).

Crépieux-Jamin (J.) : L'écriture et le caractère (Paris, P.U.F., 16ᵉ éd. 1963).

Gauquelin (M.) : Connaître les autres (Verviers, Marabout Service n° 191, 1972).

Koch (Ch.) : Le test de l'arbre (Lyon, éd. Emmanuel Vitte, 1969).

Sheldon (W.) : Les variétés du tempérament (Paris, P.U.F., 1951).

Quel est votre coefficient de masculinité-féminité ?

Jacobi (J.) : La psychologie de C. G. Jung (Neuchâtel, Delachaux et Niestlé, 1950).

Reuchlin (M.) : La psychologie différentielle (Paris, P.U.F., 1969).

Etes-vous introverti ou extraverti ?

Bennet (E.A.) : Ce que Jung a vraiment dit (Verviers, Marabout Université n° 247, 1973).

Eysenck (H. J.) : Readings in Extraversion-Introversion, 3 vol. (Londres, Staples Press, 1970).

Gauquelin (M.) : Les tempéraments et les caractères, in Dictionnaire de la psychologie moderne p. 613 sv. (Verviers, Marabout Service nᵒˢ 112 et 113, 1969).

Jung (C.G.) : Les types psychologiques (Genève, Georg et Cie, 1950).

Etes-vous un leader ?

Cattell (R.B.) : Scientific Analysis of Personality (Harmondsworth, Middlesex, Penguin Books, 1965).

Clay Smith (H.) : Personality Development (New York, MacGraw Hill, 1968).

Etes-vous anxieux ?

Balint (M.) : Le médecin, son malade et la maladie (Paris, Payot, 1966).

Delay (J.) : Introduction à la médecine psychosomatique (Paris, Masson, 1961).

Foucault (M.) : Maladie mentale et psychologie (Paris, P.U.F., 1966).

Freud (S.) : Inhibition, symptôme et angoisse (Paris, P.U.F., 1965).

Une bibliographie plus détaillée pourra être trouvée dans :

Arnaud (Dr J.-L.) : L'angoisse, maladie de notre civilisation, in Psychologie n° 10.

Quelle est la part de la bête en vous ?

Ardrey (R.) : Le territoire (Paris, Stock, 1966).

Chauvin (R.) : les sociétés animales (Paris, Plon, 1963).

Grassé (P.P.) : Toi, ce petit dieu (Paris, Albin Michel, 1971).

Goldberg (J.) : L'animal et l'homme (Paris, C.E.P.L.-Denoël, 1972).

Malson (L.) : Les enfants sauvages, mythe et réalité (Paris, Union générale d'éditions, 1964).

Morris (D.) : Le singe nu (Paris, Bernard Grasset, 1968).

Morris (D.) : Le zoo humain (Paris, Bernard Grasset, 1969).

Morris (R. et D.) : Hommes et singes (Verviers, Marabout Université n° 219, 1971).

Etes-vous un enfant gâté ?

Adler (A.) : L'enfant difficile (Paris, Payot, 1949).

Adler (A.) : Le sens de la vie (Paris, Payot, 1950).

Quelle sorte de fou êtes-vous ?

Kretschmer (E.) : La structure du corps et le caractère (Paris, Payot, 1930).

Nuttin (J.) : La structure de la personnalité (Paris, P.U.F., 1965).

Porot (A.) : Manuel alphabétique de psychiatrie (Paris, P.U.F., 1965).

Etes-vous raciste ?

Lacouture (J.) : Les Français sont-ils racistes ?, in *le Monde,* 20 mars 1970 et numéros suivants.

Etes-vous superstitieux ?

Jahoda (G.) : The Psychology of Superstition (Bungay, Suffolk, Great-Britain, Pelican Books, 1970).

Odier (C.) : L'angoisse et la pensée magique (Neuchâtel et Paris, Delachaux et Niestlé, 1947).

Etes-vous équilibré ?

Bize (P.R.) et Goguelin (P.) : L'équilibre du corps et de la pensée (Verviers, Marabout Service n° 134, 1970).

Chauchard (P.) : Travail et loisirs.

Koupernick (C.) : L'équilibre mental (Paris, Fayard).

Ancelin-Schutzleberger (A.) : Précis de psychologie et de psychodrame.

Jones Stanley (T. et L) : La cybernétique des êtres vivants (Paris, Gautier-Villard, 1965).

Quel genre de parent êtes-vous ?

Gauquelin (M. et F.) [ouvrage collectif sous la direction de] : La vie du couple (Verviers, Marabout Service n° 142, 1970).

Lewin (K.), Lipitt (R.) et White (R.) : Expérience citée, in Bulletin de psychologie, (5 [6], 1952).

Sherif (M.) : Experiments in Group Conflict, in Frontiers of Psychological Research, pp. 112-116 (San Francisco et Londres, W. H. Freeman and Company, 1966).

Vincent (R.) : Connaissance de l'enfant (Verviers, Marabout Service n° 190).

Etes-vous bourreau ou victime ?

Gratus (J.) : Les victimes (Paris, Stock, 1969).

Kipnis (D.) : Character, Structure and Impulsiveness (New York, Londres, Academic Press, 1971).

Quelle est votre forme d'intelligence ?

Eysenck (H.J.) : Check your I.Q. (Harmondsworth, Middlesex, Penguin Books, 1962).

Eysenck (H.J.) : Know your own I. Q. (Harmondsworth, Middlesex, Penguin Books, 1963).

Sarton (A.) : L'intelligence efficace (Verviers, Marabout Service n° 137, 1970).

Etes-vous jaloux ?

Gauquelin (M. et F.), [ouvrage collectif sous la direction de] : La vie du couple (Verviers, Marabout Service n° 142, 1970).

Lagache (D.) : La jalousie amoureuse (2 vol., Paris, P.U.F., 1947).

Ziman (E.) : La jalousie chez les enfants (Paris, éditions du Scarabée, 1959).

Connaissez-vous vous-même...

Davy (M.M.) : La connaissance de soi (Paris, P.U.F., 1966).

Horney (K.) : L'auto-analyse (Paris, Gonthier, 1953).

Sur l'ensemble des questions évoquées dans cet ouvrage

Gauquelin (M. et F.), ouvrage collectif sous la direction de : Le dictionnaire de la psychologie moderne, deux volumes (Verviers, Marabout Service, 1969); ainsi que tous les ouvrages publiés par cette collection dans la série « **Psychologie** ».

Psychologie, revue mensuelle (Paris, C.E.P.L., depuis février 1970).

Psychology Today, revue mensuelle (Del Mar, Californie, éd. T. George Harris).

Achevé d'imprimer sur les presses de **Scorpion**,
à Verviers, pour le compte des éditions **Marabout**.
D. avril 1986/0099/75
ISBN 2-501-00820-0

Psychologie Education

Psychologie / Psychanalyse

Marabout Service

M.U.

Marabout Flash

Psychologie et personnalité

Marabout Service

Art de la négociation (L') DEPRE T.	MS 654	[04]
Bonheur en soi (Le) PELLETIER D.	MS 639	[04]
Ce que les femmes n'avaient jamais dit CRESSANGES J.	MS 693	[06]
Connaissez-vous par la forme de votre visage UYTTENHOVE L.	MS 525	[04]
Ecriture et personnalité JULIEN N.	MS 575	[04]
Etes-vous auditif ou visuel ? LAFONTAINE R.	MS 630	[06]
GM de la communication facile ADLER M. J.	MS 626	[06]
GM de la graphologie COBBAERT A.-M.	MS 337	[06]
Guide de la réussite (Le) CURCIO M.	MS 707	[06]
Se faire des amis SUZZARINI F.	MS 625	[06]
Sept secrets de la joie de vivre (Les) SUZZARINI F. & M.	MS 730	[N]
Soyez génial çà s'apprend SUZZARINI M. & F.- MAGENDIE O	MS696	[06]
Vaincre sa timidité SUZZARINI F.	MS 494	[04]

Marabout Flash

Comment vaincre sa timidité	FL 429	[01]
Volonté (La)	FL 063	[01]

Tests

Guides Marabout

15 tests pour connaître les autres GAUQUELIN M. & F.	GM 015	[N]

Marabout Service

Connaissance de soi par les tests (La) DEPRE T.	MS 637	[04]
Je te teste, tu me testes JULIEN N.	MS 694	[06]
Test Marabout des couleurs (Le) JULIEN N.	MS 631	[02]
Tests du bonheur (Les) (Vie sentimentale) DROUIN C.	MS 735	[N]
20 tests pour se connaître GAUQUELIN M. & F.	MS 236	[06]

Marabout Flash

Questionnaire animalier (Le)	FL 466	[01]
15 tests pour découvrir votre personnalité	FL 468	[01]
Tests (Les)	FL 076	[01]